SCHERZ

W9-CUK-687

Tommy Jaud

DER LÖWE BÜLLT

ROMAN

SCHERZ

Erschienen bei FISCHER Scherz
2. Auflage: April 2019

© 2019 S. Fischer Verlag GmbH,
Hedderichstr. 114, D-60596 Frankfurt am Main

Satz: Dörlemann Satz, Lemförde
Druck und Bindung: CPI books GmbH, Leck
Printed in Germany
ISBN 978-3-651-02558-5

»Eine Zimmerkarte reicht,
wir machen eh alles zusammen.«

ROSI SCHNÖS

Für Wolfgang †

1

Warum wartet man fast eine Stunde, nur um in einer Achterbahn zu sitzen, die mit dem gnadenlosesten Katapultstart der Welt wirbt? Warum lässt man sich minutenlang und kopfüber in einer afrikanischen Überschlag-Riesensalatschleuder um die eigene Achse wirbeln, haarscharf an Wasserfontänen und Feuergarben vorbei? Und warum lässt man sich in einem Pappmaschee-Turm erst hundert Meter in die Höhe schießen, um dann, ganz oben, kurz vor dem freien Fall, auf die Kompetenz des TÜV Rheinland zu hoffen?

Ganz einfach: weil es einen Heidenspaß macht, die Kollegen mal kreischend und lachend in der Achterbahn zu sehen statt grübelnd vor dem Computer. Weil Wolfis dünne Ausreden vor einfach jedem Fahrgeschäft wieder für tagelange Lacher im Büro sorgen werden und natürlich weil unser verbissener Chef einfach nicht verlieren kann. Selbst im putzigsten Kinderfahrgeschäft kämpft Tim mit seinem Militärhaarschnitt, als ginge es um sein Leben.

Klar, die Attraktionen sind inzwischen alle so gebaut wie ein Hollywood-Film mit uns als Held. Erst starren wir hilflos und voller Respekt auf das Fahrgeschäft, aber dann nehmen wir unseren ganzen Mut zusammen und lassen uns auf das Abenteuer ein. Überwinden die Angst, schauen kurz dem Tod in die Augen und treten dann nach der Schlacht siegreich vor unser mitgereistes Volk und verkünden:

»Jetzt mal ehrlich, Leute, das ist doch scheiße, wenn ich keine einzige Maus treffe, da stimmt doch was mit den 3D-Brillen nicht!«

Gut. Für Tim und die Kinderattraktion *Maus au Chocolat*, wo man aus kleinen Wagen heraus mit Schokoladenspritzen auf virtuelle Mäuse schießt, gilt meine Theorie vielleicht nicht. Ich wurde übrigens Erster, zusammen mit Wolfi, und natürlich werden wir das Siegerfoto im Büro so hängen, dass Tim es jeden verdammten Tag sieht. Selbst jetzt, wo wir schon im berüchtigten Freifallturm *Mystery Castle* auf den engen Sitzschalen klemmen und die Gurte festschnallen, hadert er noch immer mit sich: »Letzter, also echt!«

»Es ist ja auch für Kinder gemacht!«, grinse ich noch, da geht es schon los. Die schweren Schulterbügel fahren runter, und als Wissenschaftler verkleidete Mitarbeiter prüfen hektisch, ob Gurte und Bügel geschlossen sind.

Kollegin Elena tippt mich an, sie sieht besorgt aus.

»Und was genau passiert jetzt, Nico?«

»Na ja … sie katapultieren uns hoch, und dann lassen sie uns wieder fallen, das ist eigentlich alles.«

»Und wenn da irgendwas versagt?«

»So wie unser Chef eben?«, lache ich.

»Hab ich gehört!«, kann Tim gerade noch zurückkeifen.

Kunstnebel quillt aus dem Boden, dramatische Musik setzt ein, und die Wissenschaftler geben letzte Anweisungen.

»Brillen, Schlüssel, Kappen – alles, was runterfallen kann, bitte vor eure Sitze legen!«

In Windeseile landet allerlei Zeugs vor den Füßen der Leute. Ich nehme meine ohnehin schon angeknackste Brille ab und lege sie in meine *Kimba*-Kappe, als mein Handy klingelt. Ausgerechnet jetzt. Auf dem Display das Foto meiner lächelnden Mutter, wie sie glücklich in ein Stück Schokolade beißt. Wie immer gehe ich ran.

»Nico! Bin ich froh, dass ich dich erwische!«

»Mama! Is schlecht gerade, weil ich bin in 'nem Fahrgeschäft und werd jede Sekunde –«

Nicht jede Sekunde.

Jetzt!

Mit einem ohrenbetäubenden Lärm werden wir nach oben geschossen. Elena schreit, als würde man ihr den Magen rausreißen, Tim beißt die Zähne zusammen, und ich kralle mich mit meinem Magen auf sechs Uhr an Handy und Bügel fest. Wir sind oben an der Turmspitze. Kleben ängstlich auf unseren Sitzschalen, die Füße baumeln im Nichts. Ein kalter Luftzug geht, Lichtblitze zucken. Aus den Lautsprechern wummert ein unheilverkündender Bass. Sonst gespannte Stille. Angespannte Muskeln. Starre Blicke. Wissen ja alle, was gleich passiert. Erst jetzt bemerke ich, dass ich mein Handy noch immer aufs Ohr drücke.

»Mama? Was ist denn?«

»Papa ist gerade gestorben.«

»Hahahaha!«, lacht der irre Wissenschaftler, und weitere Blitze zucken. Ich vernehme ein Klickgeräusch, und dann rase ich zu fauchendem Donnergrollen in wahnwitziger Geschwindigkeit in eine schier endlose Tiefe.

2

Wie sagt man so schön: das Jahr kannste in die Tonne kloppen! Konnte ich auch. Endlich im Flieger. Flucht nach vorne. Und die Stadt mit K muss ich auch nicht mehr sehen, wir sind nämlich eben durch die dicke Wolkendecke durch, und wolkentechnisch versteh ich den lieben Gott: lieber mal den Deckel drauf, wir wollen unseren Müll ja auch nicht sehen. Besser Musik an und ›Hey Kölle, do bes e Jeföhl!‹

Die Frage is nur, welches: Liebe? Angst? Stolz?

Also, Liebe kann's nicht mehr sein nach dem letzten Jahr, dann schon eher Angst. Die Angst, ungewollt Teil eines sinnfrei gekachelten Nichts zu sein. Stolz? Auf was genau sollte man stolz sein in einer Stadt, deren Stadtrundfahrten genau zwei Stopps haben: eine große, schwarze Kirche mit Gerüst und das Schokomuseum. Let's face it: Köln ist nicht mehr als eine in die Jahre gekommene, selbstverliebte Großstadt-Simulation. Wär so gerne Metropole, ist aber halt doch nur irgendwas zwischen Museum und Mülltonne.

Und ich?

Bin ein Mann auf dem Weg, hat mir ein kauziger Psychiater gesagt. Das hab ich als professionelle Hilfestellung für mein Leben dankbar angenommen und bin sofort gegangen. Aber das ja war noch vor dem Vorfall im Büro, der mich überhaupt erst hierhergebracht hat. Jetzt muss ich mich entspannen. Durchatmen, neue Kraft tanken, die Dinge richten. Fern der Heimat und mit Abstand. Und ich hab ein gutes Gefühl, denn während der Dom immer kleiner wird, das Stadion zur Schachtel und der Rhein zum Strich, geht mein Puls schon runter von 90 auf 83. Das sind nachprüfbare Zahlen, und die besagen: Ich entspanne mich schon!

»Schatz? Magst du einen Zitrone-Ingwer-Bonbon?«

Und das, obwohl ich mit meiner Mutter fliege.

»Danke«, antworte ich lächelnd und bemerke den Abdruck des Zeitschriftennetzes vom Vordersitz auf meinem nackten Knie, »aber Zitrone-Ingwer ist nicht so mein Geschmack.«

»Die sind auch zuckerfrei.«

»Das ändert aber nichts am Geschmack, oder?«, gebe ich zu bedenken.

»Doch! Die mit Zucker sind viel süßer!«, insistiert meine Mutter, und sofort vermeldet die Fitnessuhr eine geringfügige Entspannungseinbuße. »Immer locker durch die Hose atmen«, hat meine Frau Mia mir geraten. Ja, das mag für Ruhrpott-Mütter gelten, aber wie steht's mit Witwen aus Pulheim? Offenbar nicht so gut, denn unter den kurzen, weißen Haaren meiner Mutter verhärten sich die Gesichtszüge.

»Willst du jetzt einen Bonbon oder nicht?«, fragt sie grummelig, denn das mag sie nicht, wenn man ihre Fürsorge nicht annimmt. Ich wiederum finde es immer nett, wenn man ein Nein auch mal akzeptiert.

»Mama. Ich hasse Ingwer, und das weißt du.«

»Ja, aber ich dachte, wenn Zitrone dabei ist, magst du ihn vielleicht?!«

Meine Uhr zeigt nun wieder einen Puls von 90.

»Ich mag ja auch keine Schildkrötenkotze, wenn Schokolade dabei ist!«

»Also, das ist ja jetzt wirklich ekelhaft!«, entrüstet sie sich und steckt die Bonbontüte zurück in ihre riesige orangene Stoffhandtasche. Ich grabe meine Zähne tief in die Unterlippe. Meine Mutter wendet sich ab.

102.

Na prima. Jetzt ist sie beleidigt, und das wird auch bis zum Atlantik so bleiben, wenn keiner nachgibt. Also tätschle ich ihre Hand, setze ein freundliches Gesicht auf und sage:

»War ein blödes Beispiel, Mama. Lass uns einfach nicht mehr über Ingwer reden.«

»Ich hätte dir erst gar keinen Bonbon anbieten sollen!«

»Stimmt! Das war ein Riesenfehler!«, antworte ich trotzig, verschränke meine Arme, friemel mein Nasenspray aus der Jeanstasche und nehme zwei von meiner Mutter skeptisch beäugte Pumpstöße pro Nasenloch.

»Was??«, frage ich genervt.

»Nichts …«, sagt sie und schaut wieder in ihre Zeitschrift.

Gut, denke ich mir, schließe die Augen und stelle mir vor, wie es sich anfühlen würde, könnte ich den Sitz ein klein wenig nach hinten kippen. Also ohne von den Knien meines dauerbrabbelnden Hintermanns erdrückt zu werden. Soll ich meinen Idiotenschutz-Kopfhörer aus dem Gepäckfach holen? Nur, dann müsste ich meine Mutter bitten aufzustehen. Sie sitzt da, wie von einer Betonfachfirma in den Sitz gegossen. Als Steinmonument mit komplett neuer, modischer Kurzhaarfrisur. Irgendwas zwischen Birgit Schrowange und Jamie Lee Curtis. Erst war ich entsetzt – schließlich wollte ich ja mit meiner Mutter in den Urlaub und nicht mit Birgit Schrowange.

»Das ist ein Pixie-Cut, Nico. Der ist total im Trend! Findest du nicht gut?«

»Doch, doch. Gut! Nur ungewohnt«, hab ich geflunkert, weil ich ja will, dass die Mama eine gute Zeit hat mit mir im Urlaub

14

nach dem schlimmen Jahr. Daher ist auch unser Bonbon-Zwist vielleicht ein wenig albern.

»Mama?«

»Ja?«

»Das ist lieb, dass du mir Bonbons anbietest, ich mag halt einfach nur keinen Zitrone-Ingwer-Geschmack.«

»Es ist alles gut, und du hast recht.«

Mein Gott, wie ich diesen Satz hasse! Weil nämlich gar nichts gut ist und ich natürlich gar nicht recht habe in ihren Augen, doch statt das einfach mal zuzugeben, beendet Frau Mutter ihre ingwereske Scheindebatte wie der hinterletzte Politiker. Und natürlich bemerkt sie, dass ich meine Arme verschränke und auf das knutschende Pärchen in der Sitzreihe neben uns starre.

»Was stöhnst du denn jetzt, Nico? Freu dich doch lieber, dass dein Chef dir so eine schöne Reise schenkt.«

»Hast ja recht.«

»Du darfst wirklich nicht so negativ denken. Nicht dass du noch vor mir stirbst!«

»Wieso?«, frage ich verwundert, »was wäre denn dann?«

Nur meine Mutter ist noch verwunderter als ich.

»Wieso?! Na, dann bin ich ja ganz alleine!«

»Und was ist dann mit mir?«

»Nix! Du bist dann ja tot!«

Ich atme ein, und ich atme aus. Dann ziehe ich das Bordmagazin aus dem Netz des Vordersitzes, gewinne so 20 Millimeter kostbaren Sitzabstand und beginne zu blättern. Aha: Phoenix wird das 17. Condor-Ziel in Nordamerika. Da bin ich aber froh! Meine Mutter nicht. Sie schaut mich immer noch an.

»Also, das würde ich nicht schaffen, wenn du vor mir stirbst!«

Stöhnend stecke ich das Magazin zurück in die Sitztasche.

»Ich sterbe nicht vor dir – versprochen!«

»Das kann man nicht versprechen. Es sei denn, du willst mich umbringen …«

»Wie kommst du denn darauf?«, frage ich perplex.

»Das stand in so einem Artikel im Internet, dass es meist die Söhne sind, die ihre Mütter umbringen.«

»Ich werde dich nicht umbringen, und ich werde versuchen, nicht vor dir zu sterben, Mama.«

Meine Mutter tätschelt glücklich meine Hand.

»Danke, mein Schatz!«

Noch über drei Stunden Flugzeit. Meine Mutter sitzt direkt neben mir in der Mitte. Ich dachte ja, der Fensterplatz wäre toll für sie, damit sie rausschauen kann und ihre Ruhe hat, doch mein gut gemeinter Vorschlag kam nicht wirklich gut an.

»Bitte, Nico, tu mir das nicht an! Wenn das Flugzeug kaputtbricht, dann werde ich doch rausgesaugt wie ein Krümel …«

»Das wird nicht passieren, und wenn doch, rette ich dich mit deiner Krümelbürste!«

»So ein Quatsch! Außerdem zieht's wie Hechtsuppe am Fenster, und ich will ja nicht ausgerechnet dann krank werden, wenn du mal Zeit für mich hast.«

»Was? Ich besuch dich fast jede Woche!«

»Der Frank wohnt sogar wieder bei seiner Mutter.«

»Deswegen ist er ja auch tablettenabhängig.«

Jetzt sitze ich am Fenster und meine Mutter direkt neben mir in der Mitte. Der Gangplatz war für meine werte Frau Mama nämlich auch eher Bedrohung als Sitz, weil sie bei RTL gesehen hatte, dass sich besonders am Gang jede Menge multiresistente Keime tummeln. Mein Argument, dass ihr Platz ja eigentlich unser freier Mittelsitz sei, weil wir Premium Eco fliegen, wollte sie nicht wirklich gelten lassen.

»Wenn es unser freier Mittelsitz ist, kann ich mich da ja hinsetzen, oder?«

»Ja, aber eigentlich ist er ja deswegen frei, damit man mehr privacy hat!«

»Ich kann kein Englisch!«

Und ich kann mich keinen Millimeter bewegen, weil ich nun halt trotz Upgrade zwischen einem hessischem Dauerbrabbler und einem holländischen Riesen klemme wie 'ne Scheibe Schinken in einem Rewe-Sandwich. Links das eiskalte Flugzeugfenster, auf dem einst freien Mittelsitz meine Ingwer-Mutter mit beiden Armen auf der Lehne.

»Mama, kann ich vielleicht …?«

»Die Armlehnen gehören immer dem Mittelsitz, stand in der Brigitte!«

»Und so ein bisschen ragst du halt schon in meinen Sitz!«

»Mir schmeckt's halt! Und ich bin ja trotzdem fit, findet der Dr. Parisi! Zweiundneunzig werde ich, hat er gesagt!«

»Ich freu mich …«, sage ich und stelle mir kurz die kommenden 18 Jahre vor. Werden wir dann beide gleich schnell kauziger, oder hole ich noch auf?

Mutter und Sohn. Sie 74, ich 47 – man kann die Ziffern einfach rumdrehen, aber ähnlicher macht uns das nicht. Vorhin, beim Check-in, als sie vom Klo kam und plötzlich vor mir stand, da hab ich mich sogar erschrocken: ›Wer zum Teufel ist die pummelige, traurige Frau mit der beigen Fleece-Weste und dem weißen Kurzhaarschnitt?‹. Nur hat mich die pummelige, traurige Frau ganz genauso erschrocken angeschaut in dem Moment, und bestimmt hat sie sich gedacht: ›Wer zum Teufel ist der hektische Obdachlose mit der zerfledderten Löwenkappe und dem geklebten Brillenbügel?‹. Vermutlich sind wir einfach noch ein wenig angespannt. Ist unsere längste Zeit zusammen, seit ich in die Tiefe gerauscht bin im Phantasialand und Papa ›in die Stille gegangen ist‹, wie die Japaner sagen. Ich bin bei 'nem japanischen Autokonzern, daher weiß ich, wie die sagen. Meine Mutter mag das mit dem ›in die Stille gehen‹, weil es nicht so schlimm klingt wie ›gestorben‹ oder ›tot‹ – oder ›kapott‹, wie der Kölner sagt. Klingt erst mal hart für Außenstehende, aber so herzlos ist das ›kapott‹ jar nit jemeint, der Kölner kann nämlich auch Trost spenden, dann sagt er so was wie: ›Maach dir keine Kopp, ming Jong, wat fott es, es fott.‹

Aber Schluss mit der Trübsal! Ich hol mir jetzt meinen Schall-schutz-Kopfhörer, setze mich zum Gang und dann entspanne ich mich einfach mit meiner Urlaubsplaylist. Charlotte Gains-bourg. »Rest«. Ich mag ihre Stimme, vor allem wenn sie franzö-sisch singt. Irgendwie beruhigend, als dürfte man seinen Kopf in den warmen Schoß einer liebevollen Frau legen. Das Lied läuft keine Minute, da klopft meine Mutter gegen den Kopfhörer.

Ich nehme ihn ab.

»Bei Ingwer musst du immer schauen, dass er nicht aus China kommt.«

»Da … werd ich mal drauf achten, danke.«

Meine Mutter wirkt zufrieden. Ich setze den Kopfhörer wie-der auf, lausche Charlotte Gainsbourg und schiele auf meine Fitnessuhr. 109. Einhundertneun? Ich nehme den Kopfhörer wieder ab.

»Mama, damit ich's verstehe: Du klopfst an meinen Kopf-hörer, um mir zu sagen, worauf ich beim Ingwerkaufen achten muss? Obwohl ich gar keinen Ingwer mag?«

»Na ja, über irgendwas müssen wir doch reden!«

»Also, von mir aus eigentlich nicht …«

»Am besten ist der aus Peru! Im Restaurant würde ich da immer fragen. Die Gundi hat neulich auch gefragt, und stell dir vor – die Bedienung hatte keinen Schimmer, wo sie ihren Ingwer herhaben!«

»Wahnsinn!«, sage ich und genehmige mir zwei Hübe Nasenspray.

»Das gefällt mir nicht, dass du so viel Nasenspray nimmst!«, merkt meine Mutter kritisch an.

»Ohne Spray krieg ich aber keine Luft!«

Als wäre das ihr Stichwort, greift meine Mutter in ihre Handtasche, ohne hineinzuschauen natürlich, und holt eine bläuliche Plastikflasche mit Knubbelrüssel raus, die sie mir präsentiert wie einen Goldbarren. Ich weiche angewidert zurück.

»Was zum Teufel ist das?«

»Meine Reisenasendusche! Frisch desinfiziert. Ich füll sie dir auch auf und schüttel sie durch, damit sich das Salz verteilt. Dann kannst du aufs Klo damit und … warum starrst du mich denn jetzt so an?«

Ja, da hat sie ausnahmsweise mal recht: Ich starre sie an. Und ich muss an diesen Artikel denken, in dem es um Söhne geht, die ihre Mütter umbringen – irgendwie würde ich ihn plötzlich gerne mal lesen.

»Mama? Warum hast du so was im Handgepäck?«

»Also manchmal versteh ich deine Logik nicht. Damit ich meine Nase durchspülen kann natürlich, was dachtest du denn?«

»Nichts natürlich, wie immer. Und ich will auch gar nicht wissen, wie das funktioniert!«

»Also, man hält den Rüssel an das eine Nasenloch, und dann fließt das Salzwasser durch die Nasenhöhle durch, und aus dem anderen Nasenloch kommt dann halt alles raus, was die Nase verstopft hat, also zum Beispiel –«

»Mama, danke, reicht! Und steck das Ding weg!«

»Wenn der Schmodder gelb ist, dann bist du erkältet!«

»Aufhören!«

»Also, irgendwie mache ich ja alles falsch …«, seufzt meine Mutter enttäuscht.

19

»Machst du nicht, ich will nur keine … vergiss es! Guck, da, das Essen kommt!«

»Echt?«

Nicht ohne ein drittes Mal gegen mein Knie zu dözen, überreicht mir ein übellauniger Steward zwei heiße Aluschalen. Wir öffnen sie und schauen ein wenig ratlos auf deren Inhalt. Käse, Reis und irgendeine Gemüse-Lumumpe. Meine Mutter schiebt die Nasendusche zur Seite und piekst in den Käse.

»Ist das dieser Quietschekäse? Dieser … Hayali?«

»Halloumi, meinst du. Hayali moderiert das *Morgenmagazin*. Leider.«

»Also wenn er beim Essen quietscht, dann ist es Hayali, sagt die Birgit!«

Meine Mutter piekst selig in den Käse. Er quietscht.

»Ah! Es ist tatsächlich Hayali!«

»Na dann!«

Leider ist der Lumumpen-Verteiler inzwischen drei Reihen hinter uns und somit zu weit weg für eine Beschwerde. Hauptsache, der Mama geht's gut. Und es geht ihr gut. Bei Löwen heißt es ja immer, du darfst sie streicheln, während sie fressen. Meine Mutter hört auf zu streiten, wenn das Essen kommt. Aber irgendwann ist so eine kleine Aluschale halt auch mal leer. Recht schnell sogar im Fall von meiner Mama Rosi.

»Darf ich dich denn mal was fragen, mein Schatz?«

»Klar!«, sage ich.

»Das schwirrt mir schon die ganze Zeit im Kopf herum, aber ich hab mich nicht getraut, weil du so viel Stress hast.«

»Mama! Du kannst mich immer alles fragen.«

»Aber du musst versprechen, dass du nicht wieder ausflippst oder mit irgendetwas wirfst!«

»Mama, bitte, wie stellst du mich denn hin?«, frage ich empört.

»Also gut. Hast du dir denn schon was überlegt für den Todestag vom Papa? Was wir da machen?«

Ich lege die Gabel in die leere Aluschale. Wische meinen Mund sauber. Schaue erschrocken zu meiner Mutter.

»Der Todestag ist im Urlaub?«

»Nico, ich bitte dich, ich dachte, deswegen fliegen wir dahin. Weil der Papa und ich da so oft waren und damit ich nicht alleine bin, hast du gesagt!«

»Absolut!«, lüge ich, »aber ich war ja noch nie da, und du kennst den Club doch viel besser und weißt was Papa da gerne gemacht hat.«

»Also eigentlich hat er da gar nichts gern gemacht.«

»Und warum ist er dann immer wieder mitgekommen?«, frage ich verdutzt.

»Komisch!«, murmelt meine Mutter nachdenklich, »das hab ich ihn nie gefragt.«

Vielleicht hätten wir ja im Vorfeld doch ein wenig genauer über den Urlaub sprechen sollen. Findet meine Fitbit auch. 114!

»Also … wir könnten eine ganz besonders schöne Kerze kaufen, sie anzünden am Strand und an den Papa denken.«

»Die bläst der Wind doch sofort wieder aus!«

»Dann … könnten wir eine ganz besonders schöne LED-Kerze kaufen, sie einschalten am Strand und an den Papa denken?«

»Der Papa mochte so künstliche Kerzen doch gar nicht!«

Ich nehme meine Brille ab, rubbel mir die Augen und überprüfe den Klebestreifen am Bügel. Ich merke, wie ich meine obere Zahnreihe in die Unterlippe drücke. Auch so ein Stresszeichen, hat mein Zahnarzt gesagt, nachdem ich die dritte Knirschschiene durchgebissen hatte, und deswegen schläft auch Mia oft nicht mehr neben mir, weil ich mich beim Schlafen angeblich anhöre wie eine Straßenbahn in der Kurve. Und wegen des Schnarchens natürlich und dem Beingezappel. Und wegen der anderen Geräusche. Als ich meine Brille wieder aufsetze, bemerke ich, dass meine Mutter mich noch immer erwartungsvoll ansieht.

»Ich überleg mir was, versprochen.«

»Gut!«

Ich setze den Kopfhörer wieder auf und schaue auf den Bildschirm über uns: Noch zwei Stunden 37 bis zur perfekten Entspannung: Sommer, Sonne, Strand und Ausschlafen im beliebtesten Ferienclub der Kanaren. Was soll da schon schiefgehen?

3

Und da steh ich nun am Fenster im Haus meiner Eltern, schaue raus in die Einfahrt und fühle mich wieder wie der kleine Junge, der auf seinen Papa wartet, wenn er von der Arbeit kommt in seinem hellen Anzug und mit dem braunen Aktenkoffer.

Wo zum Teufel ist die Zeit hin? Ist das alles jetzt wirklich schon vierzig Jahre her? Gab's nicht eben noch Abendbrot mit Schinken, Käse und Gürkchen und danach *Kimba, der weiße Löwe* im Fernsehen?

Eben noch.

So fühlt sich's an. Tatsache ist, dass ich 47 bin und nicht auf meinen Vater warte, sondern auf den Pfarrer. Meine Mutter ist noch immer völlig durch den Wind, und wenn sie gerade mal keinen Beileidsanruf annimmt, dann wirbelt sie durchs Haus wie ein aufgescheuchtes Huhn. Ein Telefonanruf nach dem anderen und jedem und jedem muss sie die gleiche Geschichte mit der Waschanlage erzählen und dass er noch leben würde, wenn sie ihn nicht dorthin geschickt hätte, und dass sogar die Polizei an der Waschanlage war und bei ihr auch, aber einmal die Woche müsse man doch das Haus durchsaugen und das wäre doch angenehmer für beide, wenn er dann nicht im Weg steht.

Und natürlich versichern meiner armen Mutter alle, dass das, was da in der Waschanlage passiert ist, nicht ihre Schuld sei. Doch meine Mutter hadert. Mit sich, dem Schicksal und dem Staubsauger, vor einer Woche erst habe sie überlegt, einen leiseren zu kaufen ohne Kabel und dann …

»Selbst wenn«, tröste ich meine Mutter, »es holt ja unseren Georg nicht zurück!«

Mir selbst geht es den Umständen entsprechend gut. Mia unterstützt mich am Telefon und einmal war sie auch hier, aber da fühlte sie sich fehl am Platze, und irgendwie war es auch so: Sterben ist Privatsache. Seit zwei Tagen schlafe ich nun schon wieder in meinem alten Kinderzimmer, spiele neue Firmware auf den Router meiner Mutter oder schmiere Brote mit Schinken, Käse und Gürkchen. Das Kim-Wilde-Poster hängt noch immer, ein seltsames Gefühl beim Aufwachen.

Meine Mutter schläft so gut wie gar nicht. Wenn ich in die Essecke komme, sitzt sie immer schon da mit einem Glas Tee und ohne Licht und schaut mich vorwurfsvoll an.

»Dass du schlafen kannst, Nico!«

»Ja, dann trink halt mal einen Wein mit!«

»Um die Zeit?«

»Ich meine natürlich, am Abend.«

»Also, um die Zeit schon Wein, das wär ja Wahnsinn!«

Irgendwie reden wir aneinander vorbei, und so richtig helfen kann ich meiner Mutter nicht, merke ich. Ich bin einfach nur bei ihr, versuche, sie zum Essen zu überreden, und fahre mit ihr zu den Terminen, die so anstehen.

Es sind eine Menge Termine. Wenn mein Papa gewusst hätte, was so eine Beerdigung für ein Gehampel ist, dann hätte er sicher noch ein paar Jahre drauf gelegt. Das Organisatorische hat ohnehin Bestatter Uli in die Hand genommen. Uli, ausgerechnet Uli, mit dem ich zusammen auf der Schule war, und dann seh ich ihn jetzt wieder, doch statt ein Bier zu trinken und über die alten Schulzeiten zu quatschen, suchen wir wie in Trance einen Pappelsarg mit Kordelmotiv aus und eine biologisch abbaubare Urne. Uli tröstet meine Mutter und mich, und er macht es gut, es ist ja sein tägliches Geschäft, und sterben müsse schließlich jeder, sonst wäre ja irgendwann die Schlange vor der Achterbahn zu lang. Da hat er recht.

Sonst macht Uli noch in Immobilien. Also, falls mit dem Haus was anstehen sollte – einfach melden. Oder wenn ich mal wieder eine Party mache in Pulheim, DJ sei er nämlich auch. Wohnen, Feiern, Sterben – sicherer kann man beruflich eigentlich nicht fahren. Bei der Todesanzeige tue ich mich schwer, Uli schickt mir Vorlagen als pdf, sie tauchen in meinem Maileingang zwischen einer Netflix-Serienankündigung und dem Newsletter des Kölner Weinkellers auf: Netflix hat die Serie »Wer zuletzt kocht …« hinzugefügt und das Frühlingswein-Angebot mit sechs Flaschen zum Preis von fünf gilt nur noch bis Montag.

Soso. Na dann.

Und wieder klingelt das Telefon, doch dieses Mal sagt meine Mutter, dass ich rangehen soll, sie könne nicht mehr. Also erzähle ich die Geschichte. Dass alles wie aus heiterem Himmel kam und viel zu früh und die Sanitäter ihn nicht reanimieren konnten, ja, tatsächlich, in der Autowaschanlage … und wie die meisten Anrufe endet auch dieser mit einem betroffenen: »Da sieht man mal – so schnell kann's gehen!« und in meinem Fall: »Gut, dass Sie da sind. Ihre Mutter braucht Sie jetzt. Aber wenn Ihnen mal die Decke auf den Kopf fällt, kommen Sie gerne jederzeit vorbei!«

Ich bedanke mich und lege auf.

»Wer war das denn?«, krächzt meine Mutter schwach.

»Eine Frau Jarck von Fielmann.«

»Fielmann? Da war ich ja ewig nicht. Die wollen uns doch nur in den Laden ziehen!«

Noch bevor ich widersprechen kann, klingelt es schon an der Haustür. Es ist der Pfarrer.

»Frank Korn, der Pfarrer. Mein herzliches Beileid!«

»Danke. Nico Schnös, der Sohn. Kommen Sie rein.«

Der Pfarrer ist jünger als ich und sehr viel größer, aber mindestens genauso gestresst. Wegen der kurzen Haare und dem Vollbart sieht er auch gar nicht wie ein Pfarrer aus, sondern wie ein Basketballer, den man wegen einer Sportveranstaltung in Hemd und Jackett gesteckt hat.

»Gut, dass Sie da sind«, sagt er mit warmer Stimme, »Ihre Mutter braucht Sie jetzt!«

»Gut, dass Sie da sind«, bedanke ich mich, frage dann aber: »Warum eigentlich?«

»Ja, ohne Trauergespräch keine Trauerfeier. Darf ich die Schuhe anlassen?«

»Natürlich!«, antworte ich.

»Die Schuhe bitte auszieehen!«, knarzt es aus der Küche.

Gut, dass ich da bin.

»Ich hab eben erst durchgewischt!«

Meine Mutter braucht mich jetzt.

Zu dritt sitzen wir bei Leitungswasser und einer bereits geöffneten Ritter Sport Joghurt am Esstisch. Meine Mutter hat vergessen, Kaffee zu machen, und ich die Puddingteilchen von Merzenich. Als ich die dicke grüne Kerze anzünde, fällt mir auf, dass die Streichholzschachtel wohl ein etwas älteres Mitbringsel von der Frankfurter Buchmesse ist, es steht ›Stirb ewig‹ drauf und ›Der neue Roman von Peter James‹. Ich lasse die Schachtel unauffällig verschwinden. Zu spät, der Basketball-Pfarrer hat's gesehen.

»Guter Thriller!«, schmunzelt er und findet es auch nicht schlimm, dass es nichts zu essen gibt bei uns.

»Ich hatte ein Brötchen eben nach dem Religionsunterricht, und normalerweise werde ich auch vollgestopft mit Torte und Schnaps, von daher bin ich ganz froh, dass Sie nicht bei Merzenich waren.«

26

»Stopp!«, protestiert meine Mutter und hebt die Hand, »zu Merzenich wollte mein Sohn! Ich hab nur den Kaffee vergessen. Aber Tuc haben wir noch!«

Sie springt auf und holt eine Packung Salzkekse – und ihre rote Krümelbürste.

»Wie gesagt: tut mir leid, Herr Pfarrer. Mehr ist gerade nicht im Haus.«

»Gar nicht schlimm!« Der Pfarrer öffnet die gelbe Packung mit den Salzkeksen, und die Krümelbürste kommt zum Einsatz.

»Praktisch, oder?«

»Absolut. Und ganz ohne Strom!«, stimmt Pfarrer Korn ihr zu. In meiner Jeanstasche kneift ein Peter-James-Streichholz. Irgendwie hab ich mir das alles würdevoller vorgestellt.

»Wollen Sie nicht doch noch einen Kaffee?«, fragt meine Mutter, »dann spring ich gerade auf!«

»Du springst jetzt mal nirgendwohin!«, entfährt es mir ein wenig barsch, und der Pfarrer zückt dankbar ein schwarzes Notizbuch:

»Vielen Dank, ich brauch wirklich keinen und muss auch gleich weiter zu einem achtzigsten Geburtstag.«

Wir schauen den Pfarrer beide an.

»Entschuldigung … Da hab ich nicht nachgedacht. Bin auch seit sechs Uhr auf den Beinen.«

»Nicht schlimm!«, sagt meine Mutter und erhält vermutlich zum Dank ein Blatt mit dem Ablauf der Bestattungsfeier.

»Aber erzählen Sie mir doch lieber mal, was Ihr Ehemann und Vater für ein Mensch war. Ich hab nur mal eine Couch bei ihm gekauft vor Jahren, und in die Kirche hat es ihn ja nicht so recht gezogen, von daher weiß ich gar nicht viel.«

Ich kratze mich am Kopf und schaue auf die leere Seite des Notizbuchs. Was mein Vater für ein Mensch war? Wie soll man das denn so spontan beantworten? Denkt sich vermutlich auch meine Mutter, die das Blatt mit dem Ablauf der Trauerfeier studiert, so als hätte gar keiner gefragt.

»Ich lese hier ›Bibelspruch‹ als dritten Punkt, könnte man den weglassen?«

Der Pfarrer legt seinen Salzkeks zurück auf die Tischdecke.

»Den Bibelspruch weglassen?«

»Ja!«, bestätigt meine Mutter und greift zur Krümelbürste.

»Ich könnte den Bibelspruch kurz halten und in die Begrüßung packen.«

»Das wäre nett!«

Der Pfarrer schreibt etwas in sein Notizbuch, isst den Keks, und schon rattert die Krümelbürste meiner Mutter. Ich sage nichts. Dafür hat meine Mutter gleich die nächste Frage:

»Und dieses Glaubensbekenntnis? Muss das sein?«

»Mama …!«, stöhne ich, doch der Pfarrer nickt mir verständnisvoll zu.

»Nun, also … das ist normalerweise schon ein Bestandteil der Trauerfeier, aber … ich bestehe jetzt nicht drauf.«

»Weil ich ja gar nicht mehr glaube«, erklärt uns meine Mutter entschuldigend.

»Aber beerdigt wird doch der Papa, oder?«, gebe ich zu bedenken.

»Verbrannt!«, korrigiert meine Mutter, »das war explizit sein Wunsch.«

Ich nehme mir einen Keks und die Krümelbürste vorsichtshalber gleich dazu, Pfarrer Korn probiert die Ritter-Sport.

»Wie sieht's denn mit dem ›Vater unser‹ aus, Frau Schnös, könnten Sie damit leben?«

»Ja!«, sagt meine Mutter, »aber können wir's ein wenig umformulieren?«

»Was stört Sie denn?«, fragt der Pfarrer irritiert.

28

»Dieses schlimme ›Vergib uns unsere Schuld‹, das muss raus, weil … also nicht dass die Leute das darauf beziehen, dass ich ihn in die Waschanlage geschickt hab.«

Ich schaue zum Pfarrer.

»Darf ich das denn erwähnen in meiner Predigt, also wie er gestorben ist?«

»Auf keinen Fall!«, sagt meine Mutter, und ich: »Warum denn nicht?«

Der Pfarrer scheint Kummer gewohnt und macht sich eine Notiz. »Ich lasse es weg. Aber noch mal zurück zu Ihrem Georg. Was war er für ein Mensch, was hat er gerne gemacht?«

Meine Mutter und ich sammeln uns kurz, und dann beginnt sie.

»Er war gern in der Natur. Auf den Pulheimer Feldern, auf der Glessener Höhe oder auch an den Seen. Da konnte er stundenlang sitzen. Deswegen dachten wir zuerst auch an eine Seebestattung.«

Ich räuspere mich. »Der Uli hat uns doch erklärt, dass damit das Meer gemeint ist«, entschuldige ich mich, meine Mutter hört es gar nicht. »Und er wollte ja auch immer, dass ich mitkomme, aber da hab ich gesagt, woher soll ich die Zeit nehmen, ich muss ja auch den Haushalt zumindest einigermaßen im Griff haben.«

Pfarrer Korn notiert. Ich frage mich, was er da notiert.

»Und immer hat er mir Blumen mitgebracht, da hab ich mich gefreut. Und er hat mir auch oft Zettel geschrieben. Erst neulich war da einer auf meinem Kopfkissen, da hat er geschrieben, dass er mich … liebt.«

Spricht's und bricht in Tränen aus. Ich nehme die Hand meiner Mutter und ziehe ein Taschentuch aus meiner Hose. Seit zwei Tagen hab ich immer welche dabei.

»Alles gut, Mama, lass es raus«, sage ich.

»Man soll es ja aber eben nicht rauslassen!«, schluchzt meine Mutter.

»Und das stand wo?«, frage ich, »In der *Brigitte*?«

»Im *Stern*!«, schluchzt sie.

»Na dann …,« stammle ich, »lass es nicht raus!«

Tatsächlich beruhigt sich meine Mutter in kurzer Zeit, schnäuzt sich die Nase und greift wieder zum Ablaufplan der Trauerfeier.

»Und wie haben Sie Ihren Vater gesehen?«, fragt mich nun der riesige Pfarrer, für den unsere Stühle viel zu klein sind.

Wie mein Vater war. So recht weiß ich nicht, was ich sagen soll, denn wirklich nahe waren wir uns in den letzten Jahren gar nicht mehr. Ich habe ja mein eigenes Leben im Büro und mit Mia, und meine Eltern hatten halt ihres hier in Pulheim. Schuldbewusst blicke ich zum Pfarrer, der inzwischen die rote Krümelbürste untersucht.

»Ich bin nicht mehr so an ihn rangekommen, wenn ich ehrlich bin. Wenn man mal was fragte, war immer alles gut. Der Spaziergang war herrlich, der Sonnenuntergang malerisch und Rosi sowieso die Beste. Gesundheitlich angeblich immer alles top, sein Arzt hätte applaudiert. Ich war neulich noch beim FC mit ihm, das war irgendwie … na ja … nicht so schön.«

»Dem Papa hat der Nachmittag mit dir gefallen«, sagt meine Mutter überrascht.

»Ja?«, sage ich, fühle mich plötzlich gar nicht mehr so gut und schaue auf die Uhr. In einer halben Stunde müssen wir zur Stadt Pulheim wegen der Grabstelle. Muss man das Grab kaufen oder mietet man das? Wenn ja, wie lange, und gibt's teure und nicht so teure Lagen? Hätte ich ja mal Uli fragen können, hab ich keine Ahnung. Und keine Lust sowieso. Der Pfarrer hat zu Ende notiert und seinen Stift zur Seite gelegt. »Und ich soll wirklich nicht darauf eingehen, wo es passiert ist?«

»Was wollen Sie denn sagen?«, frage ich, »›zwischen Aktiv-Schaum und Heißwachs ist er von uns gegangen‹?«

Der Pfarrer legt die Bürste zur Seite und macht sich eine Notiz.

»Sie haben recht, ich lasse es. Und … haben Sie sich denn schon Gedanken gemacht, welche Kleidung Ihr lieber Georg im Sarg tragen soll?«

»Das hat der Uli schon gefragt, und da hab ich Papas Schlafanzug rausgelegt und die Schlappen.«

Ich starre meine Mutter an.

»Seinen Schlafanzug?«, wiederhole ich erschrocken.

»Ja, was denn sonst, er schläft doch jetzt!«, antwortet meine Mutter verständnislos.

»Aber wir haben einen offenen Sarg, Mama. Damit sich alle von ihm verabschieden können! Haben wir doch mit Uli besprochen.«

»Vielleicht wäre es dann ja besser, er trägt etwas, was er gerne anhatte und … wie die Leute ihn kennen«, schlägt der Pfarrer vor. Meine Mama überlegt, sagt aber nichts.

»Was ist denn mit dem dunkelblauen Hemd?«, springe ich ein, »das hatte er doch gerne an!«

»Aber das kannst du doch noch anziehen!«

»Mama! Ich zieh doch nicht Papas Sachen an!«

»Warum denn nicht? Er hat deine doch auch angezogen!«

»Da war ich ja aber auch nicht tot!«

»Das hat doch mit Totsein nichts zu tun!«

Ich schließe kurz die Augen und atme durch. Die Sache ist schlimm genug – wenn ich jetzt die Nerven verliere, macht es das nicht besser. Also sage ich: »Vielleicht das grüne Polo?«

»Ein Hemd mit kurzen Armen? Nico, wir haben April!«

»Mama! Der Papa friert nicht mehr! Und selbst wenn – es ist ja eine Feuerbestattung!«

31

Während der Pfarrer mich noch amüsiert anschaut, ist meine Mutter schon einen Gedanken weiter.

»Das weiß ich, aber deswegen muss er ja nicht im Sarg liegen wie ein Busfahrer!«

Die Kerze geht aus, und Pfarrer Korn blickt auf. Schweigen am Tisch. Schließlich sage ich: »Was haltet ihr denn von seinen Wandersachen? Karo-Hemd, Wanderhose und seine Lederwanderschuhe? Das war doch typisch für ihn!«

Pfarrer Korn hebt mahnend die Krümelbürste. »Faaaalls es der Bestatter noch nicht erwähnt hat: Schuhe dürfen leider nicht mit verbrannt werden. Gürtel übrigens auch nicht.«

»Was? Das ist ja wie am Flughafen!«, poltere ich, doch der Pfarrer ist noch gar nicht fertig: »Und weil Sie Wanderhemd gesagt haben: Bei der Kleidung müssten Sie auf natürliche Materialien achten. Also Baumwolle, Leinen …«

»Sekunde mal!«, unterbreche ich empört, »über die A1 brettern täglich hunderttausend Diesel-LKW, aber wenn das Lieblingswanderhemd meines Vaters einen Polyesteranteil von zehn Prozent hat, dann darf er's nicht tragen im Sarg?«

»Das ist leider richtig«, sagt der Pfarrer betreten.

»Was ist denn mit seiner Kamera?«, fragt meine Mutter.

»Mama! Die ist doch auch aus Kunststoff!«

»Aber keine Kleidung. Der Pfarrer hat ›Kleidung‹ gesagt!«

Ich nehme einen Schluck Wasser und spüre, wie die Wut in mir aufsteigt. Der Pfarrer bemerkt es und greift reflexartig zur Krümelbürste.

»Wo gehen die Krümel da eigentlich hin?«, fragt er.

»Es gibt da so ein Fach, ist aber schwer zu öffnen«, antwortet meine Mutter, »wollen Sie das mal sehen?«

»Nicht unbedingt«, antwortet der Pfarrer »und wegen der Kleidung – wenn Sie da noch mal in Ruhe überlegen wollen …?«

»Keine Sorge!«, zische ich, »wir werden selbstverständlich die

Feinstaubemissionen meines Vaters innerhalb der gesetzlichen Richtwerte halten.«

»Und es bleibt jetzt eigentlich auch nur noch eine Frage für die Trauerfeier, weil sein Lieblingslied, das hab ich ja schon als Datei erhalten ...«

Ich nicke betreten. *Cracklin' Rosie* von Neil Diamond. Zu einer Feuerbestattung. Und dann noch Neil Diamond, der schwulstige Schlagercowboy. Da wird doch die evangelische Kirche sicher mahnend die Hand ... –

»... und *Cracklin' Rosie* ist kein Problem. Meine letzte Frage wäre daher, ob einer von Ihnen vor der Predigt noch ein paar persönliche Worte sprechen möchte.«

Meine Mutter winkt ab – ein Ding der Unmöglichkeit.

»Und Sie, Herr Schnös? Möchten Sie etwas loswerden vor der Gemeinde?«

»Darauf«, sage ich und zerknülle die leere Ritter-Sport-Verpackung zu einer Kugel, »darauf können Sie Gift nehmen!«

4

Eine knappe halbe Stunde noch bis zur Landung. Ich schaue steinalte *Looney Tunes*-Filmchen auf dem Kabinendecken-Bildschirm, meine Mutter liest den Artikel ›Funkstille – wenn Kinder ihre Eltern verstoßen‹ in der *Brigitte Woman*. Sie liest. Ich schaue die Abenteuer vom Kojoten und dem Roadrunner. Dem Puls tut's gut. ›Meepmeep!‹ Was auch immer mich halt ablenkt von Todestagen, Nasenduschen und dass es nun mal kein normaler Urlaub ist, sondern irgendwie ein Zwangsurlaub. ›Meepmeep!‹, macht der Roadrunner und meine Mutter ›Tocktock‹ am Kopfhörer. Mal wieder. Ich nehme ihn ab und blicke in ein verdutztes Gesicht.

»Dass du so was schaust!«

»Erinnert mich halt an meine Kindheit«, erkläre ich bemüht freundlich, denn bei aller Liebe, die bisherige Reise hat mich schon ein paar Nerven gekostet.

»Aber hast du nicht immer diesen Stuntman gekuckt, den mit den vier Fäusten? Und *Magnum*?«

»*Colt Seavers* meinst du und das *Trio mit vier Fäusten*!«

»Sagt mir nichts. *Kimba, der weiße Löwe* hast du auch gekuckt. Weißt du noch?«

»Ja, aber ich setze jetzt den Kopfhörer wieder auf und schaue weiter, okay?«

Es ist nicht okay. Denn offenbar war meine Mutter nicht ein Jahr lang alleine in ihrem Haus, sondern einhundert, sonst würde sie ja auch mal aufhören zu reden.

»Nicht unterhalten?«

»Aber Mama! Wir können uns doch nicht eine Woche nonstop unterhalten jetzt! Und wir haben doch alles besprochen: Ich denke über den Todestag nach, und wenn ich irgendwann Lust auf Ingwer hab, dann kauf ich peruanischen.«

»Mach das!«

Okay. Sie ist beleidigt. Aber wenn ich mein Reisewohl auch nur ansatzweise im Auge behalten will, dann muss ich jetzt damit leben. Ich setze also den Kopfhörer wieder auf und blicke hoch zum Bildschirm, wo der Roadrunner zu amerikanischer Orchestermucke in der typischen ›The End‹-Linse verschwindet. Wie? Das war's jetzt? Offensichtlich. Ein Satellitenbild mit den Kanaren poppt auf dem Schirm auf mit unserem Flugzeug drauf.

›Tocktock‹ macht's am Kopfhörer.

Genervt schaue ich zu meiner Mutter und erschrecke mich: Sie ist plötzlich ganz blass. Also nehme ich den Kopfhörer runter.

»Nico, ich hätte ihn trotzdem nicht zum Autowaschen schicken dürfen!«, sagt sie traurig.

»Mama, wie oft noch? Du weißt, dass du nicht schuld bist!«

»Das sagen alle, aber es hilft mir nichts, so fühl ich mich nun mal. In der Waschstraße hatte er ja seinen Herzinfarkt, dabei war das Auto gar nicht wirklich schmutzig.«

»Warum ist er denn dann hingefahren?«

»Weil ich in Ruhe das Haus saugen wollte, das ist doch nicht normal, oder?«

»Nein. Aber schuld bist du trotzdem nicht.«

Ich greife ihre Hand und drücke sie. Kurz darauf ruckelt und poltert es, und ein paar Idioten klatschen Applaus. Gepäckfachgeschubse, Jackengeziehe und Smartphonegepiepse. Ich schalte meins auch ein. Leider. Es ist eine Nachricht von meinem Chef.

Ich hab dich im Auge. Und nicht vergessen: Vertrauen ist gut, Controlling ist besser;-) Gruß, Tim

Ich antworte mit dem Daumen-nach-oben-Emoji. Das Kotz-Emoji wäre nur einen Klick weiter rechts gewesen.

Als wir mit unserem Gepäck aus dem Flughafengebäude treten, riecht es nach Kerosin, Insektiziden und diesem ekelhaft süßlichen Südländer-Tabak. Vor allem aber ist es unfassbar heiß: 31 Grad steht auf einer Infotafel.

»Haste gesehen?«, lächle ich meine Mutter an, »31 Grad! Und in Köln regnet's!«, doch so richtig gelöst wirkt sie nicht. Mein Blick streift die anderen Gäste, die mit uns auf dem Weg zu Busstopp Nummer 11 sind. Ich sehe einen alleinreisenden Silberkopf im lindgrünen Polohemd, zwei schlurfende, männliche Millennials mit Smartphone vor der Nase, ein mittelaltes Pärchen, das genauso gekleidet aus der Drehtür einer Unternehmensberatung taumeln könnte, und einen ebenso dürren wie nervösen Geschlechtsgenossen mit ängstlichem Blick und geducktem Gang. Aber egal, tröste ich mich, wir machen ja schließlich keine Rundreise durch Namibia, und der Club ist groß, das wird sich verlaufen.

Dann sind wir und die anderen Pauschalgespenster an Stopp 11, und meine Mutter kämpft offenbar mit den Tränen.

»Mama, was geht vor in deinem Kopf?«

»Ich hab jetzt gerade gedacht, dass ich das alles besser schaffe!«

»Und jetzt?«

»Hab ich mir gerade vorgestellt, dass vielleicht unser Georg gleich noch rauskommt aus dem Flughafen mit seinem blauen Koffer …«

»Ich hab seinen blauen Koffer jetzt. Der Papa ist im Himmel und schaut uns zu!«, versuche ich sie zu trösten.

»Es gibt keinen Himmel …!«, schluchzt sie.

»Doch«, sage ich, »du musst nur hochschauen!« Ich bemerke, dass ich zum ersten Mal genervt bin. Ja, der Papa ist tot. Und ja, es ist traurig. Aber wenn ich, wenn wir jetzt eine Woche durch-flennen, hab ich nicht nur meinen Vater verloren, sondern auch noch meinen Job.

»Entschuldigung, die Dame?«

Der gepflegte Herr mit dem silbernen Haar und dem lind-grünen Polo hat ein Taschentuch gezückt und bietet es meiner Mutter mit sonorer Stimme an. Am Arm hat er eine funkelnde Rolex mit blauem Zifferblatt und Datumslupe. Okay, denk ich mir. Geld hat er. Aber Geschmack? Nur auf die Tatsache, dass die Rolex keinen Puls misst, bin ich ein wenig neidisch.

»Danke!« Meine Mutter reißt ihm das Taschentuch aus der Hand wie meine Rewe-Kassiererin den Pfandbon. Und dann schnäuzt sie rein wie ein indischer Elefant. Der Polohemdherr betrachtet es eher amüsiert als angewidert.

PFFFFFFFFFFTTTT!

»Danke!«, sagt meine Mutter zum lindgrünen Silberkopf, gibt mir aber das Taschentuch. Ich entsorge es in einem Abfalleimer direkt neben uns und sehe, wie der Herr es wieder herausfischt.

»Ägyptische Baumwolle …« entschuldigt er sich, und meine Mutter wuschelt mir durchs Haar, als wär ich sieben.

»Weißt du was, Nico? Ich bin so froh, dass ich dich noch hab!«

»Ich bin auch froh, dass ich dich noch hab«, lächle ich er-leichtert.

Der Busfahrer schnippt seine Kippe auf den Beton und kräht ein »Vamos!«.

Wir steigen ein, und ich lasse meine Mutter zum Fenster wegen der Keime. Die Klimaanlage ist viel zu kalt, meint meine Mutter, und ich gebe dem Busfahrer Bescheid. Sie bleibt so kalt. Spanisches Radio müsse man auch nicht hören in dieser Lautstärke, bemerkt der Herr mit dem Taschentuch und informiert den Busfahrer. Die Musik bleibt. Über unzählige Kreisverkehre geht es an Mietwagenhallen, Tankstellen und Shopping-Malls vorbei auf die wüstenartige Fernstraße Richtung Morro Jable. Es ist circa eine Stunde bis zum Club, hat man uns verraten. Ich zücke mein Handy, drücke Tims dumme Nachricht weg und texte Mia, dass wir sicher gelandet sind, auf dem Weg in den Club und meine Mutter … – vielleicht schreibe ich besser »gefasst« und nicht »gedankenversunken«.

Wir verlassen die Autobahn und fahren in den Ort, in dem der Ferienclub sein soll. Links endlose Dünen, ein weißer Leuchtturm und der Atlantik, rechts hässliche Hotelbunker, Apotheken und Souvenirgeschäfte. Irgendwann biegt der Bus in eine Einfahrt und ein braunes Schiebegatter öffnet sich. ›Candia Playa‹ steht auf den Fahnen, und ein gutes Dutzend Mitarbeiter erwartet uns mit Fähnchen und Begrüßungsdrinks. Lächelnd wende ich mich meiner inzwischen kalkweißen Mutter zu, die sich wegen der Klimadüsen unter einer Decke vergraben hat.

»Mama? Wir sind da!«

»Was?«, fragt sie so blutleer, als läge sie auf dem Sterbebett.

»Wir sind da, Urlaub geht los!«, versuche ich sie aufzumuntern. Doch da kommt nichts. Ich schaue nach draußen zu den Animateuren mit ihren Fähnchen und den Drinks, und ein bestens gelaunter türkisch anmutender Baum winkt uns zu.

»Schau mal, da kennt dich sogar einer«, lächle ich.

»Ach Gott, der Tayfun!«, entfährt es meiner Mutter erschrocken, doch statt zurückzuwinken, hält sie sich ihre Hand vor den Mund.

»Tayfun?«, wiederhole ich ungläubig. So heißt doch keiner. Obwohl – Türken vielleicht schon, weil die sind ja stolz, und da wollen sie nicht Sturm heißen, starker Wind oder Böe. Hürri-Kan ginge vielleicht gerade noch, aber klar, Tayfun passt schon zu so einem durchtrainierten Oberkörper mit Armen wie Baumstämme und der sorgsam gegelten Kurzhaarfrisur, die hält bis Windstärke 10.

»Was macht der denn im Club?«

»Der ist Tennis-Trainer auf der Eins, mit dem wollen alle spielen!«

»Ja, ich nicht!«

»Und der kennt den Papa auch noch, mit dem saßen wir noch ganz lange am letzten Abend ...«

»Das wird schon!«, lächle ich noch einmal und will aufstehen, doch meine Mutter bleibt schweigend sitzen. Ich schaue nach draußen und sehe Tayfun, wie er durchs Busfenster linst und freudig Rosi erkennt. Och nee ... jetzt kommt der Tennistürke auch noch in den Bus! Er ignoriert mich komplett und umarmt stattdessen meine Mutter in ihrem Sitz.

»Mensch, Rosi, wie schön!«, sagt der riesige Baum mit einer Stimme, als würde der Wind durch ein schmales Astloch pfeifen. Hat er Helium eingeatmet?

»Aber wo habt ihr denn den Georg gelassen?«

Okay. Falsche Frage. Erst jetzt schlägt Tayfun seine Hand bei mir ein.

»Bin der Tayfun, Servus!«, fiept es durch das Astloch, und als er mein Handgelenk sieht: »Hey, ist das 'ne Fitbit?«

»Ja, warum?«

»Weil ich mir genau die kaufen wollte. Aber die liefern nicht auf die Kanarischen Inseln. Is gut, das Ding?«

»Funktioniert«, sage ich trocken und »Georg ist gestorben. Vor fast einem Jahr. Ich bin der Sohn.«

Ein beachtlicher Blitz trifft den türkischen Baum. Doch statt in Flammen aufzugehen, fällt er auf dem benachbarten Sitz in sich zusammen wie ein 100-Liter-Sack Graberde. »Und ich frag auch noch, ich Idiot. Tut mir so leid!«, quietscht er hinterher.

»Kannst du ja nicht wissen«, tröste ich ihn und bemerke, dass er echte Tränen in den Augen hat. Jetzt wiederum muss ich schlucken – ein Tennistrainer weint um meinen Vater, aber ich kann es nicht? In jedem Fall umarmt er meine Mutter gleich noch einmal.

»Das packst du schon, Rosi. Ich bin immer da. Wir machen uns eine schöne Woche.«

»Nein«, sage ich und lege den Arm um meine Mutter, »WIR machen uns eine schöne Woche!«

Die Türken haben schon halb Köln unter sich aufgeteilt, meine Pulheimer Mutter kriegen sie nicht.

Und dann schaue ich zu, wie der einstige Baum als Strauch aus dem Bus huscht, sich auf eine Holzbank setzt und kopfschüttelnd eine Zigarette anzündet.

Ich blicke zu meiner Mutter. Eingefrorenes Gesicht, keine Reaktion auf Eingaben und dazu noch ein Komplettausfall der Audioausgabe. Wäre Rosi nicht meine Mutter, sondern ein TV-Receiver, würde ich sie einfach mal aus- und wiedereinschalten. Es ist schon verwunderlich: Für jedes verdammte Problem der Welt gibt es einen Online-Support, aber wenn einem die Mutter abstürzt, ist Sense. Dabei wäre es so einfach:

Hallo? Meine Mutter ist kalkweiß und sagt nix mehr.

Was war die letzte Eingabeaktion, können Sie sich erinnern?

Ja. Ein Türke hat sie auf ihren verstorbenen Mann angesprochen.

Verstehe. Knifflig. Haben Sie vielleicht mal Modell und das Betriebssystem für mich?

Wo finde ich das alles?

Auf dem Etikett in der Strickjacke. Und die Umgebung auch bitte.

Okay. Ich hab's: Das ist eine 1944-er, MumOS 2.1.4, Urlaubsumgebung.

2.1.4.? Und das läuft noch?

Ja eben nicht!

Das tut mir leid, aber 2.1.4. unterstützen wir schon lange nicht mehr. Gibt es denn sonst noch was, bei dem ich helfen könnte?

Ja, ich muss ganz dringend meinen Ruhepuls unter sechzig kriegen.

Mit einer Mutter auf 2.1.4. in Urlaubsumgebung? Unmöglich!

Als ich mich wieder zu meiner Mutter drehe, bemerke ich erleichtert, dass sie wieder aufgetaut ist. Allerdings ist da irgendwas in ihrem Blick, das mir nicht gefällt.
»Mama, was ist? Raus mit dir!«
»Ich kann nicht, tut mir leid …«

»Wie, du kannst nicht?«

»Zu Hause hab ich mich ja dran gewöhnt, dass der Georg nicht mehr da ist, aber hier war ich ja immer nur mit ihm, und wenn ich jetzt hier rausgehe, dann ist es fast so, als würde er noch mal sterben.«

»Und das heißt?«, frage ich vorsichtig.

»Dass ich mich überschätzt habe. Tut mir leid, mein Schatz, aber ich kann hier keinen Urlaub machen.«

5

Gleißendes Neonflackerlicht. Giftgrüner, pfeilschneller Teppich. Und dann noch neue Tennisbälle. Wie soll ich da meinen Chef schlagen? Gar nicht, natürlich. Was hier passiert, das ist die späte Rache für Tims epische *Maus au Chocolat*-Niederlage vor gut einem Jahr.

»Körperspannung, Nico!«, schallt es von der anderen Seite des Netzes. Danke für den Tipp, Tim, aber nach 'ner Flasche Cabernet Sauvignon und drei Stunden Schlaf hab ich's halt nicht so mit der Körperspannung. 0 zu 5 steht's nach Spielen im ersten Satz, einmal hat er sogar noch einen Netzroller von mir bekommen, während er telefonierte. Tim ist mir sportlich einfach überlegen, schon rein optisch. Mit seinem 2-Millimeter-Haarschnitt und dem breiten Hals könnte er morgen bei den US-Marines anfangen als Kampftaucher. Ich bei Obi als Gartenschlauch.

Wenigstens hat die Demütigung bald ein Ende, wir stehen an der weißen Plastikbank neben dem Netzpfosten und nehmen unsere letzte Pause vor Spielende. Ich nippe an einer Dose Red Bull, und Tim tippt auf seiner Fitbit-Fitnessuhr herum – so eine haben wir seit Weihnachten alle in der Abteilung. Mia sagt, das sei ein vergiftetes Geschenk und sie würde sich weigern, so eine Datenschleuder zu tragen. Ich denk mir da eher, dass es nicht schaden kann zu sehen, wie viele Schritte ich mache, wann ich schlecht schlafe nachts und wie hoch mein Puls ist, nachdem ich einen Stoppball von Tim kriegen wollte: 176.

Amüsiert zeigt mir Tim den Verlauf seiner Herzfrequenz auf seinem Handy, das die Daten in Echtzeit direkt von der Uhr zieht.

»Haha, ich komme nicht mal in den Cardiobereich, wenn ich gegen dich spiele, Nico. Was ist denn dein Puls gerade?«

»Sorry, aber das geht dich einen Scheißdreck an!«, blaffe ich ihn an.

»Hey, hey, hey …«, blafft er zurück, »entspann dich mal!«

»Ich bin entspannt. Du warst Letzter bei *Maus au Chocolat*, dafür schlägst du mich im Tennis, also eins zu eins und alles gut.«

Tim nimmt seinen Schläger in die linke Hand und legt die rechte auf meine Schulter. »Es ist nicht alles gut, und es geht auch nicht um Tennis. Ich wollte nur, dass wir alleine reden können.«

»Und worum geht's«

»Die Zentrale will, dass ich dich freistelle.«

»Von was?«

»Von der Arbeit.«

»Spinnst du?«

Ich setze mich, wische mir das Gesicht trocken mit dem Handtuch und schaue hoch zu Tim.

»Im Ernst, Nico. Ich muss dich beurlauben.«

Und dann sag ich erst mal nichts, weil ich auch gar nicht wüsste, was. Tim hat es ernst gemeint, der sportverrückte Alleskönner.

»Und warum?«

»Lass doch erst mal zu Ende spielen, Nico, und dann quatschen wir in Ruhe.«

Ich fasse es nicht: Tim beurlaubt mich, aber bevor er mir sagt, warum, will er sich noch über meinen Hausfrauen-Aufschlag beömmeln? Mit mir nicht!

»Also gut«, sage ich »spielen wir's zu Ende!«

Ich knalle meinen Schläger gegen den Netzpfosten, der Rahmen ist eingedellt.

»Null fünfzehn!«

Donnere die Bespannung gegen die Bank, die Saiten reißen.

»Null dreißig!«

Schmettere den Schläger auf den Boden, wobei der Rahmen bricht.

»Null vierzig!«

Und springe dreimal auf die demolierten Reste.

»Spiel, Satz und Sieg, Tim Popp!«

Ich setze mich und leere meine Red Bull-Dose.

»Also, Chef: Warum bin ich beurlaubt? Wo ist denn das verdammte Problem?«

Tim starrt mich an, als hätte ich sie nicht mehr alle. Dabei treibt ER mich ja in den Wahnsinn. Vorsichtig frage ich:

»Ist es wegen der Tasse?«

Wenn ich ehrlich zu mir bin, konnte ich Tim noch nie leiden. Mit seinem großen Familiengrinsefoto auf dem Echtholztisch, auf dem er stolz neben seiner perfekten Frau posiert, blutjunges, schwedisches Model natürlich, samt seinen zwei Edel-Blagen und seinem stumpfen Hund, der aussieht wie der Glücksdrache aus der *Unendlichen Geschichte*.

Die Tasse also. Aber ist doch klar, dass man mal austickt, wenn man das siebente Mal hintereinander 'ne Fehlermeldung bekommt statt einen Kaffee. Weil entweder der Tresterbehälter voll ist, das Wasser leer oder alle Tassen weg, die Zuckerdose geklaut, die Milch sauer und die Löffel schmutzig. Und vor allen Dingen – immer ich! Während alle anderen Kollegen mit ihrem frisch gebrühten Milchkaffee durch die Flure schnattern, steh ich mit leeren Händen in der Büroküche wie ein

Eichhörnchen, das vergessen hat, wo es seine Nuss vergraben hat.

Und gestern halt wieder. Wasser leer. Bohnen leer. Tassen schmutzig. Aber ich bin ruhig geblieben, so wie Mia mir das geraten hat. Hab einfach Wasser nachgefüllt für eine einzige Tasse, Bohnen nachgefüllt und mir eine einzige Tasse gespült. Da war ich zufrieden. Wie ihr mir, so ich euch. Nur dann kommt dieser telefonierende Franzose in einem petrolfarbenen Anzug, brabbelt was von »Schö mö fuh dö la fassong kommong wuh fedd za!«, lässt MEINEN Kaffee in MEINE frisch gespülte Tasse laufen und verschwindet so, wie er gekommen ist, telefonierend: »Schä böswän dün wattür ong dö sömenn, essöke schö mö fä komprih?!«

Und ich steh einfach nur regungslos da und starre auf die Fehlermeldungen »Bohnen füllen« und »Wassertank leer«.

Da ist es halt passiert, ich konnte nicht anders, ich hab eine Tasse nach ihm geworfen. Steingut. Auf den Franzecken. War leider ein Volltreffer. Ging einfach so zu Boden mitten in seinem Satz, als hätte man den Stecker gezogen, unser ›Head Of Finance, Europe‹. Also, wie ich DANACH erst wusste. Hätte man ja mal ankündigen können, so 'nen hohen Besuch, aber mir sagt ja sowieso nie jemand irgendwas.

»Was zum Teufel ist mir dir los, Nico?«

»Nichts! Was soll denn sein?«

»Bullshit, Nico! Du hast gerade einen Wilson Blade für zweihundert Euro zerfetzt. Trittst gegen Autotüren, und alle paar Tage fliegt irgendwas durchs Büro. Warum? Sind's die Kollegen im Großraum?«

»Unsinn, mit denen komm ich ganz gut klar!«

Komme ich natürlich nicht, und wenn ich ehrlich bin, dann muss ich sagen: Ich kann sie nicht nur nicht mehr leiden, ich hasse sie regelrecht. Elena zum Beispiel, die wasserleichenblasse, keksfressende Tuchfrau mit der großen Brille, für die alles stets »fein« oder »nice« ist. Allein ihre Quietschstimme treibt mich in den Wahnsinn. Und die Omma-Farben ihres Halstuchs. Oliver ist auch schlimm. Hat ein Stehpult, das er täglich siebenmal hoch- und runterfährt, weil ›für Mails schreiben ist stehen einfach besser‹. Wobei Oliver seine Mails ja gar nicht schreibt, sondern pickt. Er pickt sie wie ein verdammter Specht, und zwar mit einem einzigen Finger, der schon ganz krumm ist deswegen. Dann hab ich noch Christoph gegenüber, der einfach immer was zwischen den Zähnen hat und mit seinen Fingern danach sucht, es sei denn, er zieht den Rotz in der Nase hoch oder putzt seine Ohren mit einer verbogenen Büroklammer. Sonst zieht er sich auch gerne mal Hautfetzen von seinem Arm ab und wirft sie dann neben den Papierkorb. Hab ihm schon ein paarmal gesagt, dass ich das eklig finde.

»Was soll ich machen?!«, war seine Antwort, »hab halt Neurodermitis!«

Was er machen soll? Zum verdammten Hautarzt gehen soll er! Ich scheiß ja nach dem Mittagessen auch nicht neben den Drucker und sage »Was soll ich machen?! Glutamat-Allergie!«

Tim nimmt einen Schluck Wasser aus einer Glasflasche und betrachtet mich skeptisch.

»Das kauf ich dir nicht ab mit den Kollegen.«

»Warum nicht?«

»Es kommen Klagen.«

»Von wem?«

»Wolfi zum Beispiel hat mir erzählt, dass du gegen sein Auto getreten hast.«

»Nachdem er zehn Minuten vor der offenen Schranke stand und nicht durchgefahren ist, weil er telefoniert hat.«

47

»Dann hup doch einfach und sag ihm, dass die Schranke oben ist.«

»Hab ich alles gemacht und weißt du, was er gesagt hat: ›Was kann ich denn dafür, wenn ich nicht drauf achte?‹!«

»Ich frag jetzt einfach mal ganz direkt: Macht dir der Job überhaupt noch Spaß?«

»Hallo? Ich LIEBE meinen Job! Weil ich LIEBE Zahlen! Bin voll der Zahlenmensch!«

»Wenn du deinen Job so liebst, warum drehst du dann dauernd durch?«

»Ja, keine Ahnung! Weil … wegen … ich mag halt das Glaskastenbüro nicht so recht.«

»Ich sag dir, was dein Problem ist, Nico: Schau doch einfach mal auf deine Uhr, wo du da gesundheitlich so stehst.«

»Ach, bist du jetzt auch mein Arzt, oder was?«, sage ich gereizt.

»Natürlich nicht. Aber jemand mit 'nem Ruhepuls von sechzig wirft keine Tasse.«

»Könnte er aber. Nur halt ruhiger.«

»Nicht witzig, Nico. Du hast eine Bart-Simpson-Tasse auf unseren obersten Finanzchef geworfen. Warum zum Henker?«

»Weil die Alf-Tasse noch in der Spülmaschine war?«

»Es wird nicht witziger.«

»Is ja gut. Ich hab sie geworfen, weil er mir meinen Kaffee weggetrunken hat!«

»Jean-Hugues musste genäht werden. Mit vier Stichen!«

»Es tut mir ja auch leid für Schon Üg!«

»›Jean-Hugues‹, nicht ›Schon Üg‹! Und glaubst du, mir macht es Spaß, der Zentrale zu erklären, warum der ›Head of Finance Europe‹ mit einer Tasse beworfen wird? Von seinem eigenen Mitarbeiter? Es wird zu viel, Nico. Montags Jean-Hugues, letzte Woche Wolfis Autotür, und dein Absatz-Forecast für das letzte Quartal war auch für'n Arsch, da stimmte einfach nix.«

»Ja, was kann ich denn dafür, wenn die Fachabteilungen mir keine einzige Info geben?«

»Ja, dann überleg mal, warum sie dir keine geben! Ich weiß, es geht mich nichts an, aber ist es was Privates vielleicht? Dass dein Vater gestorben ist, hast du das verdaut?«

»Ich komm zurecht, danke.«

»Hast du dir auch mal professionell helfen lassen?«

»Ja, hab ich. Ich war sogar bei drei Therapeuten, wenn du's schon wissen willst.«

»Und?«

»Der erste war der Meinung, Spinnenwesen hätten den Tod meines Vaters angeordnet.«

»Und der zweite Therapeut?«

»Der kam recht schnell zu dem Schluss, dass meine Mutter mich gar nicht liebt und mich emotional erpresst, sie genau das Gleiche auch mit meinem Vater gemacht hätte, und deswegen sei er jetzt auch tot. Und ich auch, wenn ich den Kontakt nicht abbreche.«

»Okay. Verstehe. Und der dritte?«

»Meinte, ich sei ein Mann auf dem Weg. Reflektiert und mit Potential. Und diesen sollte ich jetzt auch gehen.«

»Sonst hat er nichts gesagt?«

»Nein, nur die Rechnung geschickt. Hab alle privat bezahlt, nicht damit die Krankenkasse denkt, ich hätte sie nicht mehr alle. Also ja: Ich habe mir professionell helfen lassen!«

Schweigend sitzen wir auf unserer weißen Plastikbank und starren vor uns auf den Filz. Wären die Bälle Tauben, wären wir Rentner. Aber es kommen ja noch ein paar Sommer bis dahin.

Tim schlägt die Beine übereinander, wendet sich mir zu und wirkt jetzt irgendwie freundlicher: »Der ganze Psycho-Scheiß, der bringt ja nix. Du bist doch am Arsch gerade, weißte selber. Aber du bist gut! Sehr gut sogar. Dein Spotify-Bundle für die

Auris-Finanzierung hat eingeschlagen wie 'ne Bombe, und wegen deiner genialen Diesel-Rücknahme-Aktion ist Wolfi jetzt noch neidisch. Überleg mal – wir sind bis heute der einzige Autohersteller ohne Klage!«

»Echt?«, sage ich und bin fast ein wenig stolz, »so hab ich das noch gar nicht gesehen. Aber trotzdem flieg ich jetzt oder was?«

»Ja.«

»Oh.«

»Ich glaub immer noch an dich. Nur Brüssel nicht mehr!«

»Brüssel? Was ist da denn?«

»Da ist unsere Zentrale?«

»Das weiß ich natürlich!«

»Und die Zentrale will Zahlen.«

»Natürlich! Die Zentrale will immer Zahlen.«

»Du musst dich nur einfach mal richtig erholen, damit du wieder funktionierst. Und so habe ich da auch argumentiert.«

»Okay …«

»Du fliegst, Nico. Aber nicht aus der Firma, sondern auf die Kanaren. Ich schicke dich in einen Ferienclub, damit du mal runterkommst. Sommer, Sonne, Strand. Tennis vielleicht, Massagen, gutes Essen, coole Leute. Deine Frau kannste natürlich mitnehmen. Habt ihr auch mal wieder Zeit füreinander, knickknack, das entspannt auch, und wenn du relaxed zurückkommst und ich Brüssel das auch beweisen kann, dann lassen sie dir die Tassengeschichte sicher durchgehen.«

»Wie willst du bitte Brüssel beweisen, dass ich entspannt bin?«

Tim deutet auf meine Fitnessuhr. »Mit deiner Fitbit.«

Ich starre ihn an. »Ich lass dich doch nicht an meine Gesundheitsdaten ran!«

»Schritte, Ruhepuls, Schlafstunden – das wären eindeutige Zahlen, und … du liebst doch Zahlen, oder? Bist voll der Zahlenmensch, richtig?«

»Ja, aber was heißt das?«

»Dass ich dein FitBit-Passwort bräuchte.«

»Das kannste vergessen, Tim.«

»Das wird über kurz oder lang eh überall eingeführt. Ich will dir hier helfen, Nico!«

»Du willst mich überwachen. Gibt dann ja quasi keinen Herzschlag mehr, den du nicht siehst.«

»Im Gegenzug kann ich mich aber auch in Brüssel für dich verbürgen und sagen: Mein Nico hat die Kurve bekommen und ist wieder ganz der Alte.«

»Ich bin nicht ›dein Nico‹. Was, wenn ich mir einen runterholen will?«

»Mit links?«

»Stimmt …«

»Nico – es ist die letzte Chance: Passwort oder Laufpass. Tu dir selbst einen Gefallen und denk zumindest drüber nach.«

»Ist angekommen, danke. Sonst noch was?«

»Ja, aber es ist wirklich nur eine klitzekleine Sache: Wir haben da 'ne Promo-Aktion mit der TUI für den neuen Camry in ausgewählten Ferienclubs. Mir hat gestern der Brand-Manager für den Kanarentermin abgesagt. Angeblich hat er Grippe, aber ich glaub ihm kein Wort.«

»Ich bin Controller, kein Arzt. Und schon gar kein Brand-Manager.«

»Deswegen müsstest du ja auch nur checken, ob das Infomaterial vor Ort und die Kiste im Club angekommen ist, den Rest machen dann andere.«

Ich schaue über die giftgrünen Plätze bis zum letzten Platz der Tennishalle, wo gerade die Beleuchtung ausgeht. Passwort oder Laufpass, das kann auch nur von Tim kommen. So wütend ich bin, so irre ist der: Also wer nach einem Flug aus Tokio sein Gepäck ins Taxi wirft und dann zwei Stunden ins Büro joggt, nur um den Kollegen 34 000 Schritte zu präsentieren, kann sie ja nicht mehr alle haben. Aber mit der Pulsuhr in den Urlaub, und Tim in seiner fetten Hütte schaut zusammen mit seinem schwedischen Model kichernd auf meine Herzfrequenz …? Never fucking ever.

»Kann ich mich nicht ab sofort im Büro einfach zusammenreißen? Nichts mehr werfen, keine Türen treten, mich konzentrieren …?«

»Nein!«

»Ich will mein Passwort aber nicht rausrücken.«

»Fitbit wertet deine Daten ja auch aus!«

»Fitbit entlässt mich aber nicht, wenn ihnen mein Ruhepuls nicht passt.«

»Sechzig, Nico!«

»Wie, sechzig?«

»Durchschnittlicher Ruhepuls von sechzig oder drunter, und ich verbürge mich für dich.«

»Was soll so ein Ruhepuls denn beweisen überhaupt?«

»Entspannung? Ausgeglichenheit? Stress-Resistenz?«

»Und du arbeitest nicht nebenbei zufällig noch an der Berliner Charité?«

»Ist nur ein Angebot von einem Chef, der es gut meint«, sagt Tim ruhig, »du kannst es annehmen oder nicht. Wenn nicht, würde mir das allerdings auch schwerfallen, weil dann …«

»Dann was …?«

»… dann müsste ich dich bitten, dich morgen früh beim Sicherheitsdienst zu melden, sie begleiten dich gerne rein und wieder raus mit deiner Kiste und … hast du deinen krummen Farn noch, der einfach nicht kaputt geht?«

»Ja. Und ich weiß auch, wo ich dir den hinstecke, wenn ich dich morgen sehe.«

Enttäuscht steht Tim auf und beginnt seine Sachen zu packen.

»Schade, dass du das so siehst. Aber gut. Bei Renault-Nissan suchen sie übrigens gerade jemanden für den Empfang, die sitzen ja auch in Brühl, und das Phantasialand hat eigentlich auch immer was, der Sohn von einem Kollegen hat da als verrückter Wissenschaftler gearbeitet im ... wie hieß der Freifall-Turm noch, wo du telefoniert hast?«

Ich starre Tim fassungslos an. »Fick dich!«

»Genau, so hieß er.« Tim schultert seine Tasche. »Trotzdem: denk noch mal drüber nach, und gib mir Bescheid bis morgen. Urlaub oder Arbeitsamt. Wenn es nach Brüssel geht, hätte ich dich heute nämlich feuern sollen.«

»Ich geb Bescheid.«

»Gut! Und wirf deinen Schläger in den Müll, nicht dass jemand denkt, ich hab mit einem Irren gespielt.«

Erst jetzt sehe ich, dass schon die nächsten Spieler auf unseren Platz wollen, ein dynamisches Pärchen Mitte zwanzig.

»Guten Morgen!«

»Morgen!«

Wie in Trance stehe ich auf und lasse die Überreste meines Wilson Blade in einer grauen Plastiktonne verschwinden. Sammle die Bälle, die ich ins Netz geschlagen habe, und stecke sie zurück in die Dose. Bleibt die Frage, wo ich mich selbst jetzt hinstecken soll. Ins Büro jedenfalls nicht mehr. Ungeduscht und ausgebuht steige ich in meinen Wagen. Vielleicht bin ich ja tatsächlich ein Mann auf dem Weg. Aber auf welchem ...?

6

Meine Mama und ich sind die letzten Gäste im eiskalten Transferbus. Der Fahrer ist längst draußen, raucht und wartet, dass auch wir endlich aussteigen.

Stumm schaue ich an meiner erstarrten Mutter vorbei durch die Scheibe auf bestens gelaunte Neuankömmlinge, die in der kanarischen Abendsonne ihre Begrüßungscocktails zwitschern. Ein seltsames Völkchen hat sich da zusammengefunden, es ist irgendwas zwischen FDP-Wahlparty und Bacardi-TV-Spot. Im Bus entspricht die Stimmung leider noch immer der Temperatur.

»Mama?«, sage ich, »magst du nicht doch wenigstens eine Nacht drüber schlafen?«

Keine Antwort. Wie ein kleines, trauriges Kind klemmt sie in ihrem Sitz mit ihrer Wasserflasche und kämpft mit ihren Gefühlen. Draußen wird inzwischen ein helene-fischiger Feel-Good-Begrüßungsschlager gespielt, zu dem ausnahmslos alle Gäste tanzen oder es zumindest versuchen. Die Choreographie ist simpel und erinnert mich an eine Schulaufführung. Schritt nach links, Hände klatschen, Schritt nach rechts und Drehung. Den gutgelaunten Refrain schlagert es durch die Bustür bis an unsere Sitze:

»Wenn dieser Tag unendlich wär, würde ich es vermissen, jeden Tag zu wissen, ich komm wieder heeeeer!«

Und Drehung, Klatscher, Schritt nach vorne. Ich starre auf meine Mutter und frage: »Mama, was ist das?«

»Das Clublied«, gluckst sie leise. Immerhin – sie spricht wieder. Ich wage einen weiteren Blick nach draußen und sehe, dass sogar der Taschentuch-Gentleman im lindgrünen Polo mittanzt und den Text offenbar auswendig kann. Ich schaue auf meine Pulsuhr und frage mich, ob meine Mutter nicht sogar recht hat und wir zurückfliegen sollten. So ein Job als verrückter Wissenschaftler im Phantasialand, was ist eigentlich schlecht daran?

Doch dann quetscht sich der große Türke mit der kleinen Stimme in unseren Bus mit einem prächtig gefüllten, silbernen Dessertteller, auf dem mehrere Wunderkerzen brennen, und sofort ist da ein Leuchten in den Augen meiner Mutter.

»Für dich, Rosi, hab ich vom Dessert-Buffet stibitzt, weil du so traurig bist!«

Der Teller sieht lecker aus. Und das mit den Wunderkerzen ist natürlich eine schöne Idee, aber wenn meine Mutter in ihrem Schneckenhaus ist, dann bleibt sie da auch.

»Alles hausgemacht, sogar das Mousse au Chocolat!«, verkündet Tayfun stolz, und ja, es riecht lecker und sieht toll aus, hier geht's allerdings um Tod und Gewissen und nicht um Schokolade und Wunderkerzen, aber was will man erwarten von einem Animateur?

»Hausgemachtes Musso-Schokola?«, fragt meine Mutter an mir vorbei, »sag bloß, heute ist ›weid Neid‹?«

»Ja klar, Rosi. Alle in Weiß und das ganz große Nachtischfeuerwerk!«, legt der Baum mit dem Stimmchen nach.

»Wie? Alle in Weiß?«, frage ich und staune, dass meine Mutter tatsächlich den Löffel nimmt, von der Mousse probiert und mit jedem Haps ein wenig mehr Farbe zurückkommt in ihr Gesicht. Und dann erklärt sie mir, als wäre rein gar nichts gewesen:

»Nico, das ist der totale Hammer, was die da auffahren, alleine das Dessert-Buffet ist doppelt so groß wie unser Wohnzimmer, das musst du sehen!«

Ich nicke irritiert und muss dann mit ansehen, wie sie quasi an mir vorbei den Clubtürken umarmt.

»Das ist so lieb von dir, Tayfun, ich weiß gar nicht, was ich sagen soll!«

Ich auch nicht. Aber typisch türkisch halt und sagt ja auch schon der Name: viel Wind um nix.

»Du musst nichts sagen, Rosi«, quäkt das Stürmchen, »komm einfach mit raus in die Abendsonne und dann nehmen wir zusammen unseren Begrüßungsdrink!«

Macht sie im Leben nicht, denk ich mir.

»Dann trinken wir eine Sektschorle zusammen?«

»Ich trink doch keinen Alkohol, Rosi, aber ihr beide … ihr könnt gerne auch zehn Sektschorlen haben!«

Wie einfach. Wie anbiedernd. Wie billig.

»Also, da höre ich mich nicht nein sagen! Was ist mit dir, Nico?«

»Klar! Gerne!«

»Dann sei wenigstens so gut und steh kurz auf, dass ich rauskomme.«

»Na also!«, lächelt Tayfun, streckt mir seine Hand entgegen für ein türkisches High-Five. Stattdessen treffen mehrere Giftpfeile die türkische Buche, doch die zuckt nur entschuldigend ihr Geäst. Aber das überhebliche Grinsen hinter den Zweigen übersah ich nicht. Da ist irgendwas zwischen ›So geht das!‹ und ›Deine Mutter gehört mir!‹ Und auch wenn mir der fiepsende Aushilfs-Tarkan mit seiner Nachtisch-Aktion schlussendlich natürlich geholfen hat, so weiß ich doch: Die deutsch-türkischen Beziehungen sind auf dem Tiefpunkt.

Während meine Mutter ihre türkische Sektschorle in der Abendsonne genießt, werde ich im überfüllten Rezeptionspavillon von aufgeregten Pauschalgeiern hin- und hergeschubst. Was ist das hier für ein unwürdiges Gegockel, und wo zum Teufel bin ich? Im Backstagebereich vom »Supertalent«, und wenn ja, gab es da kein Casting vorher?

Hätte ich was zu sagen, käme keiner in den Club: die spacken Pfälzer in den Metallica-T-Shirts: RAUS! Die kichernden Trümmertrutschen mit den roten Lederstiefeln: RAUS! Die beiden Düsseldorfer Botox-Unfälle in den Fick-Mich-Mini-Röcken: NEIN! Das Münsteraner Valium-Pärchen? AUCH NEIN! Und die beiden handysüchtigen Millennials mit Blödhut und Salafistenbärtchen: ZWEIMAL NEIN!

Es gab kein Casting, und wenn es zehnmal Club heißt – hier kommt jeder rein, der die Reise zahlt.

»Tobias, wir haben wieder die zweihundertneunzehn!«

Eine junge Frau im FDP-Kostüm präsentiert ihre Zimmerkarte wie eine Trophäe.

»Gut, dass wir gestern noch mal angerufen haben!«, lobt sie ihr Göttergatte.

Soso. Ich hab gestern nicht noch mal angerufen. War das doof? Ich schaue auf meine Pulsuhr. 102. Ist das jetzt schon eine Tendenz oder noch eine Anpassungsstörung?

»Mega! Mit Meerblick!«

Die Millennials haben ihr Zimmer, ich darf einen Meter vorrücken und rufe meine Mutter.

»Mama?«

»Komme!«

Die Rezeptionistin hat sich zwei putzige Zöpfe aus ihren blonden Haaren gebunden und trägt einen runden Button, auf dem ›Front Desk‹ und ›Melanie‹ steht.

»Ah … Toyota!«

»Richtig!«

»Schön, dann sag ich gleich Mattes Bescheid, dass ihr hier seid. Schon mal hier gewesen, kennt ihr euch aus?«

»Ja!«, sagt meine Mutter und ich »Nein!«, was zu einer ersten Irritation zwischen den Zöpfen führt: »Komisch. Hier steht, dass ihr noch nie bei uns wart. Nico und Mia Schnös, richtig?«

»Rooosi Schnös!«, korrigiert meine Mutter sofort, »Mia ist die Frau von meinem Sohn und ist zu Hause geblieben.«

Melanie lächelt die angebliche Verwechslung einfach weg.

»Oh, dann hat sich da wohl ein Fehler eingeschlichen!«

Meine Mutter schaut mich überrascht an. »Du wolltest mit Mia kommen?«

»Wie gesagt …«, wiederhole ich Melanies Erklärung, »ein Fehler!«

»Schon in Ordnung. Ich komme zurecht«, antwortet meine Mutter trocken.

»Danke!«

»… als zweite Wahl.«

Locker durch die Hose atmen. Das war Mias Tipp. Ich mache genau das.

»Wenn deine Mutter schon mal hier war«, erklärt Melanie, »erzähl ich dir jetzt einfach mal, wie das so abläuft im Club. Also heute Abend –«

»Brauchst du nicht«, geht meine Mutter dazwischen, »ich erklär ihm alles!«

»Fein!«, Melanie lächelt und steckt unsere Schlüsselkarten in ein kleines Etui, »und ihr habt Glück, ihr seid nämlich im Hochhaus!«

»Und welche Seite ist das?«, fragt meine Mutter recht forsch.

»Das wäre zum Club hin«, lächelt Melanie weiter, das Gesicht meiner Mutter friert trotzdem ein: »Zum Club hin? Da mach ich ja bis Mitternacht kein Auge zu!«

»Warum das denn?«, frage ich verdutzt.

»Na, wegen der Tanzfläche und der lauten Musik und dem Geschrei von den Betrunkenen, die da immer aus der Disko kommen! Also, das tu ich mir nicht mehr an in meinem Alter! Oder war das Mias Zimmerwunsch?«

»Nein!«, stöhne ich genervt und schlage vor, die Fenster einfach zuzumachen.

»Nico! Ich schlaf doch nicht bei geschlossenem Fenster!«

»Ich schlaf NUR bei geschlossenem Fenster!«, sage ich. »Und mit Klima!«

»Na, das gibt ja was«, ächzt meine Mutter, aber Melanie klickt einfach unbeeindruckt mit ihrer Maus. »Ich schau mal, was wir sonst noch haben.«

Hut ab. Ich wünschte, ich könnte die Dinge einfach so weglächeln wie diese Melanie. Auch ein Millennial. Vielleicht kann ich ja doch noch was lernen von denen? Munter klickt sich die Zopffrau durch ihr Buchungssystem: »Da hast du schon recht, Rosi, die Clubseite ist lauter ab und an.«

»Da siehst du mal!«, triumphiert meine Mutter, was mich sofort aus der Haut fahren lässt.

»Wie? ›Da seh ich mal?‹ Ich war ja noch nie hier! Und ich hab auch nie behauptet, dass die Clubseite leise ist!«

»Du hättest die laute Seite aber genommen, und dann hätten wir den Salat gehabt!«

Ich schaue auf meine Fitnessuhr. Sie liegt nicht richtig an und braucht Zeit zu messen.

»Sekunde mal, Mama. Du wirfst mir jetzt nicht ernsthaft etwas vor, das ich eventuell fast gemacht hätte, oder?«

»Ach Nico, jetzt dreh mir doch das Wort nicht auf der Zunge rum!«

109.

Ich atme ein und ich atme aus. Versuche zu lächeln. Bin ich

ein Mann auf dem Weg? Reflektiert und mit Potential. Und meine Mutter liebt mich. Oder werde ich hier emotional erpresst? Welchen Therapeuten nehm ich denn jetzt? Ich blicke hilflos zu Melanie, die sich aber gerade irgendwie in ihrem Bildschirm versteckt hat, jedenfalls blickt sie so konzentriert und tief hinein, als wäre ein endloser Tunnel dahinter. Okay, eventuell hab ich mich getäuscht mit dem Lernen von der anderen Generation.

»So, da hab ich doch schon was! Danke für eure Geduld! Und zwar gibt's noch was auf der anderen Seite ...«, blinzelt Melanie verunsichert.

»Aber nicht die Meerseite, oder?«, fragt meine Mutter kritisch.

»Wieso?«, frage ich und Melanie: »Was ist mit der?«

»Da ist doch der Leuchtturm, da hat man nachts alle sieben Sekunden einen Lichtblitz im Zimmer.«

»Dann mach doch den Vorhang zu!«, sage ich gereizt.

»Ich schlaf doch nicht mit Vorhang zu!«, entgegnet meine Mutter empört.

»Ich schlaf NUR mit Vorhang zu!«

Dann fliegt eine Tür zu einem Nebenraum auf, und ein runtergefeierter Mittfünfziger im Koch-Outfit und mit viel zu weißen Zähnen wirbelt auf uns zu.

»Die tapfere Rosi! Schön, dass du wieder bei uns bist!«

»Mein Sohn hat mich eingeladen!«, sagt sie stolz, und der Koch blinzelt mir zu.

»Ich bin der Mattes. Wir machen die Autosache zusammen!«

»Super!«, sage ich, »isser denn schon da, der Wagen?«

»Yap! Steht auf dem Wirtschaftshof. Aber ich muss auch schon wieder. Wir sehen uns beim Buffet, ich mache Pasta heute und, Rosi ...?«

»Ja?«

»Tayfun hat mir alles erzählt, wir kriegen dich hier schon abgelenkt!«

»Und ich bin dann ja auch noch da!«, sage ich noch, doch da ist der eloquente Weißzahn schon wieder durch die Tür.

»Das war der Clubchef«, erklärt meine Mutter stolz, »der hat mich noch erkannt!«

»Das freut mich, aber für ein Zimmer haben wir uns halt trotzdem noch nicht.«

»Er kann ja nicht alles machen!«

»Ich mein ja auch nicht ihn. Ich meine dich. Du musst dich jetzt mal entscheiden. Also nehmen wir das Zimmer auf der Leuchtturmseite?«

»Das Geblitze hat den Georg halt immer ganz rappelig gemacht.«

»Und dich?«, frage ich vorsichtig nach, »hat es dich auch rappelig gemacht, das Geblitze?«

Meine Mutter schaut mich an, als wäre ich komplett irre. »Wie denn? Ich hab ja die Augen zu, wenn ich schlafe! Also manchmal versteh ich deine Logik nicht.«

Ich kratze mich am Kinn. Versuche zu begreifen. Auch Melanie nestelt nun nervös an ihrer Bluse und fast tut sie mir schon leid, wie sie da so zwischen die Fronten gerät mit ihrem kindlichen Gesicht und den putzigen Zöpfen. Ich starte einen Mamalogikverstehversuch: »Mama, pass auf, ich sag dir, was ich nicht verstehe. Jetzt, wo den Papa der Leuchtturm nicht mehr stört, weil der Papa ja leider nicht mehr da ist, und du sowieso die Augen zu hast beim Schlafen, warum willst du dann das Leuchtturm-Zimmer nicht?«

Meine Mutter schaut mich ratlos an. »Weil ich dann ja vielleicht denke, dass es ihn stört und dann will ich rüberlangen zu ihm, und dann merke ich …«

»Musst nicht weiterreden«, seufze ich, »hab's verstanden!«

61

»… dass das Bett ganz kalt ist an der Stelle, weil ja mein Georg –«

»Wir suchen was Neues!«, unterbrechen Melanie und ich zur gleichen Zeit und müssen fast ein wenig schmunzeln dabei. Mit frischem Mut wende ich mich an Melanie: »Weißt du was? Schau doch bitte einfach mal, wo meine Eltern noch nie ein Zimmer hatten!«

»Gute Idee. Haben wir gleich!«

Emsig und ebenso erleichtert wie ich tackert sie in ihre Tastatur.

»Wie wär's denn am Wellfit-Pavillon?«

»Um Himmels willen!«, jammert Rosi, »da höre ich doch den ganzen Tag das Gewummer von den Kursen!«

Ein kurzer Blick von Melanie zu mir, dann klickt sie sich eigenständig weiter, ihre grünen Augen hüpfen nur so über den Bildschirm.

»Und die Zimmer hinter dem Theater?«

»Da will ich auf keinen Fall hin, da kenne ich die Shows schon, bevor ich überhaupt reingegangen bin!«, protestiert meine Mutter.

»Warum das denn?«, frag ich verdutzt nach.

»Weil sie die Shows proben am Morgen und man das hört!«

»Du bist aber auch schwierig«, stöhne ich und nehme einen Pumpstoß Nasenspray.

»Ich bin über siebzig, Nico, komm DU erst mal in mein Alter!«

»Komm ich nicht, wenn wir so weitermachen«, rutscht es mir raus und meine Mutter ist beleidigt.

»Entschuldigung, Mama. Ich bin halt einfach auch gestresst.«

»Wieso denn AUCH? ICH bin NICHT gestresst.«

»Stimmt, du lehnst einfach nur jedes einzelne Zimmer ab.«

»Wie bitte?«

»Rosi …?«, unterbricht Melanie, in deren Augen wieder ein Funke Hoffnung glimmt.

»Ja?«, seufzt meine Mutter.

»Kennst du die Zimmer bei den hinteren Tennisplätzen?«

»Ja, aber dazu kann ich jetzt wirklich nichts sagen, weil da waren wir noch nie!«

»EBEN!«, rufe ich »weil du da noch nie warst! DESWEGEN schlägt sie es vor!«

»So ist es«, erklärt Melanie erleichtert, »da hab ich nämlich noch ein frisch renoviertes Erdgeschoss-Zimmer für euch.«

»Erdgeschoss? Da kann ja jeder reinsteigen!«, ereifert sich meine Mutter.

»Wer soll denn da reinsteigen?«, frage ich, »die Tennislehrer?«

»Nico, bitte! Einbrecher natürlich. Wir sind hier kurz vor Marokko!«

»Und die schwimmen dann nachts übers Meer und klauen dir deine Nasendusche oder was?«

»Wir haben Insektengitter vor den Türen, die man abschließen kann«, informiert uns Melanie, »da kriegt ihr frische Luft, und es kommt trotzdem keiner rein.«

»Weißt du was, Nico? Ich würde sagen, wir nehmen das Zimmer jetzt, bevor das hier noch ewig geht, ich muss nämlich langsam auch mal aufs Klo!«

Ich schlucke und habe plötzlich einen ganz bösen Verdacht: Wir nehmen DAS Zimmer?

»Melanie? Wir haben zwei Zimmer, oder?«

»Also, von Toyota ist nur eines gebucht worden, und zwar für Nico und Mia Schnös«, erklärt Melanie so lapidar, als sei es gar nicht die größte Katastrophe eines Urlaubs, der noch nicht einmal angefangen hat.

»Ich muss sogar ziemlich dringend!«, wiederholt sich meine Mutter.

»Du kannst auch hier mal kurz«, erklärt Melanie.

»Ich weiß, aber ich lass mich nicht so einfach wegschicken, wenn's um die Zimmer geht.«

Jetzt sehe ich Melanie das erste Mal tief Luft holen, und ich weiß auch nicht, irgendwie tut es mir gut und gibt mir eine gewisse Ruhe für meine Bitte.

»Melanie. Wie auch immer wer was gebucht hat und warum – wir brauchen natürlich ein zweites Zimmer!«

Meine Mutter nimmt inzwischen eine gewisse Opferhaltung ein. Mit zusammengekniffenen Beinen greift sie zu einem Prospekt, der sie gar nicht interessieren kann: Stephan's Motorrad-Ausflüge. Zwischenzeitlich tippt, scrollt und notiert eine inzwischen doch recht nervöse Melanie. Dann endlich schaut sie wieder auf: »Okay, der Club ist voll, aber am anderen Ende der Anlage wäre noch ein Zimmer für dich frei, Nico. Ist allerdings sehr klein, liegt zur Straße raus und direkt über der Mitarbeiter-Kantine.«

»Nehm ich!«, sage ich wie aus der Pistole geschossen.

»Ja, und ich?«, japst meine Mutter erschrocken.

»Wie? ›Und ich?‹ DU hast dein Zimmer doch schon! Das mit dem Fliegengitter!«

»Ich soll ALLEINE wohnen? Da hätte ich ja gleich in Pulheim bleiben können!«

Fast schon flehend schaue ich Melanie an. »Melanie. Hast du vielleicht IRGENDWO zwei Zimmer nebeneinander?«

»Stopp! Nicht irgendwo!«, fordert meine Mutter mit verklemmten Beinen und legt noch ein »Lange kann ich's nicht mehr halten!« mit dazu.

Die blonden Zöpfe schaukeln ein deutliches Nein: »Sorry, aber ich hab nix nebeneinander, wir sind echt voll momentan!«

»Dann nehmen wir jetzt das Erdgeschoss-Zimmer an den

64

Tennisplätzen!«, seufze ich erschöpft und schaue in gleich zwei erleichterte Augenpaare.

»Na endlich!«, japst meine Mutter und auch Front-Desk-Melanie atmet auf: »Fein, dann programmier ich euch nur noch schnell die Zimmerkarten, und dann seid ihr erlöst.«

»EINE Zimmerkarte reicht«, sagt meine Mutter glücklich, »wir machen eh alles zusammen.«

1

Die schönste Nachmittagssonne scheint in mein Gesicht, aber Nieselregen würde besser passen. Stehe vor meinem Stamm-Rewe, wo ich einen Apfel kaufen müsste, aber ich bin noch nie in den Rewe gegangen, um nur einen einzigen Apfel zu kaufen. Der ganze Tag war schon schräg. Hab mich nach dem Tennis nicht in der Halle geduscht, sondern 'ne halbe Stunde lang zu Hause, denn plötzlich hatte ich ja Zeit.

Saß mit leerem Kopf am Küchentisch und hab eine Taube auf dem Kamin des Hauses gegenüber angestarrt und mir gedacht, vielleicht wurde die ja auch freigestellt. Hab dann den letzten Apfel gegessen, weil das ja gesund ist, und gegoogelt, wie man den Ruhepuls senkt. Indem man Stress reduziert. Ha! Besten Dank für diesen wirklich glorreichen Tipp. Sonst helfen Magnesium, Ruhe, Schlaf und regelmäßig die Blase entleeren. Aha! Gesunde Ernährung und wenig Alkohol. Wenig Alkohol? Das ist ja totaler Stress! Und wie soll ich dann regelmäßig meine Blase entleeren?

Hab irgendwann den Laptop zugeklappt und die Spülmaschine auf- und sie ausgeräumt, was mir ein wenig Ruhe gab. Bis ich mir überlegt habe, ob das Mia nicht komisch vorkommt, wenn am Abend die Spülmaschine plötzlich ausgeräumt ist, denn offiziell bin ich ja im Büro. Also Spülmaschine wieder eingeräumt und den Rest vom Apfel weggeworfen. Mist. Der müsste am Abend natürlich auch wieder in die Obstschale, aber was war das für eine Sorte? Wie stressig! Das halte ich ja keine zwei Tage durch. Aber was soll ich machen und vor allen Dingen: Wie soll ich mich entscheiden? Passwort an Tim und Urlaub oder hinschmeißen?

Hab dann die Duschkabine geputzt und bin zum Rhein mit dem Rad, weil ich es nicht mehr ausgehalten hab in der Wohnung. Hab mit Rentnern auf Schiffe gestarrt und Hunger bekommen. In die City geradelt und einen großen Chili-Cheeseburger mit Bacon bei den Beef Brothers verspeist, den wollte ich immer schon mal essen, und er war auch lecker, aber dann war er halt weg, und es war immer noch erst 14 Uhr noch was.

Bin in den dm und hab Magnesium gekauft für den Puls. Dann in den Saturn. Endlich mal Zeit, um nach dem neuen Fernseher zu schauen, den ich immer wollte, so einen, wo die Netflix-Taste schon auf der Fernbedienung ist, und fast hätte ich auch einen gekauft, 65 Zoll, Ultra-HD OLED, Netflix-Taste, aber dann hab ich mich selbst davor sitzen gesehen, alleine und mit meinem Lieblingswein, und mir die seltsame Frage gestellt, was genau ich Großartiges geleistet habe, um mir so einen Fernseher zu gönnen und teuren Wein, also als Belohnung für genau noch mal was?

Ist Tim ein Erpresser oder hat er am Ende recht? Eigentlich könnte ich ihm ja auch an den Kragen, weil Mia und ich eine Rechtschutzversicherung haben, und da wäre Mia garantiert auf meiner Seite, wenn mein Chef sich meine Gesundheitsdaten erpresst. Aber was würde es mir helfen? Ich trete ja in Türen, ich werfe ja mit Tassen, zertrümmere Tennisschläger …

»Biiiite, biiite, morgen, morgen, Familie Kartezug …!«, jammert Knickebein, ein rumänischer Bettler, der in stets grotesker Beinstellung an Autofelgen lehnt, aber halt einfach nie in seine Heimat fährt, deshalb kriegt er auch immer weniger Kleingeld. War vermutlich nicht die hellste Kerze in der Bettelakademie

Bukarest, weil, wenn man Kohle für 'ne Fahrkarte haben will, dann sollte man halt irgendwann auch mal in einen Zug steigen und für 'ne Weile verschwinden. Oder wenigstens den Supermarkt wechseln.

Aber wir haben nicht nur einen Bettler vor dem Rewe, die Zeiten haben sich geändert – der Hipster ist auch schon da: Biodeutsch, Bart, mein Alter, Markensneaker und 'n iPhone X ohne Kratzer. Ich hab noch mein 7-er mit dem Sprung. Steht ganz entspannt da mit Starbucks-Pappbecher, wippt auf den Zehen und wünscht jedem nassforsch einen »Guuuten Tag!« oder auch »Guuuten Appetit!«, je nachdem, ob man rein- oder rausgeht.

Letzte Woche kam dann noch der Philosoph dazu mit seinem Campingstuhl. Schwarze Lederhose, Schlabber-Pulli und Baskenmütze. Bevorzugter Platz zwischen Blumenerde und dem Bäckereiaufsteller. Der Philosoph schreibt philosophische Schilder. Eins nach dem anderen. *Es ist nicht die Hand, die gibt, sondern das Herz*, zum Beispiel.

Da hat er recht, denke ich mir und ziehe meine Kapuze noch ein wenig weiter über den Kopf, deswegen geb ich ihm auch nix. Wenigstens macht er irgendwas. Wenn ich auf der Straße landete, würd ich auch was machen. Aber passiert ja nicht, weil Mia unsere Wohnung gekauft hat und ich natürlich eine Abfindung bekomme, wenn die Firma mich rauswirft.

Aber was, wenn Mia mich verlässt? Weil ich nur noch auf der Couch rumhänge, Dokus schaue und einen Wein nach dem anderen trinke? Dann hätte ich ja immer noch meine Mutter. Aber will ich ernsthaft zurück nach Pulheim in mein altes Kinderzimmer mit dem Kim-Wilde-Poster, den einhundert *Lustigen Taschenbüchern* und meinem weißen Plüschlöwen? Mit 47?

Dass ich endlich mal wieder in den Urlaub fahre und mich entspanne, ist ja vielleicht gar keine so schlechte Idee. Einfach mal raus aus der Kachelstadt, rein in den Sommer und mich richtig erholen?

»Biiiiitte, biiiiitte, morgen, morgen ...!«, jammert Knickebein. Ich drehe mich zu ihm. Er schaut tatsächlich so, als würde er gleich sterben. Aber macht er ja nicht. Drei Stunden später läuft er mit Kaffee, Handy und ohne den Hauch einer Gehbehinderung zur Bahn. Noch ist er aber da und krakeelt nach seiner Fahrkarte.

»Familie, Heimat! Biiiiitte, biiiiitte!«

»Du fährst doch eh nicht!«, schnauze ich ihn an und erschrecke mich selbst.

Einem Bettler nix zu geben ist die eine Sache, ihn zu beschimpfen 'ne andere. Vielleicht dreh ich ja wirklich durch.

Mein Handy klingelt, es ist meine Mutter. Vielleicht kann sie mir ja helfen? Unser Gespräch beginnt wie immer. Sie sagt »Gib mir eine Sekunde, ich hab gerade noch den Mund voll« und ich »Aber du hast MICH doch angerufen!«.

Ich lasse sie in Ruhe zu Ende kauen. Der Philosoph blickt mich neugierig an. Ich drehe mich weg und sage: »Mama, ich hab da ein Problem.«

»Ich auch, Nico. Und zwar hab ich eingeschaltet wie immer, und dann schreiben die da ›Fehler 27‹ und nix geht.«

Ihre Stimme klingt aufgeregt.

»Mama, WAS hast du eingeschaltet?«

»Na, den Fernseher natürlich, hab ich doch gesagt.«

»Hast du nicht gesagt, aber egal. Was steht denn da noch außer ›Fehler 27‹?«

»Sekunde, da muss ich zum Fernseher! Jetzt scheint auch noch die Sonne drauf, da sieht man erst, wie schmutzig der ist! Ich glaub, ich mach den erst mal sauber und ruf dann wieder an.«

»Nein, bleib dran bitte!«, spreche ich laut ins Handy.

»Wie du meinst. Hast du schon was gegessen?«

»Ja, einen Burger mittags, aber jetzt steh ich vor dem Rewe und muss mich entscheiden, ob –«

»Ich kann dir doch was kochen, du musst nur vorbeikommen, dann brauchst du nichts einzukaufen.«

»Und Mia?«

»Stimmt, die hab ich vergessen. Aber wenn sie mag, kann sie natürlich gerne mit!«

»Das ist ganz lieb, Mama, aber heute geht es nicht, weil ich nämlich gerade ein Riesenproblem hab beruflich!«

»Du Armer! Also ich würde das auch gar nicht mehr leisten können, was heute gefordert wird, das hat ja dem Papa schon zu schaffen gemacht, die ganze Umstellung auf die EDV, also ich versteh das, dass du Stress hast und nicht kommen kannst, und mach dir bitte keine Sorgen um mich, ich komm schon zurecht!«

»Gut!«

»Irgendwie …«

»Prima!«

»… alleine, ohne Fernseher und ohne den Papa …«

»Ach Mama …!« Ich schaue auf meine Fitnessuhr. 101 Schläge pro Minute. »Was steht denn jetzt auf dem Fernseher?«

»Das Bild vom Papa, wo er an seinem Tisch sitzt und aufs Meer schaut. Das, was ich dir geschickt hab, für die Erinnerungsanzeige!«

Ich räuspere mich.

»Und auf dem BILDSCHIRM?«

»Da steht: **Der HCDP Kopierschutz wird von Ihrem Gerät nicht unterstützt.** Wie sollen denn ältere Menschen so etwas begreifen, das ist doch eine Frechheit, dass die –«

»Mama? Weißt du was? Mach den Receiver doch einfach mal aus und den Fernseher auch, am besten alle Geräte.«

»Aber Nico! Wie soll ich denn *Brisant* gucken, wenn ich alles ausgemacht habe?«

»Weil du VOR *Brisant* natürlich auch alles wieder anmachst!«

»Dann kann ich's ja gleich an lassen!«

Es ist genau das, was mich wahnsinnig macht. Nicht den Hauch einer Ahnung, aber nassforscher als Böhmermann und Welke zusammen. Ich werfe einen hilfesuchenden Blick zum Philosophen. Der hat inzwischen ein neues Schild geschrieben und zeigt es mir:

EIN KIND OHNE MUTTER IST WIE EINE BLUME OHNE REGEN.

Ich rolle die Augen und wende mich wieder meiner Mutter zu: »Mama! Bitte. Mach einfach alle Geräte kurz aus und wieder an, das klappt meistens. Und wenn die Fehlermeldung dann immer noch kommt, dann kannst du mich ja noch mal anrufen.«

»Okay, dann mach ich das. Und auch wenn es ihr nicht wichtig ist – grüß mir … deine Frau.«

»Es IST ihr wichtig, Mama. Und nicht vergessen: Du bist nicht einsam, es ist nur gerade keiner da. Aber jetzt hab ich auch noch was auf dem Herzen, und zwar –«

Aufgelegt. Einfach so! Unfassbar. Mein Freund auf dem Campingstuhl hält ein weiteres Schild hoch.

MÜTTER VERSTEHEN, WAS KINDER NICHT SAGEN.

»Ja, eben nicht!«, pampe ich ihn an.

»Sorry, ist ein jüdisches Sprichwort, ich google das doch auch nur.«

»Aber ein bisschen bekloppt bist du schon, oder?«

»Auf jeden Fall. Mal was anderes: Hast du vielleicht zwei Euro neunundzwanzig für mich?«

»Was willst du denn mit zwei Euro neunundzwanzig?«

»Na, so viel kostet ein Ei-Brötchen.«

»Ach, weißte was …?«

Ich krame mein Portemonnaie hervor und gebe ihm genau 2 Euro 30. Der Philosoph springt freudig auf und schnappt sich meine Münzen.

»Cool, danke, ich hab echt Hunger. Bewachst du mein Zeugs so lange?«

»Ja!«

Ich sacke bleischwer in seinen Campingstuhl und atme kurz durch. Was für ein Tag! Dabei hab ich nicht mal gearbeitet. Und erst dann wird mir bewusst, wo ich gerade sitze. Zwischen Knickebein und dem Bettel-Hipster. Ich bin kein Mann auf dem Weg, ich bin ein Mann auf dem Gehweg! Passanten hetzen an mir vorbei und würdigen mich keines Blickes. Immerhin – eine ältere, recht gut gekleidete Frau mit weißer Wollmütze und edlem Schal drückt mir mit milder Miene eine Euro-Münze in die Hand:

»Das kann ganz schnell gehen, oder?«

Ich nicke stumm und lege das Geld in die Mütze des Philosophen. Der hippe Becher-Bettler mit dem iPhone grinst zu mir runter.

»Ich muss nicht hier sitzen!«, rechtfertige ich mich.

»Ich auch nicht. Wir drehen für RTL.«

»Echt? Was für 'ne Sendung?«

»*Jenke-Experiment.* ›Absturz in sieben Tagen‹.«

»Schön«, antworte ich zynisch.

»Dürfen wir deinen Part verwenden? Beim Gespräch mit deiner Mutter hätte ich mich fast weggebrüllt.«

»Einen Scheiß dürft ihr verwenden!«

»Schade. Hätte gut gepasst.«

»Das glaube ich!«

Und weil mein Eibrötchen-Philosoph immer noch nicht zurück ist, schreib ich einfach selbst einen neuen Sinnspruch auf eine leere Karte und zeige sie dem RTL-Bettler:

BETTELN OHNE NOT IST DIEBSTAHL

Keine Reaktion. Stattdessen bekomme ich 50 Cent von einer hübschen Studentin:»Sorry, aber ich hab selber wenig …«
»Danke!«
Ich schlucke. Denke nach. So schnell kann's gehen. Und noch bevor der Philosoph mit dem Eibrötchen zurückkommt, tippe ich eine ganz kurze WhatsApp an meinen Chef:

Hi Tim, mein Passwort ist: löWe47.

8

»Wir essen mit wildfremden Menschen?«, frage ich entsetzt und lasse meinen Blick über den großen Speisesaal mit seinen vielen festlich gedeckten Achtertischen schweifen. Einen Filmpreis könnte man hier verleihen. Aber Urlaub machen?

Meine Mutter und ich stehen auf den roten Kacheln der Buffetzone, und irgendwie sind wir immer im Weg. Es ist ein Gewusel wie auf einer Kreuzung in Bangkok zur Rushhour, nur halt mit Tellern statt Rikschas. Und genau wie dort scheint es irgendein geheimes System zu geben, das den Gästen die un- fallfreie Nahrungsbeschaffung durch dieses Chaos ermöglicht. In jedem Fall ist es ein mir noch unbekanntes System, sonst hätte ich ja eben den Neurologen mit dem Schweinebraten nicht umgerannt. Der natürlich kein Neurologe war, sondern nur so aussah wie einer, also eigentlich wie alle hier, denn es ist ›White Night‹, also trägt man Weiß! Alle!

Es war der dritte Schock binnen einer Stunde. Der erste war das Doppelbett in unserem Zimmer und der zweite die leere Minibar. Ich war schneller zurück an der Rezeption, als meine Mutter ihre Nasendusche auspacken konnte, und immerhin: Sie kümmern sich und leiten es gerne weiter. Bei Achtertisch und White Night gibt es nichts weiterzuleiten, außer vielleicht eine Frage an die TUI-Zentrale, an wen man sich heute wendet, wenn man wirklich mal einen Arzt braucht.

Was mich besonders irritiert: Den Gästen in Weiß scheint's zu gefallen und meiner Mutter ganz besonders. Sie hat einen fluffigen Overall in Weiß mit weißen Sandalen kombiniert und sieht gut aus. Ich nicht. Weil ich mich nämlich widerwillig ebenfalls in ein weißes Outfit hab knechten lassen – alles ging ganz schnell, ich hatte noch nicht mal das WiFi-Passwort im Handy, da stand ich schon vor dem Spiegel der Club-Boutique in einer kneifenden weißen Boss-Jeans und einem spacken weißen Polohemd.

»Mein Gott, ich seh aus ja wie ein fetter Internist!«

Doch jeder Protest gegen meine Mutter war sinnlos, sie schien fast verzückt, ihren Sohn als Arzt zu sehen.

»Aber Schatz, das ist echt toll!«

»Aber auch eng!«

»Nach ein paar Tagen Sport passt du garantiert rein, und weißt du was? Ich kauf dir das jetzt einfach. Du hast mir ja auch den Urlaub spendiert!«

Was sagt man da als Sohn? Sagt man: ›Hast du noch alle Fledermäuse im Glockenturm, ich lauf doch im Urlaub nicht rum wie Dr. Stefan Frank!‹? Oder sagt man: »Das ist aber lieb … Danke, Mama!«?

Eben.

Und jetzt steh ich halt hier als adipöser Internist an der Grenze zwischen Bangkok und Filmpreisverleihung mit einem leeren Teller in der linken Hand und meiner strahlenden Mutter an der rechten und versuche diesen innerdeutschen Kulturschock irgendwie zu händeln. Meine Mutter drückt meine Hand und schaut hoch zu mir.

»Wollen wir nicht einfach mal durch den Raum gehen und nach einem schönen Tisch schauen?«

»Was wäre denn ein schöner Tisch für dich?«

»Einer mit netten Menschen, wo es nicht zieht, und nicht direkt neben der Besteckstation oder Ausgang und mit Licht auch, damit ich mein Essen sehe.«

»Verstehe!«, hör ich mich noch sagen, als vier als ABBA verkleidete Animateure mit geschultertem Lautsprecher an uns vorbeitanzen …

»Mamma mia, here I go again!«

… und beinahe von einem verbitterten Kellner mit Geschirrwagen abgeräumt werden.

»¡Cuidado!«

»Nicht verpassen: *Take a Chance on Me*! Das Abba-Musical direkt nach dem Abendessen im Theater!«

»Nico?«, fragt meine Mutter mich besorgt, »meine Suppe wird kalt!«

»Bin bei dir!«

»Wir brauchen einen Tisch!«

Ich lasse meine Augen über den Saal gleiten. Der nächstgelegene Tisch ist bereits besetzt, dort johlt eine Gruppe betrunkener ›Ärztinnen‹. Etwas weiter weg an der Säule wäre noch ein ganz freier Tisch, allerdings donnert dort eine winzige, spanische Angestellte Besteck so laut in eine graue Plastikkiste, als sei es ihr letzter Arbeitstag. Wie hat Mia noch gesagt: immer locker durch die Hose atmen. Ich atme aus und wieder ein. Doch wie soll auch nur ein Fitzel Luft in diese scheißspacke Ärztejeans passen? Ich blicke auf meine Pulsuhr: 89. Das ist hoch für einfach nur rumstehen mit einem Teller und durch die Gegend kucken. Aber was soll ich machen? Meine Mutter wird langsam ungeduldig und zieht an meiner Hand.

»Schau mal, da vorne sitzt doch der nette Herr, der mir das Taschentuch gegeben hat! Neben dem gutgelaunten jungen Paar in Weiß!«

Noch bevor ich etwas sagen kann, ist meine Mutter schon losgelaufen zum Tisch wie ein Bulle zum Gatter, kippt zwei Servietten um und winkt mir fröhlich.

»Nico?«, ruft sie, »wir sind hier!«

»Wir?«, sage ich zu mir selbst, aber dann weiß ich: Da musst du jetzt durch, Nico Schnös! Und zwar eine Woche lang. Also setze ich mein bestes Lächeln auf, zupfe mein Internistenpolo zurecht und setze mich mit einem bemühten »Hallo« neben meine Mutter und den silberköpfigen Rolex-Gentleman vom Flughafen, der seltsamerweise ein knallbuntes Cocktailhemd trägt. Das geht? Dann hätte ich mir die weiße Schmach ja auch ersparen können.

»Hey, ich bin der Horst, setz dich dazu!«

»Nico!«

Ich lächle auch dem gar nicht mal so jungen und vor allem biederen Ärzte-Pärchen gegenüber zu und nuschle »Guten Abend!«.

»Guten Abend!«, schallt es synchron und sehr freundlich zu mir rüber. Ich schätze die beiden auf Mitte 30. Er: recht dünn und mit mönchsartigem Haarkranz, weißes Businesshemd und spießige rahmenlose Alu-Brille. Ich tippe auf Endokrinologe. Sie: schwarzhaarig und mausgesichtig in weißer Bluse und ebenfalls winziger Schmuckuhr. Ich tippe auf Frauenärztin. Dann nehme ich die Serviette zur Seite und schaue zu meiner Mutter, die zufrieden die Buffetzusammenfassung auf der Karte studiert. Ich wende mich an Horst.

»Gar nicht in Weiß?«

»Ha! Den Firlefanz mach ich doch nicht mehr mit!«

Kritisch und synchron heben sich die Augenbrauen des biederen Pärchens: »Also, wir finden die Motto-Abende schön!«

»Könnt ihr ja!«, gesteht Horst den beiden gnädigerweise zu und wendet sich dann galant an meine Mutter: »Darf ich dir Wein einschenken?«

»Gerne! Aber bitte reinen Wein!«, scherzt meine Mutter, und Horst lacht. Ich bin baff. Das war jetzt kein Knaller, aber Humor ist sonst ja eigentlich nicht so ihr Ding, also zumindest nicht, wenn ich dabei bin.

»Weiß oder rot?«

»Rot«, lächelt meine Mutter, »bei Weißwein muss ich die ganze Nacht aufstoßen.«

»Mama!«, stöhne ich, »das interessiert hier doch keinen.«

»Doch!«, protestiert sie, »Horst hat mich gefragt.«

»Rot oder weiß, hat er gefragt und nicht, welche Krankheiten du hast.«

»Aufstoßen ist doch keine Krankheit!«

»Doch. Und sie heißt Reflux.«

»Woher weißt du das?«

»Ich bin Arzt!«

Es lachen alle bis auf meine Mutter, sie wundert sich, dass die anderen lachen. Ich probiere den Weißwein und muss meiner Mutter recht geben, er ist eine echte Säurebombe.

»Der weiße macht schmale Backen, oder?«, grinst Horst.

Ich nicke.

»Der rote ist in Ordnung!«, sagt meine Mutter zufrieden.

»Den hab ich ja auch bestellt«, prahlt Horst, »Elfer Rioja von Telmo Rodríguez, hauen die für neunundachtzig Euro raus, kann man nix sagen.«

»Ach, dann ist das gar kein Tischwein?«, fragt meine Mutter verwundert und betrachtet die Flasche.

»Um Himmels willen, nein!«, lacht Horst und schenkt mir ebenfalls einen Schluck ein.

Ich schnuppere dran, schwenke, nehme einen winzigen Schluck. Es ist ein ganz hervorragender und erstaunlich komplexer Rioja mit dunklen Früchten und würzigen Tönen. Sehr gut ausbalanciert. Aber halt leider von Horst.

»Und was meinst du?«, will er wissen.

»Ich hol mir ein Bier!«

»Haha!«, lacht Horst, »hab ich mir gedacht, ist auch eher was für Kenner!«

Ich nicke höflich und stelle mir vor, wie ein russischer Prügeltrupp Horst vom Tisch wegzieht, quer durchs Restaurant schleift und dann in den Pool wirft. ›Die hab ich bestellt‹, würde ich laut verkünden, ›ja, das sind die elf Kumpels von Igor Rodríguez, die hauen den für zweihundert Euro raus, kann man nix sagen.‹

Da nähert sich ein dürrer, langer Mann mit lichten roten Haaren, großer Nase und weißem Stehkragenhemd unserem Tisch, in der Hand hält er einen Suppenteller.

»Guten Abend, dürfte ich mich bei euch dazusetzen?«

»Also, ich brauch nur noch einen Platz. Und ihr?«, fragt Horst patenhaft.

Weil sich keiner rührt, darf sich der blasse Herr mit der Suppe dazusetzen. Er scheint recht erleichtert darüber und stellt seinen Teller ab, als sei er aus purem Gold.

»Danke, sehr nett!«

Ich luge zu meiner Mutter, sie plaudert mit Horst. Ich wage einen Blick auf meine Uhr, die mir den Eingang einer Textnachricht von Mia vermeldet, und quetsche mein Handy aus der Hose, um sie zu lesen.

»Und? Wie lange seid ihr schon hier?«, fragt die mausgesichtige Frauenärztin höflich.

»Eben gekommen«, antworte ich trocken und schaue auf mein Handy,

»Wir auch. Wir waren auch im Bus zusammen, oder?«

»Kann sein«, antworte ich und betrachte Mias Nachricht.

Bin fertig mit der Medi. Kurz telefonieren? Kuss, Mia.

Medi! Wenn ich das Wort schon höre!

»Und für wie lange seid ihr hier?«, fragt irgendjemand, und ein anderer sagt, vier Tage.

79

Ich überlege, ob ich Mia anrufen soll, bevor sie sich in irgendein veganes Café setzt mit diesem Theo. Und auch wenn ich neugierig bin, besser wäre es freilich nach dem Essen, sonst ist meine Mutter sauer.

»Also, zehn Tage sind am besten, haben wir rausgefunden«, erklärt der Endokrinologe, »weil eine Woche ist zu kurz, und zwei Wochen sind dann irgendwie zu lang.«

»Stimmt«, nickt das Frauenarzt-Mausgesicht, »zehn Tage, das ist einfach perfekt!«

Ich sage »Genau!« und texte Mia, dass wir gerade essen und ich mich danach melde. Und weg das Ding! Als ich aufschaue, sehe ich die leeren Augen des bleichen Alleinreisenden mit seiner Suppe. Er hat sie noch nicht angerührt.

»Ist die nicht gut?«, frage ich vorsichtig.

»Doch, doch, bestimmt, ich nehm nur so ein Magenmittel, und jetzt muss ich noch drei Minuten warten, bis ich essen darf!«

Was für eine arme Sau, denke ich mir, lächle aber verständnisvoll. Ein untersetzter Dauerstudent mit ungepflegtem Haar stellt seinen mit Fleisch überladenen Teller auf unseren Tisch, grüßt mit einem »Neunhundert Gäste, aber EIN Bierhahn, unfassbar, echt!« und setzt sich. Er trägt ein weißes Heavy-Metal-T-Shirt mit einem Totenkopf und dem Spruch »Metal macht glücklich«. Ja, soll er das mal seinem Gesicht sagen.

Nicht nur ich schaue erschrocken, auch der Rest des Tisches. Obwohl er mit dem Bier natürlich recht hat, denn das hätte ich jetzt auch gern. Ich rücke schon mal nach hinten mit meinem Stuhl.

»Habt ihr euch denn schon Ausflüge gebucht?«, fragt mich das Mausgesicht.

»Noch nicht, nein«, antworte ich, da piepst die Uhr meines blassen Nachbarn mit der Suppe, und er beginnt sie sogleich roboterhaft auszulöffeln.

»Marrakesch muss man gesehen haben!«, rät der Endokrinologe und »Whale-Watching müsst ihr machen! Echt Wahnsinn!«
»Wenn ich an Wal sehen will, geh ich zu youdube und auf kei Schiff, is billicher!«, schmatzt der Happy-Metal-Gast, steht auf und ergänzt: »Braden is auch scheiße, ich hol mer was anners!« Als er aufsteht und wegschlurft, schaut ihm unser Tisch geschlossen nach.

»So was kann ich ja haben!«, kommentiert Horst verärgert, »nicht mal Guten Abend über die Lippen kriegen und dann nur rummeckern.«

»Dabei ist der Club echt toll, ich weiß gar nicht, was es da immer zu meckern gibt!«, sagt meine Mutter. »Na ja«, räumt Horst ein, »es gibt da schon noch ganz andere Sachen. Aber so wie der rumläuft, glaub ich nicht, dass er zu Hause was Besseres isst.«

»Also wenn jemand nach Marrakesch fährt, ich würde mitkommen«, informiert mein magenkranker Suppensitznachbar den Tisch, doch sein Angebot verhallt über Tischblumen und Wasserkaraffe.

»Ich lass mich lieber erst mal massieren!«, sage ich.

»Besser mit Termin!«, erklärt Horst, »Punkt neun Uhr ist Terminvergabe in der Wohlfühl-Oase. Würde ich auch gleich morgen früh machen, weil der Club ist voll!«

»Die können das wirklich gut«, bestätigt das Ärztepärchen. Was? Massieren oder Termine machen? Und vor allem: was ist mit meinem Bier!

»Mach für mich bitte einen mit, Schatz«, sagt meine Mutter, »aber bitte keine Sportmassage, da gehen die immer so feste rein, dass mir tagelang alles weh tut!«

»Wie? Einen mit? Ich stell mir doch keinen Wecker, um einen Massagetermin auszumachen!«, lache ich und stehe endlich auf.

»Ich bin übrigens die Sabine«, sagt die Frauenmausärztin und lächelt mich an.

»Und ich bin der Claus. Claus mit C«, stellt sich der Möncho-loge vor. Ich setze mich wieder und stelle auch uns vor: »Meine Mutter Rosi, und ich bin der Nico«.

Nun schaut auch der einsame Alleinreisende auf. »Loic!«

»Wie bitte?«, fragt meine Mutter.

»Loic! Ich heiße Loic. So wie die Lok nur mit i und c!«

Man muss nicht mal in die Gesichter der anderen schauen, um zu wissen: Es interessiert keinen.

»Dann geh ich mal vor …«, verkündet die Lok mit C, quält sich leidend aus dem Stuhl und schleicht gespenstgleich Rich-tung Buffet.

»Was hat er denn?«, fragt meine Mutter.

»Keine Ahnung«, sage ich und zucke mit den Schultern, »und ehrlich gesagt, ist es mir auch egal, weil ich jetzt nämlich mal was zu essen brauche!«

Ich stehe auf und blicke zu meiner Mutter. Sie unterhält sich mit Horst, also kann ich beruhigt zum Buffet.

»… obwohl da natürlich eine Menge Grünschnitt anfällt, den ja sonst immer der Georg weggebracht hat.«

»Georg?«, fragt Horst vorsichtig.

Ich setze mich wieder hin und erkläre: »Georg war ihr Mann. Also mein Vater. Ist leider gestorben vor einem Jahr, sie waren oft zusammen hier und na ja … so ist es halt.«

Stille am Tisch, als hätte ich gesagt, dass ich AfD wähle. Ja, sorry, aber soll ich lieber erzählen, dass er zu Hause geblieben ist und den Rasen mäht, um euch nicht das Essen zu verder-ben? Der Tod passt wohl nicht so gut zu Marrakesch, Massage und Maronensuppe. Ich schaue zu meiner Mutter, die erstaun-lich gefasst in die Runde blickt und schließlich dankbar zu mir.

Horst findet als Erster seine Sprache wieder: »Also, ich finde das toll, dass du deine Mama begleitest!«

»Wir auch!«, sagen irgendwas mit S und C.

»Ich auch!«, stimmt meine Mutter allen zu, »aber ohne meinen Nico würde ich das hier keine Minute lang schaffen!«

9

Ich überrasche Mia mit gebackenen Käsewürfeln, Röstpaprika
mit Honig und Mandeln und Knoblauch-Champignons, also
den ersten drei Treffern der Google-Suche »vegetarische Tapas«.
Dazu Mias früheren Lieblingswein, einen schönen Tempranillo.
Ich hab seit Monaten nichts mehr gekocht für sie oder sagen
wir besser: zubereitet, soll heißen, es ist überaus wahrscheinlich,
dass Mia mich jammernd auf der Couch vermutet und nicht
mit Tapas für sie am Tisch, sie wird also in jedem Fall begeistert
sein. Und obendrauf lege ich dann noch unseren gemeinsamen
Urlaub – Tims Bonus für meine gute Arbeit, alles andere krieg
ich ihr nicht verkauft, Mia hasst ja alleine schon meinen Tracker.
Aber egal, Hauptsache, endlich mal wieder Urlaub, und dann
für lau, Mia wird strahlen, sie steht als Physio ja immerhin auch
bis zu zehn Stunden an der Bank und drückt Rücken, so wie sie
es nennt. Und genau mit diesen Gedanken texte ich ihr, dass ich
mich auf sie freue und dass sie mit ein bisschen Hunger nach
Hause kommen solle heute und das Gummibärchenglas am
Praxistresen in Ruhe lassen. Ich bekomme folgende Nachricht als
Antwort:

**So süß, dass du kochst, aber bin doch bei Theos Buch-
Premiere. Hoffe, Du hast noch nichts eingekauft. Kuss, Mia.**

WAS?
Ich bin kurz versucht, das Handy gegen die Wand zu werfen,

84

denk dann aber an den Ärger mit der Hotline, um ein neues zu bestellen, und setze mich wieder. Lese die Nachricht noch mal. Dieser verdammte Theo schon wieder! Das wird langsam echt viel. Theo hier, Theo da. Theo hat dies gesagt, Theo hat jenes gesagt. Ich meine, ich bin ja tolerant, aber irgendwann ist gut. Und irgendwie hab ich's auch gewusst. Schon als Mia abends erzählt hat »Ich hab 'nen neuen Kollegen eingestellt, der ist supernett«, wusste ich, dass da was auf mich zukommt. Weil man das halt so sagen kann oder so. Also mit einem Funkeln in den Augen oder ohne. Bei Mia war ein Funkeln. Und jetzt versaut der mir auch noch das Überraschungsdinner für meine Frau! Ich lese Mias Nachricht ein drittes Mal. Buchpremiere? Wie? Jetzt schreibt er auch noch? ›Wie man verheiratete Frauen flachlegt‹ oder was?

Und schon wieder knirscht das Handy in meiner Hand. Nein. Ich werde heute nichts werfen, nicht das zweite Mal nach dem Tennisschläger. Aber irgendwas möchte ich trotzdem machen. Ohne Schaden anzurichten. Irgendwas Zielführendes. Irgendwas, das mir auch was bringt. Vielleicht ist das ja eine gute Gelegenheit, diesen Theo mal kennenzulernen. Ich überlege kurz, dann tippe ich folgende Nachricht:

Wo und wann ist das denn?

Es dauert genau sieben Sekunden, dann ändert sich Mias WhatsApp-Status von ›online‹ zu ›offline‹. Zeit für ein Glas Tempranillo, wo er eh schon offen ist. Ein 2014-er Condado. Der Geschmack hält, was die Nase verspricht: kraftvoll, ordentlich Schmelz und ein feines Tannin. Dekantieren hätte ich ihn sollen. Obwohl … wollte ich ja, er war halt für heute Abend. Erst nach zwei Gläsern bekomme ich Mias Antwort:

DU willst in das Institut? Bist natürlich willkommen, aber bist du sicher? 20 Uhr geht's los! Kuss, Mia

Immerhin. Ich bin willkommen. Aber halt nicht so wirklich. Ist ja wohl klar, warum. Umso wichtiger, dass ich den Vogel wenigstens mal kennenlerne, die Lesung überleb ich irgendwie, und wenn wir zuhause sind, trinken wir noch ein Glas Wein zusammen, und dann rücke ich mit der Urlaubs-Überraschung raus. Ich nehme noch einen letzten Schluck Wein und zwei Pumpstöße Nasenspray, dann rufe ich mir ein Taxi.

Als ich am ›Institut für Achtsamkeit‹ ankomme und den Plakat-Aufsteller für Theos Lesung sehe, muss ich lachen. Es zeigt einen premium-gechillten Mittdreißiger im Schneidersitz. Barfuß und im blauen T-Shirt. Die nicht wirklich gepflegten, langen Haare hält ein orangener Haarreif. Also wenn ich 'nen Fototermin für 'ne Lesung hätte, ich denke mal, Haare waschen wär noch drin gewesen. Aber ist mir recht, natürlich, weil wenn das Mias neuer Kollege aus ihrer Physio-Praxis ist, dann brauch ich mir echt keine Gedanken zu machen. Haha. Und der Titel von Theos Buch ist ja auch mega: *Du darfst so sein. Das Universum erlaubt alles.* Ja, offensichtlich erlaubt es alles, sonst hätte es ja Theo in Flammen aufgehen lassen oder zumindest seinen Computer, um sein Buch zu verhindern. Vor allem – wenn das der Titel ist, was soll da denn dann noch drinstehen? Ist doch schon alles klar: Jeder darf alles und keiner ist sauer deswegen, danke fürs Zuhören und einen schönen Abend noch.

Auf der Eingangstür des Instituts klebt ein Sticker mit 'nem lachenden Ferkel und dem Spruch ›Love me, don't eat me!‹ Aha, daher weht der Wind, was Mias neue Abneigung gegen Fleisch angeht. Ich öffne die Tür und bin überrascht, dass ich in einer Art Selbstbedienungs-Restaurant stehe, mit Tablettschiebeschiene und Kasse am Ende wie in der Toyota-Kantine. Auf einer Tafel steht das Tagesgericht: ›Gefüllte Aubergine mit Soja, Bulgur und buntem Gemüse‹. Die Gäste passen zum Essen: viel Tuch, viel Zopf und viel verständnisvolles Kopfnicken. Einige tragen Namensschilder, sind wohl von einem Seminar übrig geblieben. Allen gemein ist, dass sie ein wenig zu entspannt sind für meinen Geschmack, und wenn mich irgendwas aggressiv macht, dann sind das entspannte Leute. Immerhin – an der Kasse steht ein kleiner Kühlschrank mit Craft-Bier drin, da kann man sich dann wenigstens die fade Gemüse-Lumumpe geschmackig saufen. Ich nehme sicherheitshalber zwei Flaschen Bier raus, denn wer weiß, am Ende liest dieser Theo drei Stunden ohne Pause, weil das Universum es erlaubt hat.

Die erste Flasche mache ich schon mal auf und frag den bärtigen Kassierer nach dem Lesungsraum. Ganz durchs Restaurant durch, dann links und ein paar Meter vor der Rezeption rechts in den Gang, links die kleine Treppe runter und wieder hoch und dann wäre ich auch schon da im Raum ›Jayadip‹. Und schön, dass ich gekommen sei, und viel Spaß. Is ja gut, denke ich mir, jetzt komm mal wieder runter, und hab drei Schritte weiter natürlich schon wieder vergessen, was er beschrieben hat, bis auf »ganz durchs Restaurant durch«. Ah … da ist eine Treppe! Seltsame Musik höre ich auch schon. Obwohl … Musik? Klingt eher wie Morsezeichen, gespielt wie auf sieben indischen Xylophonen. Dingelingelingelingedingding.

Als ich oben bin und in den Raum sehen kann, muss ich erst mal einen Schluck Bier nehmen auf den Schreck. Da stehen Leute ohne Schuhe und schütteln sich. Also sich selbst, nicht die Schuhe oder die anderen, und zwar zu dem Dingelingelingedingding. Aber sie schütteln sich halt nicht so, wie man sich jetzt vorm Sport locker macht, sondern so, wie wenn man sie nicht mehr alle beisammen hat. Meine Frau ist nicht dabei – Gott sei Dank.

Dingelingelingelingedingding. Eine dünne Frau reißt selig die Arme nach oben, als wolle sie einen Energiestrahl aus dem Universum fangen. Daneben zuckt ein schrulliger Typ in Jeans, als würde ihn irgendjemand reanimieren. Dingelingelingelingedingding. Eine füllige Dame im bunten Stoff imitiert den Flügelschlag eines Pfaus. Hut ab, prächtige Landung. Okay, reicht. Ich bin raus. Das ist ja Komplettklapse! Als ich mich umdrehen will, steht da eine kleine Frau mit grauen Locken in ihrem Tuchgewand, lächelt mich an, als wäre ich gerade auferstanden, und fragt:»Kundalini?«

»Nein, Nico Schnös. Ich such die Lesung!«

»Ach, wie schön«, lächelt die Frau,»ich bring dich hin.«

Im Raum ›Jayadip‹ sitzen die Leute auf dem Boden, statt sich zu schütteln. Immerhin. Sphärische Klänge wie bei 'ner Massage im Spa. Ich erspähe Mia und sie mich, sie sitzt recht weit vorne und hat ein Kissen für mich reserviert. Sie hat ihre langen blonden Haare zu einem Zopf gebunden und die weiße Bluse mit den roten Herzchen an. Meine Lieblingsbluse eigentlich. Gerade deswegen fühlt es sich seltsam an, sie hier zu sehen in diesem seltsamen Raum. Geht ihr aber offensichtlich umgekehrt auch so, denn richtig locker wirkt sie nicht, als ich sie mit einem Kuss auf die Wange begrüße.

»Du musst die Schuhe ausziehen, Nico.«

»Echt?«

»Ja. Da sind Regale am Eingang.«

»Sind die bewacht?«

»Nico, bitte.«

»Das sind brandneue adidas Originals!«

»Schahatz …«

Hab ich verstanden, ich kenne ja meine Frau. Also: Schuhe ins Regal, Arsch auf Kissen, Schneidersitz und Fresse halten, weil keine Ahnung. Immerhin – als ich barfuß zurückkomme, werde ich zur Belohnung kurz umarmt. Gut so – wissen die Jünger wenigstens schon mal, dass wir zusammen sind. Ich biete Mia mein zweites Bierchen an.

»Dank dir, aber ich mag nichts trinken heute.«

Schon krass alles. Kein Alkohol mehr, wenn's irgendwie geht, wenig bis gar kein Fleisch, das ständige Umarmen … nicht, dass sie mir hier meine Frau noch rumdrehen! Ich meine, ist natürlich okay, wenn sich die Frau auch nach der Heirat weiter verändert, aber dann natürlich in meine Richtung! Ich muss auf der Hut sein, schließlich ist das eine Sekte hier. Also – glaube ich. Ich schau zu Mia, und sie lächelt mich an.

»Schön, dass du gekommen bist.«

»Echt?«

»Ja!«

Sie drückt mir einen Kuss auf die Wange, und für einen winzigen Augenblick fühle ich mich wohl. Dann ertönt ein Gong und Theo Hollerbaum stakst in T-Shirt und floraler Stoffhose zu seinem blauen Sitzkissen, sein Buch fest in der Hand. Es ertönt Applaus, und natürlich klatsche ich auch. Es folgt Stille. Eine lange Stille. Ist aber offenbar nur mir unangenehm, denn als ich mir die anderen Leute so anschaue, scheinen die den Augenblick zu genießen. Dann endlich räuspert sich der langhaarige Schlaks auf seinem Sitzkissen und blickt uns an.

»Jemand anderes sein zu wollen ist eine Verschwendung der Person, die du bist.«

Wie? Der Vogel sagt nicht mal ›Guten Abend, herzlich willkommen!‹ oder so?

Und Schweigen. Ich nehme an, dass wir da jetzt drüber nachdenken sollen. Mach ich aber nicht, weil wenn ich was sollen muss, dann tu ich's erst recht nicht. Ich denke stattdessen an unseren Urlaub: Sonne, Sommer, Strand …

'ne gute Minute lässt Theo uns so sitzen, dann: »Wisst ihr, wer das gesagt hat? Buddha? Osho? Jesus? Keiner? Okay, dann sag ich es euch: Es war Kurt Cobain von Nirvana, der gesagt hat: ›Jemand anderes sein zu wollen ist eine Verschwendung der Person, die du bist!‹«

Ich muss grinsen und beuge mich zu Mia: »Hat sich dann halt trotzdem 'ne Ladung Schrot ins Gesicht geballert, also so richtig er selbst sein wollte er ja offensich –«

»Psssssst!«

Is ja gut, ich höre zu.

»Viele von euch haben mich gefragt, warum ich so ein Buch schreiben will und was es mit mir zu tun hat«, fährt Theo fort. »Ich denke, es hat damit zu tun, dass ich mich schon als kleiner Junge oft gefragt habe, ob ich okay bin, so wie ich bin, und ob ich so sein darf.«

»Kann ich verstehen«, flüstere ich Mia ins Ohr und fange mir einen weiteren bösen Blick. Ja, denke ich mir, krieg ich hin, ich halte die Klappe jetzt.

»Es ist nur ein kleines Buch, und doch ist es eine große Sache für mich geworden. Ihr wisst ja: Wenn man die kleinen Dinge liebt, dann werden sie bald ganz groß.«

Ich schiele möglichst unauffällig auf den Schritt von Theos Blumenhose. Dann blicke ich zu Mia, die aufmerksam lauscht und auf mich nicht mehr reagiert. Okay, er meinte es nicht sexuell.

»… ohne euch hätte ich das Projekt hier nicht zu Ende bekommen neben meiner Arbeit als Physiotherapeut. Danke an alle, die mir geholfen haben, vor allem möchte ich mich natürlich bei dir bedanken, liebste Mia, du hast mir bis zum Schluss

Mut gemacht und Kraft gegeben und dass du mich eingestellt hast natürlich, denn sonst hätte ich mir dieses Buch gar nicht leisten können.«

Die Leute lachen. Ich nicht. Weil sie halt auch einen anderen hätte einstellen können.

»Viele deiner wundertollen Gedanken sind mit eingeflossen aus all den Gesprächen, es ist also auch ein wenig dein Buch, Mia.«

Wie bitte? Kann er's noch mal sagen? ›Wundertolle Gedanken aus all den Gesprächen‹ mit meiner Frau sind in seinem kleinen Buch? Vielleicht ist Theo ja der Grund dafür, dass ich seit einem halben Jahr plötzlich das Freitagsspiel der Fußballbundesliga gucken darf und wir gar nicht mehr streiten, wenn Mia nassgeschwitzt von ihrer Meditation kommt.

Tak-tak-tak-tak-tak-tak-drr-drr-drr-drr, vibriert mein Handy, und ich frage mich, ob der ursprüngliche Sinn eines Vibrationsalarms nicht der war, dass ihn keiner hört. Diesen hört jeder! Ich springe auf, murmele ein »Entschuldigung!« und eile zur Tür.

Ich starre aufs Display. Natürlich!

»Mama, ich bin –«

»Sei so gut und gib mir eine Sekunde, Schatz, ich esse gerade …«

»Natürlich!«

Ich passiere das Schuhregal und entdecke eine Ecke, von der aus man mich nicht mehr hören dürfte.

»Was gibt's denn, Mama?«

»Ich … hab den Mund gleich leer …«

»Lass dir Zeit!«

»… jetzt! Also ich wollte dir nur sagen, dass dein Trick da funktioniert hat mit dem Ausschalten und Einschalten und dass ich wieder fernsehen kann – schaust du auch *Millionär*?«

»Nein, Mama, ich bin bei einer Lesung.«

»Oh. Da wäre ich jetzt auch gern dabei!«

»Aber du weißt doch gar nicht, auf was für einer Lesung ich bin ...«

»Aber du bist doch dabei! Das ist das Wichtigste!«

»Ich komme dich ja bald wieder besuchen in Pulheim, dann trinken wir einen schönen Milchkaffee und –«

»Mach dir bitte keinen Kopf, mein Schatz, genießt ihr mal euren Abend zusammen, weil ... ich hab ja meinen Fernseher wieder jetzt dank deiner Hilfe und ... na ja ... jetzt weiß ich gar nicht mehr, was ich sagen soll ... außer vielleicht ... ›bis irgendwann‹?«

»Bis zum Wochenende, Mama! Ich komme am Wochenende, das haben wir doch besprochen ... Hallo?«

Aufgelegt. Mannomann. Das gibt's doch nicht. Was geh ich überhaupt ran? Na ja, is klar, weil ich Angst habe, dass mal wieder was Schlimmes passiert sein könnte, was natürlich völliger Unsinn ist, weil wenn wirklich was Schlimmes passiert ist, dann kann meine Mama mich ja nicht mehr anrufen, dann ruft jemand anderes an und sagt, es ist was Schlimmes passiert.

Ich schalte das Handy in den Flugmodus und stecke es weg. Warum ruft sie denn dauernd an? Kümmere ich mich wirklich so wenig ...? Wenn ja, darf ich an den kommenden Urlaub erst gar nicht denken. Nico und Mia sieben Tage auf den Kanaren und sie allein im Haus in Pulheim, das müsste ich ihr erst mal vorsichtig beibringen. Wohin mit ihren Grünschnitt-Breaking-News?

Gedankenversunken schleiche ich zurück in den Saal, wo der Physiotherapeut und Autor Theo Hollerbaum wie erwartet ausführt, dass wir alle so sein dürfen, wie wir sind, und wir erst in dem Augenblick frei werden, in dem wir das begriffen haben. Prima, denke ich mir, dann bin ich unfrei, weil begriffen hab ich das nicht.

Und dann sagt er letztendlich eine ganze Stunde lang das Gleiche, und immer geht es um Angst, Bewusstsein, Freiheit, Mut und irgendwie halt auch um Mia, die im Übrigen nur noch körperlich neben mir zu sitzen scheint. Die Welt, so wie sie ist, habe uns unfrei gemacht, aber darüber könnten wir uns mit bestem Gewissen jederzeit erheben. Wir müssten sogar, weil wir nur dieses eine kurze Leben haben, und daher dürften wir alles sein: feige oder wagemutig, neugierig, wütend, aber auch was die Liebe angeht, sollten wir uns endlich befreien, denn nicht dem Ring am Finger wären wir verpflichtet, sondern nur unseren Herzen!

Ich blicke skeptisch erst auf meinen Ring und dann auf den von Mia.

Mia, die lächelnd zu Theo blickt.

»Daher dürfen wir auch lieben, wen wir wollen, weil die Liebe so ist, wie das Universum: unendlich. Lieben, wen wir wollen, und zugleich ganz wir selbst sein – nur das ist Freiheit. Ich danke euch!«

Ja, und du mich auch. Was für eine Eso-Scheiße!

Theo klappt sein Buch zu, steht auf und verbeugt sich. Applaus brandet auf, und ich klatsche aus Höflichkeit mit. Dann springt Mia auf, schwebt zur Bühne und umarmt Theo. Warum auch nicht, denke ich mir noch spöttisch, sie darf ja so sein. Und ich beklatsche meine eigene Demütigung. Aber nur kurz. Dann ist Schluss.

Ich stehe auf, nehme mein Sitzkissen und lege es ruhig und achtsam in den Schrank zu den anderen. Ha! Da geht's schon los, ich lege es achtsam weg, das bin doch gar nicht ich. Am liebsten nämlich würde ich das Ding gegen die Wand schleudern, aber das wäre dann ja auch wieder kindisch und blöd für Mia sowieso. Also hab ich mich im Griff.

Bis ich mich umdrehe und sehe, dass Theo und Mia sich immer noch umarmen. Und wie innig sie sich umarmen! Eine Minute ist das doch jetzt mindestens. Und ich schau zu! Eigentlich müsste ich den selbstgefälligen Umarmungskünstler durch das komplette Institut knüppeln bis zur gefüllten Aubergine mit Soja, Bulgur und buntem Gemüse.

Mach ich aber nicht, weil meine Frau ja irgendwie auch ein Teil der Umarmung ist.

Ich hab auch noch nie jemanden geschlagen. Geschubst, ja. In den Arsch getreten, unbedingt, aber jemandem so richtig auf die Fresse hauen, das war nie mein Ding. Und doch weiß ich, dass es das gleich sein könnte. Sie umarmen sich nämlich immer noch.

Hallo?

Ich sehe direkt in sein Gesicht, und da ist eine, wie soll ich es beschreiben, eine beseelte Gewissheit. Der freiheitsliebende Schlafschlumpf scheint sich seiner beziehungsweise ihrer ziemlich sicher.

Okay. Es reicht.

Ich gehe zu ihm, packe ihn am Arm und sage mit fester Stimme: »Kollege?«

Keine Reaktion.

Von Theo nicht und von Mia auch nicht.

Ich packe fester und spreche lauter: »Hallo? Ihr beiden? Reicht jetzt!«

Nix.

Als ob ich gar nicht da wäre!

Ich greife Theo noch fester und werde so richtig laut. »Theo Hollerbaum? Ich kann dir auf die Fresse hauen, und weißt du, warum? Das Universum erlaubt es!«

Na endlich. Theo lässt los.

Mia presst beschämt ihre Lippen aufeinander und schaut zu Boden. Ich blicke wütend auf Theo, doch der sieht mich einfach nur sanft an, und ich muss schon sagen, da ist irgendetwas in seinem Blick, das mich berührt, es ist so eine Art liebevolle Wärme.

»Ist halt meine Frau, deswegen …«, sag ich noch, was mir albern vorkommt in diesem Augenblick, weil es zwar sachlich richtig ist, dann aber doch irgendwie recht dreist nach Besitz klingt, und außerdem war es ja auch nur eine Umarmung.

»Ich weiß,« Theo lächelt milde, »und das ist auch völlig fein für mich.«

Na, da bin ich aber froh, denk ich mir noch, doch dann – umarmt er auch mich liebevoll. Innig und sehr lange.

Die dumme Sau.

10

Obgleich nur von Ärzten besetzt, hat die Nachricht vom Ableben meines Vaters dann doch eine gewisse Schwermut auf den Achtertisch geworfen. Und auch wenn ich den silberköpfigen Prahl-Horst mit der Lupen-Rolex nicht wirklich sympathisch finde, so muss ich ihm doch anrechnen, dass er die Stimmung wieder hochzieht, indem er sein Glas hebt und sagt:»Ihr werdet das schon packen zu zweit! Und wenn er schon nicht mehr dabei sein kann, können wir doch wenigstens auf ihn trinken, oder? Auf Georg!«

Ich stoße mit Wasser an, nicht mit Horsts Rotwein, und bin mir sicher: Mein Vater hätte diesen Typen gehasst. Und jetzt stößt er auf ihn an, und meine Mutter sitzt daneben in ihrem chicen Outfit. Aber mir jetzt darüber den Kopf zu zerbrechen, bringt mich natürlich auch nicht weiter, und den Magen füllt es mir schon gar nicht. Als ich sehe, dass es meiner Mutter gutgeht, stehe ich endlich auf und schlängle mich vorbei bis zum Buffetbereich, wo ich direkt in Tayfun laufe, die türkische Buche.

»Hey Nico, sorry noch mal, das war ungeschickt vorhin im Bus, nach deinem Vater zu fragen!«

»Hast es ja clever rausgerissen!«, zwinge ich mich zu einem Lob.

»Ich würde trotzdem gerne noch was für dich tun. Deine Mutter hat gesagt, du spielst Tennis?«

»Mehr schlecht als recht!«

»Umso besser. Ich schenk dir 'ne Stunde mit mir, was meinste?«

»Super nett, ich … melde mich!«

»Alles klar!«

Aber jetzt: essen! Ich haste an diversen Urologen und Zahnärzten vorbei durch den Buffetbereich. Es gibt von allem: Steak, Huhn und Fisch mit Pommes oder Kroketten, Gemüse und Reis, einen chinesischen Wok-Koch, eine vegetarische Station, Salate, Käse und Pasta auch. Ich liebe Pasta. Auch wenn Clubchef Mattes hinter den Töpfen steht. Meine Uhr vibriert, Nachricht von Tim. Ich ziehe mein Handy raus und lese:

Hey Nico, sag doch mal dem Oberclub-Tuppes, dass du unsern Camry zur Promo am Pool präsentierst, wo ihn jeder sieht. Cheers und immer schön auf den Puls achten ;-)

Am liebsten würde ich mein Handy in den Wok werfen. Spinnt der denn jetzt komplett? Vor einer Woche sollte ich noch schauen, ob die Kiste auf der richtigen Insel ist, und jetzt soll ich ihn persönlich an den Pool fahren oder was?

»Magst du jetzt Ente haben oder nicht?«, fragt mich ein junger Chinese mit Kochmütze. Ich hab keine Ahnung. Also sage ich nein und gehe weiter. Taumle minutenlang durch den Buffetbereich, aber der Hunger ist irgendwie weg, ich hab Lust auf nix. Ein kleiner Teller Pasta vielleicht? Fuck, jetzt hat mich Mattes auch schon gesehen, jetzt muss ich hin. Aber vielleicht kann ich dann die leidige Autosache ja auch gleich hinter mich bringen.

»Na, Nico, gefällt's dir bei uns?«

»Alles super!«

»Freut mich. Spaghetti Vongole für dich?«

»Gerne!«

»Du, mein Chef fragt gerade, ob wir die Auto-Promo am Pool machen können.«

Ich bekomme die Antwort zusammen mit den Spaghetti Vongole serviert: »Natürlich nicht, wir sind 'n Ferienclub, kein Autohaus. Foyer war abgemacht!«

»Sag ich ihm.«

»Lass dir's schmecken!«

»Danke!«

Ich schleiche vom Buffet wie ein Strauchdieb aus dem Hinterhof. Läuft ja super. Und Spagetti Vongole hasse ich auch. Wenn die Muscheln klappern im Teller, könnte ich schon kotzen. Ich finde einen Abstellwagen, schiebe den vollen Teller hinein und weiß: Ohne ein Bier geht jetzt gar nichts mehr!

Der Zapfhahn ist schnell zu finden, man erkennt ihn an der Schlange davor, da hatte Meckerklops ja doch recht. Das Fass werde gerade gewechselt, informiert mich ein untersetzter Hautarzt mit Sonnenbrand. Natürlich – wenn ich mein erstes Bier im Urlaub will, dann wird das Fass gewechselt. Ich mag schon gar nicht auf meine Fitbit schauen und mache es natürlich trotzdem.

112?

Einhundertzwölf?

Das ist kein Puls, das ist der verdammte Notruf!

Aber klar, woher soll's kommen: Doppelbett mit der Mutter, Achtertisch mit Schwachmaten, Schlange vorm Bier, Mia in Hamburg, Chef im Nacken, bald der Todestag vom Papa …?

Also wenn ich's so aufzähle vor meinem inneren Auge, wird mir richtiggehend schlecht. Ich werde mir was ausdenken müssen, sonst krieg ich den Puls nie runter. Vielleicht doch Betablocker? Genug alte Leute wären ja hier, die ich fragen könnte.

Wenigstens hat das Universum die Bierschlange aufgelöst. Vor mir steht nur noch eine junge Frau im hellblauen Sommerkleid.

Die sich jetzt allerdings ein Bier nach dem anderen zapft. Beim dritten randvollen Glas frage ich nach:

»Sorry, aber ist eins davon für mich?«

»Ja, das nächste!«, blafft sie zurück, dreht sich um und reicht mir ein leeres Glas.

Ich greife danach und blicke in die Augen der erotischsten Frau, die ich je gesehen habe. Hohe Wangenknochen, ein wundervoller Kussmund und Augen so groß wie in einem japanischen Cartoon. Ich muss sofort an Sex denken. Am Strand. Spontan und ungeschützt, nach einer Flasche billigem Weißwein. Warum? Waren meine Testosteronwerte nicht im Keller?

Doch dann lässt sie mich stehen mit meinem leeren Glas, und ich starre ihr nach, als hätte ich seit zehn Jahren kein Lebewesen mit Brüsten mehr gesehen.

Mit dem dumpfen Gefühl, irgendetwas vergessen zu haben, schlörre ich zurück zu unserem Tisch und bleibe wie festgefroren stehen. Der Miesepeter mit dem Burger ist verschwunden, dafür sitzt nun der erotische Sommertraum im hellblauen Sommerkleid neben meiner Mutter und Horst, vor ihr die drei Biergläser, in der Hand ein Buch mit einem Vogel drauf. Ich schaue auf mein Bierglas: Es ist leer. Und zu essen hab ich immer noch nichts. Aber jetzt doch noch Bier holen? Und wieder vor ans Buffet? Erst mal nicht, es gibt ja noch Tischbrot. Zögerlich setze ich mich, nehme ein Stück und luge zu meiner Mutter, nicht dass sie ihre Krümelbürste rausholt.

»Nix gefunden?«, fragt mich irgendwas mit S und deutet mitleidvoll auf meinen leeren Teller.

»Ich hol gleich noch!«, sage ich und schaue, nein starre rüber zu der wunderschönen Frau im hellblauen Kleid.

»Ja, am ersten Tag wird man auch fast erschlagen von der ganzen Auswahl!«, höre ich irgendwas mit C mich irgendwo in der Ferne trösten.

Sie trinkt Bier und liest. *Unterwerfung* von Michel Houellebecq. War das nicht so ein Skandalbuch mit Islam und so? Egal, denn in diesem Augenblick vermeldet mir meine Fitnessuhr akustisch, dass ich mein Aktivitätsziel für diesen Tag erreicht habe. Aber leider nicht mit einem Piepser wie mein Sitznachbar, sondern mit der gesungenen 80er-Jahre-TV-Titelmelodie von *Kimba, der weiße Löwe*:

Kleiner weißer Löwe, wir sind stolz auf dich.
Alle Tiere schenken dir Vertrauen ...

Ich drücke den Song weg und setze mich wieder auf meinen Platz.

Alle Blicke sind nun auf mich gerichtet.

»Ich ... stell's leise, sorry!«

»Naddi, schau«, erklärt Horst, »das ist der Sohn von der Rosi. Bist also nicht die Einzige, die mit einem Erziehungsberechtigten hier ist ...«

Die Sommerschönheit blickt nur kurz und reichlich desinteressiert von ihrem Buch hoch.

»Super. Bin die Nadine.«

»Nico!«, sage ich und starre sie noch immer an.

»Hab ich was im Gesicht?«

»Nein, ich schau nur, weil du dir gleich drei Bier geholt hast. Weil du nicht dreimal gehen wolltest, oder?«

»Nein«, antwortet Nadine schnoddrig, »Alkoholproblem.«

Die Münsteraner schweigen. Der magenkranke Clubgeist neben mir nimmt sicherheitshalber noch eine Tablette. Meine Mutter wirkt ein wenig überfordert mit allem.

»Haha, die Naddi!«, schmunzelt Horst, und Naddi schaut von ihrem Buch hoch und ihren Vater böse an.

»Papa, bitte sag nicht Naddi, ich bin keine sieben mehr.«

Meine Mutter ist noch immer irrtiert, dafür hat meine Fitnessuhr sie auf eine steinalte Geschichte gebracht, die sie immer dann erzählt, wenn es am wenigsten passt. Zum Beispiel jetzt.

»Wisst ihr, was mein Nico bis sieben noch nicht konnte?«

Da haben wir's schon. Schweigen am Tisch. Man ahnt das Schlimmste.

»Selber aufs Klo gehen?«, rät Nadine desinteressiert.

»Hallo?« protestiere ich, »können wir wieder über Wale reden oder Marrakesch?«

»Er konnte kein R sprechen«, verrät meine Mutter, als sei es ein Staatsgeheimnis.

»Mama, bitte! Lass es gut sein ...«, lächle ich gequält.

»Aber das eine darf ich doch noch schnell erzählen, wo wir im Kölner Zoo zusammen waren und –«

»Nein, Mama, gerade das darfst du nicht erzählen ...!«, stöhne ich.

»... wo wir bei den Raubtieren standen, weil du ja immer Raubtiere sehen wolltest damals als kleines Kind, und weißt du noch, was du geschrien hast am Löwengehege?«

»Ja, Mama, das weiß ich, aber es will halt hier keiner wissen!«

»Richtig!«, schnoddert Nadine hinter ihrem Buch hervor.

Danke! Was für eine Traumfrau. Eine Traumfrau, die von meiner Mutter ignoriert wird. Wie eigentlich jede Frau ...

»Also, er war ganz aufgeregt, der Nico, und hat schnell ein paar Fotos gemacht vom Löwen, bis der plötzlich böse gefaucht hat. Da hat er ganz geschockt ›Der Löwe büllt!‹ gerufen und ist weinend davongelaufen mit seiner Kamera.

»›Der Löwe BÜLLT!‹?«

Na, immerhin habe ich jetzt die volle Aufmerksamkeit, denn Nadine grinst hinter ihrem Buch, der Magenpatient lächelt, und auch die Münsteraner wirken wieder gelöst. Nur ich lache nicht, weil wenn die Mama jetzt noch die anderen Geschichten auspackt, dann …

»Darf ich das noch schnell erzählen mit der Inge Metall, Nico?«

»NEIN, Mama.«

»Also gut. Weil mein Nico hat nämlich bis zur dritten Klasse gedacht, dass die Inge Metall die mächtigste Frau Deutschlands ist!«

»Das hab ich nicht gedacht, ich hab mich verhört, Mama!«, werfe ich ein, »Inge statt IG!«

»Weil die zu Streiks aufruft und höhere Löhne fordert und ständig in den Nachrichten ist.«

»Nein, ich hab mich nur verhört, weil die ›IG‹ so ausgesprochen haben wie ›Inge‹, aber is gut!«

»Inge Metall!«, lacht Rolex-Horst, der sich schon ordentlich einen angepichelt hat, »die mächtigste Frau Deutschlands, das ist ja köstlich!«

»Es ist vor allem mal vierzig Jahre her«, sage ich und packe ebenfalls aus: »Aber wisst ihr was? Meine Mutter verwechselt heute noch Plissée und Filet. Weißt du noch, Mama, wie du neulich ein Rinderplissé bestellt hast im Restaurant?«

Gelächter am Tisch.

»Nico, bitte, mach deine eigene Mutter nicht lächerlich.«

Immerhin – Nadine lacht zum ersten Mal. Aber halt über mich. Ich frage sie, ob sie nie was Dummes gemacht hat als Kind, und sie legt doch tatsächlich ihr Buch weg.

»Doch, klar. Mich haben sie beim Vögeln erwischt bei C&A in der Umkleide.«

»Als Kind?«, frage ich erschrocken nach.

»Ich war vierzehn, er zwölf.«

»Aber ist so eine Umkleide nicht furchtbar schmutzig?«, fragt meine Mutter.

»Keine Ahnung«, erklärt Nadine trocken, »ich hab vorher das Licht ausgetreten.«

Ein wenig verunsichert wendet sich meine Mutter an Horst: »Und wie habt ihr die Nadine bestraft?«

»Sie durfte ein Jahr lang keine Pornos mehr gucken.«

Schweigen am Tisch.

Dann verabschieden sich die Münsteraner.

»Einen schönen Abend noch, wir gehen schon mal ins Theater.«

»Komm ich mit!«, freut sich mein bleicher Sitznachbar und springt ebenfalls auf. Sagen wir so: Die Begeisterung in den Gesichtern von irgendwas mit C und S ist nicht grenzenlos.

Ich schaue auf die Uhr und dann in die Runde, die nun nur noch aus Horst, Nadine, meiner Mutter und mir besteht. Horst arrangiert ein paar Gläser um, und meine Mutter sucht ohne hinzuschauen etwas in ihrer Handtasche. Nadine steckt ihr Buch in eine kleine Ledertasche und schaut mich fordernd an.

»So. Ich sauf mir einen an der Bar. Kommt jemand mit?«

»Also, ich geh ins Bett!«, gähnt Horst und legt die Serviette zur Seite. »Und ihr?«

»Wir gehen auch ins Bett«, antwortet meine Mutter und steht ebenfalls auf, »nach der langen Anreise heute.«

Mit offenem Mund schaue ich sie an.

»Wie? Wir?«

»Ja, wer denn sonst?«

»Tut mir leid, Mama, aber ich trink auf jeden Fall noch ein Bier an der Bar.«

Binnen Sekunden gefriert das Gesicht meiner Mutter. »Dann soll ich alleine aufs Zimmer gehen am ersten Abend?«

»Ja, aber ich komme doch nach irgendwann!«

»Irgendwann? Nico, bitte. Seit der Papa tot ist, schlaf ich alleine!«

Ich schaue reichlich ratlos in die Runde, Nadine mustert mich gespannt. Schließlich sage ich: »Okay, Mama, aber morgen Abend gehen wir an die Bar!«

»Natürlich, mein Schatz. Ich versteh dich ja und … weißt du was? Ich hol dir auch zwei Bier fürs Zimmer! Hast ja auch viel gemacht für mich heute!«

»Echt?«, staune ich, »das ist aber nett!«

Meine Mutter steht auf, nimmt ihre Tasche und marschiert Richtung Bar. Fast schon ängstlich blicke ich zu Nadine, die mich amüsiert mustert.

»Was ist?«, frage ich.

Die Sommerschönheit bläst sich ein langes, schwarzes Haar aus dem Gesicht, steckt sich eine Zigarette in den Mund und grinst mit gespielter Bewunderung:

»Gut gebüllt, Löwe!«

11

So sehr ich in die Pedale trete, ich seh immer nur Mias rot blinkendes Rücklicht. Und jeder verdammte Lichtblitz ist wie eine Ohrfeige von Theo, der in Sachen Menschenliebe noch einen draufgelegt hat und … mir sein Rad geliehen! Damit wir uns kein teures Taxi nehmen müssen und in beschwingter Harmonie zusammen heimfahren können.

Beschwingte Harmonie am Arsch! In ein Flugzeug will ich mit meiner Frau und nicht auf ein verdammtes Klapprad. Und wie zum Teufel soll Harmonie aufkommen, wenn ich mich auf einem quietschenden 70er-Jahre-Drahtesel mit Lenkradkorb und Zwergensattel zu Tode trete, während mir meine Frau auf ihrem 16-Gang-Sportrad davonflitzt? Und ich Idiot sag noch ›Danke!‹ und ›Warum nicht …‹ zu Theo statt ›Willst du mich verarschen?!‹

Aber da sieht man mal, wie Sekten seit jeher arbeiten: Wenn man nur die geringste Schwäche zeigt, dann schlagen sie zu. Es hätte ein so schöner Abend werden können mit Tapas und Rotwein, Händchen halten und ›Was hältst du von sieben Tagen Urlaub auf den Kanaren?‹.

Stattdessen schlingere ich auf einem fünfzig Jahre alten Rad durch das trübnasse Köln und flehe meine Frau an, wenigstens mal anzuhalten für ein paar Worte. Weil wenn wir erst mal zu Hause sind, dann hab ich keine Chance mehr, dann schließt sie sich im Bad ein, und wenn ich dann irgendwann aufgebe und geduckt zum Kühlschrank schleiche, verschwindet sie im

Schlafzimmer, zieht die Decke über ihre Stupsnase und stellt sich tot. Und genau aus diesem Grund werde ich auch so laut: »Miaaaaa! Jetzt warte doch mal! Miaaa!«

Ausgerechnet über den Hohenzollernring müssen wir fahren, wo alle naselang trübäugige Junkies oder Wasserpfeifen-Kollegas über den Radweg taumeln. Und so 'ne Leute reagieren leider nicht mehr auf niederschwellige Reize wie zum Beispiel eine Fahrradklingel. Mit 'ner 45-er Magnum in die Luft ballern ginge eventuell. Hab ich nur gerade nicht dabei, und als sich ein halstätowierter Zuhälter aus seinem geklauten SLK pumpt und vor Theos Fahrrad-Körbchen läuft, da passiert es: Ich bin gezwungen, auf Theos gelbe Plastiktröte zu drücken.

Quuäääääk!

Ich wäre besser gegen die Straßenlaterne gefahren, so peinlich klingt das Ding. Ein weiterer Moment epischer Erniedrigung. Meine Frau hat ihren Vorsprung inzwischen auf über dreißig Meter ausbauen können.

»Mia, jetzt ras doch nicht so!«, schreie ich, doch sie reagiert nicht. Wie soll sie mich auch hören bei dem Gewusel?

Mit aller Kraft trete ich in die Pedale, doch statt schneller zu werden, quietscht einfach nur das Rad lauter. Der Rudolfplatz könnte eine Chance sein für mich, da gibt's 'ne Ampel. Und tatsächlich – das Universum hat ein Einsehen. Die Ampel springt im perfekten Moment auf Rot, Mia muss warten. Und wie immer steigt sie gar nicht erst ab, sondern balanciert ihr neues Superrad mit winzigen Bewegungen aus. Ich bin so außer Atem, dass ich kaum sprechen kann.

»Was …«, keuche ich, »… rast du denn so?«

»Weil ich einen schönen Abend hatte und möchte, dass das so bleibt.«

»Ich hab doch NUR gesagt, dass die dich noch ganz rappelig machen in diesem Institut.«

»DU machst DICH rappelig, Nico! ICH entspanne mich.«

»Ja, aber auf MEINE Kosten!«

»Du spinnst.«

»DU spinnst! Früher, da … haben wir zusammen gegrillt, jetzt ess ich die Steaks alleine. Trink den Wein alleine. Und schau FC Köln gegen Greuther Fürth, während du meditierst mit diesem … Tantra-Taliban!«

»Grün!«

Grün? Stimmt. Glatter Punktsieg für Mia. Aber wie soll ich argumentieren, wenn meine ganze Energie in die Beine geht? Mia schnellt über die Straße wie an einem gespannten Gummiband, und ich leg mich fast auf die Fresse, weil Pedale in den 70ern noch glatt waren wie Gefängnisseife.

»Fuckverdammtesdrecksrad!«, fluche ich.

Och neee … jetzt überholt mich auch noch ein alberner Rentner mit Elektrorad und Leuchthelm.

»Vooooorsicht!«, ruft er mit Blockwartstimme.

»Fick dich!«, antworte ich mit Wasserpfeifen-Kollega-Stimme. Der Rentner bremst.

»Was haben Sie da gerade gesagt?«

Weil Rentner einen ja gerne mal anzeigen, korrigiere ich mich: »Frontlicht!«

»Was ist denn damit?«

»Das blendet!«

»Schwätzer!«, schimpft der Rentner und radelt weiter. Ich biege nach rechts in die Aachener Straße, vorbei am Joe Champs, dem Roxy und der nächsten Shishabar.

Mia hat weitere Meter gut gemacht, aber die Ampel an der Brabanter hat Rot, und das Universum hat mir noch einen Polizeiwagen geschickt, der direkt daneben steht. Atemlos und mit quietschenden Bremsen komme ich abermals neben meiner Frau zum Stehen, zwei Köpfe tiefer leider, wegen Theos Sattel.

»Mia, du musst mir jetzt mal zuhören, ich bin immerhin dein Mann!«

»Oh. Ich dachte, nur das Rad ist aus den Siebzigern!«

Seltsam, dass sich ausgerechnet das, was man so liebt, plötzlich gegen einen richten kann wie eine Waffe: Mias Humor. Deswegen hab ich sie ja auch gefragt, ob sie mich heiratet, damals auf Kuba. Und jetzt? Kubakrise! In sieben Sekunden ist wieder grün, ich muss zu Potte kommen, sonst droht Badflucht und Kissenkoma und das verhasste ›Lass uns da morgen drüber reden‹.

Ich berühre Mias Hand am Lenker und sage, was ich auf dem Herzen habe.

»Was ich meine, mein Schatz … dieser Theo nimmt zu viel Raum ein.«

»Deine Mutter auch.«

»Das ist aber was anderes!«

»Warum ist das was anderes?«

»Weil sie alt ist und sonst niemanden hat, und dieser Theo ist jung und er hat … Jünger!?«

»Boah ist der schlecht! Grün!«

»Stimmt, der war schlecht …«

Und wieder sehe ich nur Mias Rücklichter. Was zum Teufel ist los mit ihr? Bisher konnten wir doch auch über alles sprechen. Also bis dieser verdammte Theo auftauchte in ihrer Praxis und Mia ihn auch noch eingestellt hat. Weil er Heilpraktiker ist und so jemand noch fehlte im Team. Ja, genau. Esoteriker ist er aber halt auch, und jetzt dackelt sie ständig mit ihm in dieses blöde Institut. Ist wie ausgewechselt seitdem. Theo hier, Theo da. Sieht ihn in den Pausen und macht sogar interne Fortbildungen mit ihm. Interne Fortbildung? Ist das Physiodeutsch für ›aneinander rumfummeln‹? Und ich sitze Löcher in die Couch und warte auf meine Frau. Inzwischen ist sie öfter weg als Netflix Serien hat, inzwischen schau ich schon Knastdokus auf N24 und *Wildes Sibirien* bei National Geographic.

Ich bremse ab. Was macht sie denn jetzt? Warum fährt sie denn über den Aachener Weiher, da müssen wir doch gar nicht lang …

»Mia! Verdammt nochmal!«, rufe ich, doch sie hat wieder gute hundert Meter Vorsprung und hört mich nicht. Und sie erwischt die letzten Sekunden der Grünphase vom Überweg, bei mir zeigt die Ampel wieder rot, egal – ich kämpf' mich durch eine Lücke im Verkehr und gewinne wertvolle Meter. Den Kiesweg am Weiher hab ich allerdings unterschätzt. Ich schlingere und eimere wie ein betrunkener Dorfpolizist in einer französischen Komödie, und schließlich rutsche ich über eine nasse Stelle und flieg über Tröte und Lenker in den Kies.

Quäk!

Mia hört es und hält an.

»Schatz? Was passiert?«

»NOCH nicht!«, zetere ich.

Ich rapple mich hoch, greife schnaufend Theos Rad am Rahmen und … werfe es in hohem Bogen in den Weiher. So! Es fliegt gut fünf Meter weit, so sauer bin ich. Trotzdem hab ich für einen winzigen Augenblick das Gefühl, das Richtige getan zu haben:

»Esowichsvollpfosten!«, zische ich zu mir selbst und fühle eine Art Erleichterung. Bis ich sehe, wie meine fassungslose Frau auf mich zurollt und mit offenem Mund vor mir stehen bleibt.

»Sag mal, spinnst du jetzt komplett?«

Mia starrt mich an und macht ihre Zitterfäustchen, und wenn Mia Zitterfäustchen macht, dann ist sie so richtig sauer, denn dann fährt man einen Rennwagen im roten Bereich, hieß es damals schon in *Pulp Fiction*, und dann ist es immer eine gute Idee, den Fuß vom Gas zu nehmen.

»Ich kauf ihm ein neues! Ein … besseres! Mit Licht im Korb und –«

»Vielleicht will er ja kein besseres?«, unterbricht mich Mia barsch. »Vielleicht mochte er sein Rad ja so, wie es war?«

»Wieso denn ›wie es war‹? Es ist doch noch da, es ist nur … na ja … gerade nicht zu sehen.«

»Er hat es dir geliehen, Nico!«

»Ja, aber nur, weil er mich hasst!«

»Theo hasst niemanden. Nicht mal dich!«

»Was soll das heißen: er hasst nicht mal mich? Bin ich denn so besonders hassenswert?«

»Natürlich nicht, du gibst ihm nur keine Chance.«

»Eine Chance auf was? Auf dich?«

Mia stöhnt und schaut hoch in die Wolken. »Zum einhundertsten Mal: Theo will nix von mir und ich nichts von ihm.«

»Sah mir aber anders aus!«

»Weil du es eben sehen willst. Was ist denn mit dir los, Nico?«

»Was MIT MIR los ist? Das fragt die Frau, die ›wundertolle Gedanken‹ in das Buch ihres Kollegen einfließen lässt? Hättest du ruhig mal was von erzählen können!«

»Du hättest es eh nur niedergemacht.«

»Ich bin tolerant!«

»Du bist eifersüchtig. ICH bin tolerant!«

»Sagt die Frau, die kein Fleisch mehr isst und alle anderen dazu bekehren will, weil ihr plötzlich die Tiere leidtun, vor allem die ganz kleinen?«

»Du hast die Schlachthaus-Doku doch gesehen mit mir?«

»Ich bin tolerant, sagt die Frau, die auf Eriks Silvesterparty das komplette Feuerwerk versteckt und jedem von uns eine einzige Rakete gibt, damit wir die dann umso mehr lieben?«

»Aber so ist das: Wenn man eine Sache nur einmal hat, dann ist einfach die Wertschätzung größer, und dann kann man sie umso mehr lieben.«

»Mich gibt's auch nur einmal! Und liebst du mich mehr deswegen?«

Wir starren uns an, eine seltsame Stille umwabert uns. Ich ergänze:

»Das wäre jetzt die Stelle, an der du mir sagen könntest, dass du mich liebst.«

»Auch wenn's manchmal echt schwerfällt – ja, ich lieb dich.«

»Das sagst du nur, weil ich dich dazu aufgefordert hab.«

Mein letzter Satz führt zu einer dramatischen Veränderung in Mias Mimik. Doch es sind keine Funken, die da aus Mias Augen sprühen, es ist eine kalte Leere.

»Weißt du was, Nico? Ich glaub, ich fahr schon mal nach Hause.«

Was sie nicht nur ankündigt, sondern auch tut. Mia steigt auf und radelt im Mondlicht davon.

»Ja, und ich?«, rufe ich ihr hinterher.

»Kannst dir ja ein Taxi nehmen«, schallt es zurück, »wolltest du doch eh!«

»Hey!«, schreie ich Mia nach und trete in den Kies, »du hast gesagt, dass du mich liebst! Da kannst du nicht einfach abhauen! Komm zurück!«

Dreißig Meter.

»Ich … befehle es dir!«

Vierzig Meter.

»Vergiss das mit dem Befehl, okay? Wenn du zurückkommst, dann … freu ich mich!«

Fünfzig Meter.

»Ich lieb dich auch! Mia? Ich lieb dich auch!«

Und weg. Was für ein Mist. Was für ein unfassbarer Mist.

Sogar die Enten lachen! Ich gleite auf eine Bank und starre über den Glitzerweiher.

Vielleicht haben Tim und Mia ja doch recht. Dass da was nicht stimmt mit mir. Und dass ich mich mal so richtig entspannen muss. Immerhin, und das ist nicht von der Hand zu weisen, wurde ich an einem Tag zweimal gefragt, was mit mir los sei. Und mit Mia, da passt halt gerade gar nix.

Deswegen wär der Urlaub ja so wichtig! Dass sie von diesem liebesbesoffenen Seelenfänger wegkommt! Theofreie sieben Tage mit Sonne, Strand und Sport. Sambuca. Sex. Also mal wieder miteinander, statt jeder für sich. Bloß … so gaaanz der richtige Augenblick, sie zu fragen, war irgendwie noch nicht da heute. Und er wird auch nicht mehr kommen, wenn ich mir nicht irgendwas einfallen lasse. Ich presse meine Zähne aufeinander und starre auf den Weiher. Soll ich?

Verdient hätte er's nicht, aber es geht ja auch gar nicht um ihn, es geht um Mia und mich. Schweren Herzens stehe ich auf, gehe zum Ufer und halte vorsichtig einen Finger ins Wasser. Es ist kalt. Klar, wir haben April, nicht August.

Aber egal.

Im Schwimmbad ist es ja auch immer so: je langsamer, desto schlimmer.

Also springe ich rein. Und schreie »Fuck!«. Der Weiher ist tiefer als ich dachte: Bis zur Brust stehe ich im kalten Brackwasser. Hektisch taste ich mit den Füßen nach Theos Rad. Ich finde eine Autofelge und einen Bürostuhl. Es folgen ein Ventilator, ein Toaster und ein Akkustaubsauger. Dann endlich trete ich gegen etwas Weiches: Theos Lenkradkorb? Ich greife nach unten und ja, da ist sein Rad. Allerdings muss ich mit dem Kopf unter das Entengrützenwasser tauchen, wenn ich an den Rahmen kommen will. Was ich dann auch tue. Wenigstens ist es Theos Rad. Ich ziehe es hoch, hebe es ans Ufer und wuchte mich selbst daneben. Und irgendwie ist mir draußen noch kälter als drinnen. Gute drei Kilometer muss ich fahren von hier. 7 Grad zeigt das Schild an der Apotheke. Kein Stalingrad, aber Lungenärzte würden trotzdem abraten.

Und als ich mich dann klatschnass, mit schlotternden Knien und quietschenden Pedalen zu unserer gemeinsamen Wohnung quäle, da denke ich mir: Wenn sich DIE Aktion jetzt nicht gelohnt hat, dann dreh ich durch!

12

Irgendwie sehe ich unser Hotelzimmer erst jetzt zum ersten Mal richtig. Jetzt, wo ich allein im einzigen Sessel sitze und im Energiesparlicht einer Papierstehlampe sorgenvoll auf das gemeinsame Bett schaue, denn natürlich haben sie das mit dem Einzelbett verbastelt an der Rezeption. Verbastelt oder ich versteh die Codes nicht, vermutlich heißt ja »Das leite ich gleich weiter« einfach nur »Schon vergessen!«?

Auf dem Nachttisch meiner Mutter lächelt mein Vater von seinem Foto, daneben ein Turm aus Taschentüchern und der riesige, schwarze Reisestein. Auf meinem Nachttisch lädt mein Handy. Jetzt bin ich endlich mal alleine, aber irgendwie ist es auch nicht schön. Und wie ich so warte und die Klangfetzen von der Clubbar durch die geöffnete Terrassentür wehen, hab ich plötzlich diesen seltsamen Gedanken: Was, wenn meine Mutter gar nicht mehr käme? Nicht, weil sie mit der Zahlkarte nicht zurechtkommt, sich an der Poolbar verquatscht hat oder unser Zimmer nicht mehr findet? Was, wenn sie überhaupt gar nicht mehr käme? Wenn es mir nach meinem Vater noch mal passiert, in diesem Moment? Und das Letzte, worüber wir geredet hätten, wäre die Inge Metall? Vor allem aber: Was würde ich machen, wenn es so wäre? Dann wäre ich der letzte Schnös, dann hätte ich nur noch Mia. Mia, die eben nicht erreichbar war. Meint meine Mutter das mit ›Alleinsein‹?

Umso erleichterter bin ich, als plötzlich die Zimmertür aufschwingt und meine Mutter mit einer Plastiktüte und zwei

Bierdosen im Türrahmen steht. Ich springe auf und umarme sie.

»Wo warst du denn? Ich hab mir Sorgen gemacht!«

»Das weißt du doch! An der Bar. Da war vielleicht was los. Aber ich hab Bier für dich! Spanisches Bier mit Augen drauf!«

Stolz überreicht mir meine Mutter zwei kalte Dosen San Miguel.

»Danke, Mama, du bist toll!«, sage ich und betrachte erst dann die Dosen. Was meine Mutter für Augen hält, sind in Wahrheit Nullen: ›0,0‹ steht da und ganz klein daneben ›sin alcohol‹. Meine Mutter hat mir alkoholfreies Bier gekauft.

»Hab ich was Falsches besorgt?«, fragt meine Mutter sorgenvoll.

»Nein, nein«, antworte ich, »San Miguel ist völlig in Ordnung.«

»Prima. Dann mach ich mich schon mal bettfein, du kannst ja auf der Terrasse dein Bier trinken!«

»Mache ich!«

Meine Mutter hastet ins offene Bad. Ein weiteres Problem: Der Duschbereich ist aus Glas, und sogar das Waschbecken ist komplett einsehbar vom Zimmer. Selbst das Klo hat nur eine Tür wie eine Umkleidekabine: Oben und unten ist ein Spalt von gut zwanzig Zentimetern. Meine Mutter war ebenso schockiert wie ich über das gläserne Bad, als wir es zum ersten Mal gesehen haben: »Mein Gott, wie soll man das denn alles putzen?«

»Ich dachte eher an die Privatsphäre ...«, hab ich gesagt und meine Mutter: »Aber wir sind doch Familie, wir schauen uns doch nix ab!«

Vielleicht ja doch? Immerhin – ich hab jetzt Bier, und eine Terrasse ist ja auch noch da, von dort kann ich Mia anrufen. Ich nehme eine der Dosen mit dem Gesicht drauf, stöpsle mein Handy aus und gehe raus auf die Terrasse. Der Fußweg zu den anderen Zimmern ist leider gerade mal zehn Meter entfernt. Und das Licht über mir viel zu hell. Präsentiertellerterrasse. Hasse ich ja. Aber was will ich machen? Dauermeckern wie der Bratenfranke am Tisch eben? Ich setze mich auf einen der Holzstühle und schaue auf mein Handy, als mich das erste Ärztepaar anspricht.

»Schönen Abend noch!«

»Danke, euch auch!«, versuche ich zu lächeln und will gerade Mias Nummer wählen, da kommt der Magenkranke vom Achtertisch des Weges. Alleine. Entsprechend traurig sieht er auch aus. Vorbeigehen könnte er freilich trotzdem. Könnte er. Tut er aber nicht, weil er mich natürlich sofort erkennt.

»Ach, hier wohnt ihr ...«

»Ja, genau. Hier ist unser Zimmer!«, antworte ich.

»Aber wirst du da nicht oft angesprochen mit der Terrasse so direkt am Weg?«

»Du bist der Erste.«

»Krass ...!«

Statt weiterzugehen, kommt der bleiche Dürre mit dem lichten Haar nun auch noch näher.

»An der Bar war's nicht so toll, die Münsteraner sind irgendwie gleich weg gewesen!«

»Echt?«, sage ich und denk mir, logisch, JEDER wäre irgendwie schnell weggewesen.

»Und die Schöne von unserem Tisch?«, frage ich.

»Die ist am Pool mit diesem Tennislehrer. Der macht's richtig, oder?«

»Weiß nich«, antworte ich und schaue demonstrativ aufs Handy. Immerhin. Der Magenkranke checkt's und geht weiter.

»Ja, dann mal gute Nacht euch!«

»Ja, danke, dir auch!«

Erst jetzt schaue ich wieder in unser Zimmer, wo meine Mutter gerade schnaufend Glasreiniger und Küchenrolle auf einem silbernen Abfalleimer balanciert, um die Duschkabine zu wischen. Ja, geht's denn noch?

»Mama?«, rufe ich ins Zimmer, »du wolltest dich doch bettfertig machen!«

»Gleich!«

»Aber was machst du denn da?«

»Sauber!«

»Wo hast du die Küchenrolle her?«

»Netto!«

Stöhnend stelle ich die Bierdose auf den Terrassenboden und massiere meine Schläfen. Warum macht sie's mir denn so schwer? Andere Mütter gehen doch auch früh ins Bett, lesen noch was und schlafen dann wie ein Stein. Und zwar in ihrem eigenen Zimmer.

»Also, ich weiß nicht recht, ob ich das schaffe«, tönt es traurig vom Weg.

Ich drehe mich zur Seite – mein trauriger Alleinreisender hat gerade mal einen Meter geschafft, und wie er so dasteht in seinem weißen Stehkragenhemd sieht er aus wie ein Gespenst. Tui Buh, das Clubgespenst! Hab ich als Kind auch immer gern gehört. Wie ging das noch? ›Bist du ein Gespenst? – Natürlich bin ich ein Gespenst! Das einzige für den Club Candia Playa behördlich zugelassene Gespenst! Und ich habe eine rostige Rasselkette und an der hängt meine Clubkarte!‹

Ich blicke zur Wiese und tatsächlich – er hat seine Clubkarte um die Brust hängen, und so richtig ausgesprochen hat er sich auch noch nicht.

»Was schaffst du nicht?«, frage ich.

»Na, den Urlaub. Weil … ich hab halt irgendwie gedacht, dass

sie einen da mehr an die Hand nehmen im Club. Weil … na
ja … du bist wenigstens mit deiner Mutter hier!«

Ja, ist halt keine Tagesklinik für Depressionen, sondern ein
Ferienclub, aber wie er so dasteht mit der Körperspannung
einer 20 Minuten lang gekochten Linguine, sage ich lieber:»Das
wird schon!« und:»Ich fand's auch komisch am ersten Tag im
Club, aber da gewöhnen wir uns schon dran!«

»Dank dir, das tut gut! Gute Nacht dann mal!«

»Dir auch!«, sage ich und sehe ihn davonschleichen. Mein
Gott, was für eine arme Wurst. Ich atme durch und greife
wieder nach meinem Handy, als ich ein Knarzen aus unserem
Zimmer höre. Es kommt von meiner Mutter, die nun mit Pa-
pierrolle und Sprühflasche auf Waschbecken und Abfalleimer
steht.

»Mama, bitte!«, rufe ich,»das ist gefährlich! Und abgesehen
davon – das ist doch alles sauber!«

Für einen Augenblick stellt sie das Putzen ein und schaut
kritisch zu mir heraus.

»Oberflächlich ja! Aber wenn man genau hinschaut, dann
graust es einen!«

Nicht aufregen. Einfach kurz Augen schließen, ausatmen und
locker durch die Hose atmen. Dann kann man auch … … –
Sekunde mal – meine Mama steigt nicht wirklich auf den
Handtuchhalter und hält sich am Spiegel fest, um die Alu-Ver-
blendung zu reinigen, oder? Oh doch, genau das tut sie!

»Nico, meinst du, die haben hier Zitronensäure im Supermarkt?«

»Mama?«, schreie ich,»Du steigst jetzt SOFORT da runter!«

Es reicht. Ich springe auf, renne ins Bad und will sie runter-
heben, doch sie wehrt sich.

»Den einen Fleck noch!«

»Nein!«

»Und weg ist der Fleck! Das hab ich gut gemacht, oder?«
Stolz krabbelt sie zurück auf die grauen Fliesen.

»Ja, Mama, das war toll. Ich setze mich jetzt aber trotzdem
wieder auf die Terrasse, muss noch Mia anrufen!«

»Fragst du sie, ob alles in Ordnung ist im Haus?«

»Ja!«

»Und lass dir Zeit, ich hab ja auch noch zu tun.«

Ich setze mich wieder auf meinen Plastikstuhl und hab Mias
Nummer schon gewählt, da sehe ich, dass meine Mutter die
Matratze saugt. Auf allen vieren. Im Nachthemd. Und mit
einem kleinen, lauten Handstaubsauger, aus dem blaues Licht
kommt. Ich breche den Anruf ab.

»Mama, was machst du?«, und meine Mama antwortet,
als hätte ich die unsinnigste Frage der ganzen weiten Welt gestellt:

»Ich saug den Milbenkot weg.«

»Woher weißt du denn, dass da überhaupt Milben sind?«,
hake ich nach.

»Die Susi hat mir doch den Test mitgegeben.«

»Natürlich, die Susi.«

»Und ist doch besser, ich mach es weg, bevor es juckt. Und
dann noch Eukalyptus-Spray drauf, und wir sind sicher!«

»Absolut.«

»Danke, dass ich EINMAL recht habe!«

Ich seufze und drehe mich vom Zimmer weg Richtung Fußweg. Zwei Männer Mitte zwanzig nähern sich schlurfend und
in gebückter Körperhaltung, die Gesichter beleuchtet von ihren Smartphones. Ich erkenne sie: Es sind die beiden tranigen
Millennials aus dem Tranferbus, der eine groß mit blonden
Locken, der andere klein und mit mehligem Gesicht. Als der
Lockenkopf während des Textens gegen eine der Gehweglam-
pen donnert und aufschreit, muss ich leise lachen.

»What the fuck!«, schimpft er und untersucht seine Wade.

»Was denn?«, fragt sein Kumpel, der schon weitergelaufen ist und immer noch in sein Handy starrt, ohne sich umzudrehen.

»Voll gegen die verfickte Lampe gelaufen!«

»Haste gar nicht gepostet!«

Ich schaue, ob das Bad frei ist. Ist es nicht. Meine Mutter kniet vor dem Waschbecken. Sie hat einen blauen Plastikrüssel in der Nase, der an einem kleinen Plastikgefäß befestigt ist. Ich räuspere mich.

»Mama, bitte sag, dass du keine Nasendusche machst!«

»Doch. Der ganze Flugzeugschmodder, der muss raus!«

Ich gebe auf. Was soll ich auch sagen. Es sind und bleiben einfach zwei Betriebssysteme. Ich fühle mich wie ein iPhone-User im Google Play Store. Endlich vibriert mein Handy, und Mias Foto taucht auf, auf dem sie lachend in die Kamera schaut mit aufgespießter Weißwurst. Na endlich! Ich drücke auf Grün:

»Mia, da bist du ja endlich!«

»Ja, sorry, mein Löwe, die Medi hat sich gezogen, weil Theo noch was vorgelesen hat für alle, aber es war toll, ich bin immer noch ganz beschwingt!«

»Schön!«

»Und du?«

»Unfassbar, was da alles rauskommt!«, tönt es erstaunt aus dem Bad. Ich drehe mich weg.

»Du bist ›beschwingt‹?«, frage ich skeptisch.

»Ja, aber jetzt erzähl du erst mal, ist denn alles fein? Deine Nachricht war so knapp irgendwie.«

Gar nichts erzähle ich, bevor sie mir nicht alles über ihren Abend mit Theo berichtet hat.

»Ich dachte, ihr seid auf Fortbildung!«

»Das ist erst morgen, Schatz. Jetzt war ich gerade bei der

Medi und bin kurz auf die Straße gegangen, die anderen sitzen noch im Café, muss ja nicht jeder mithören.«

Ausweichende Antwort, ganz schlecht.

»Und Theo?«, insistiere ich.

»Er war auch bei der Medi, ja, und … können wir den mal beiseitelassen, weil jetzt will ich ja wissen, wie es euch geht, was ihr für ein Zimmer habt, wie es mit der Mama ist, ich will alles wissen!«

»Glaub ich nicht.«

Es entsteht eine kurze Gesprächspause, die man unangenehm nennen könnte.

»Sag mal, ist denn alles gut?«

»Alles gut, ich hab nur das Gefühl, dass du ganz gut ohne mich zurechtkommst.«

»Aber Schatz, das muss ich ja auch. Du bist im Urlaub, und ich bin hier. Aber das heißt ja nicht, dass ich meinen Löwen nicht vermisse.«

»Hört sich aber irgendwie nicht so an. Du bist mit Theo und … und beschwingt bist du auch.«

»Ja, aber das hat doch nichts mit dir zu tun!«

»Stimmt. Und du darfst ja auch so sein, weil es das Universum erlaubt!«

»Ach Nico, ich kann doch jetzt nicht eine Woche lang zuhause bleiben und wehmütig sein, nur weil du auf den Kanaren bist. Ich vermiss dich und wünsch dir ganz doll, dass du dich erholst, aber in der Zwischenzeit mach ich halt auch andere Sachen.«

»Mit Theo!«

»Es war eine Gruppenmeditation, du warst doch selber bei einer dabei.«

»Stimmt. Es war grauenhaft!«

»Und wie ist es jetzt bei euch? Erzähl doch mal!«

Okay. Ich hab's begriffen. Alles klar. Spiel ich ihr seltsames Spiel halt einfach mit.

»Okay, also es ist echt gut! Wir haben um die dreißig Grad, und sogar die Mama kommt zurecht. Haben sogar ein riesiges Zimmer zusammen!«

»Nur ein Zimmer?«

»Naja, die Reise war ja auch für uns geplant. Aber egal. Haben schon nette Leute kennengelernt und Tränen gelacht, und das Abendessen war auch richtig gut.«

»Echt? Das freut mich jetzt aber für euch!«

»Und weißt du was? Bei uns am Tisch saß 'ne komplett verrückte Frau, die ist mit ihrem Vater hier. Die hat sich gleich drei Biere auf einmal geholt und hat Houellebecq gelesen!«

»Du klingst beeindruckt!«

»Bin ich auch! Weil, na ja, die ist echt ein Hingucker, aber säuft trotzdem wie ein Pferd, und ihr Papa sitzt daneben und sagt nix.«

»Na, da haben sich ja zwei gefunden«, lacht Mia, »aber wie fein, dass du gleich jemanden kennengelernt hast, der im gleichen Boot sitzt sozusagen. Vielleicht hat sie ja auch mal einen Tipp für dich, wie du besser mit deiner Mutter zurechtkommst.«

»Brauch ich gar nicht. Ich komme phantastisch zurecht mit ihr!«

»Aber das ist doch super, dann war das doch genau die richtige Entscheidung, dass du sie mitnimmst und nicht mich.«

»Absolut.«

»Grüße von Theo übrigens und können wir morgen weiter reden? Ich bin noch bisschen verschwitzt und steh auf der Straße im Nieselregen.«

»Klar, mein Schatz! Ich muss ja auch zurück zur Bar, Naddi hat jetzt doch noch mal 'ne Runde geholt. Glaubt man gar nicht, dass so ein junges Ding so viel wegsteckt!«

»Grüß mir deine Mutter, bitte.«

»Mach ich.«

»Und ich lieb dich, mein Löwe!«

»Ich dich auch!«, knirsche ich ins Handy, lege auf und überlege, wo ich es hinwerfen könnte. Auf den Tennisplatz? In unser Zimmer? Oder einfach ins Gras rammen? Was muss ich denn noch sagen, dass sie eifersüchtig wird?

Ich beiße mir in die Unterlippe und lege das Handy zur Seite. Atme tief durch, rücke den Plastikstuhl zurecht und nehme einen weiteren Schluck lauwarmes, alkoholfreies San Miguel.

»War das Mia?«, fragt meine Mutter knapp. Sie sitzt bereits im Nachthemd im Bett und liest *Reinigen – Aufladen – Schützen: Wie wir Heilsteine richtig zur Wirkung bringen.*

»Ja, das war Mia«, antworte ich.

»Hast du gefragt, ob alles in Ordnung ist mit dem Haus?«

»Oh!«, sage ich, »das hab ich vergessen. Trotzdem schöne Grüße!«

»Na ja …«, stöhnt meine Mutter und macht ihr Ich-sag-jetzt-mal-nix-Gesicht, und erst jetzt bemerke ich die anderthalb Meter lange Stoffbockwurst mit dem Durchmesser einer Langspielplatte auf unserem Bett.

»Was zum Teufel ist das für ein Kissen?«, frage ich verdutzt.

»Mein Seitenschläferkissen.«

»Das war doch niemals im Koffer!«

Meine Mutter senkt ihr Buch und schiebt ihre Lesebrille hoch. »Der Bezug war im Koffer, Schatz. Ich hab mir Kissen zum Füllen geben lassen.«

»Aber … das Ding nimmt ja fast ein Drittel der Liegefläche ein!«

»Aber es ist es gut für meinen Rücken, und sauer aufstoßen muss ich auch nicht damit nachts, und außerdem musst du dann auch deine alte Mutter nicht sehen.«

»Aber Mama, warum sollte ich dich nicht sehen wollen?«

»Weil du ja mit Mia fliegen wolltest und ich nur zweite Wahl bin.«

»Och neee …!«

Mitleid und Wut, geht das zusammen? Bei mir schon. Reflexartig drücke ich die Bierdose. Sie knackt laut, springt an der Seite auf, und dann ist da dieser Schmerz in meiner Hand. Ein erster Tropfen Blut landet auf dem Holzfußboden.

»Das ist doch Unsinn!«, sage ich, »du bist keine zweite Wahl!«

Ich betrachte meine Hand. Die verfluchte Drecksdose mit alkoholfreier Industrieplörre hat mir den halben Handballen eingeschnitten. Auch meine Mutter blickt erschrocken auf meine Hand.

»Ach, du lieber Himmel, Schatz, du blutest ja! Aber warte!«

Wie eine Feder springt sie aus dem Bett, reicht mir ein Papiertaschentuch und reißt die Schranktür auf.

»Erst mal zusammendrücken, die Wunde, ich kümmere mich!«

Es ist genau dieser Augenblick, in dem mir klar wird, wie schön es ist, dass ich meine Mutter noch habe. Trotz all der Differenzen und Missverständnisse. Ihrem Sohn passiert was, und sie kümmert sich, ganz so wie früher, als ich mich mit dem Skateboard auf die Nase gelegt habe und mit einer fetten Schürfwunde nach Hause kam.

Die Mutter umsorgt ihren Sohn, sie kann gar nicht anders, vermutlich ist das so eine Art biologisches Programm, das da abläuft. Also normalerweise. Nur halt bei einer einzigen Mutter auf der ganzen Welt nicht: meiner. Denn als ich ihr meine verletzte Hand reiche, geht sie mit ihrer Netto-Küchenrolle und einem Glas Wasser auf die Knie und beginnt, eilig die Blutflecken vom Boden zu wischen.

»Blutflecken wischt man am besten sofort mit kaltem Wasser auf! Wusstest du das?«

»Nein, Mama«, sage ich traurig, »das hab ich nicht gewusst. Und ich hätte bestimmt warmes Wasser genommen.«

13

Ich habe mich getäuscht. Mia hat sich nicht im Bad eingeschlossen, und sie hat sich auch nicht schlafend gestellt; sie hat ihre andere Stress-Reduktionsmethode gewählt: Hausarbeit. Das Gute an dieser Methode ist: Ich kann noch mit ihr reden. Das nicht ganz so Gute: Ich muss mithelfen. Halbnackt und nur mit meinem großen, grünen Duschhandtuch um die Hüfte, weil ich nach meinem Brackwasser-Tauchgang heiß geduscht habe. Schnell geduscht natürlich, damit Mia sich nicht doch noch ins Bett verkrümeln kann und so tun, als würde sie schlafen.

Und so räumen wir eben um kurz vor Mitternacht die Spülmaschine aus, die ich ja am Mittag in meiner Funktion als freigestellter Controller wieder eingeräumt hatte. Besteck in der Hand, Vorwürfe im Kopf.

»Noch mal, Mia: Ich bin eben wegen Theos Rad ins eiskalte Wasser gesprungen!«

»Hättest es ja vorher nicht reindonnern müssen.«

Mia reicht mir einen Schwung Esslöffel, die ich in die Besteckschublade räume.

»Ich hab es nicht ›reingedonnert‹, ich hab es reingeworfen. Und es fährt sogar noch, ich bin hergefahren damit.«

»Da wird Theo sich aber freuen.«

Verwundert zieht Mia die Besteckschublade heraus und greift nach den kleinen Löffeln.

»Die sind komisch einsortiert!«

»Wieso das denn?«

126

»Weil wir die Espressolöffel nie mit den Kaffeelöffeln mischen.«

»Vielleicht sind sie ja während des Spülgangs verrutscht, so wie Gepäckstücke im Flugzeug?«

»Bei dir ist was verrutscht! Donnerst ein Rad in den Weiher, also echt!« Sie überreicht mir den kompletten Schwung Löffel, den ich sofort einsortiere. Sanft schließe ich die Besteckschublade.

»Okay, Mia, ich hab's ›reingedonnert‹. Ich hab es dann aber auch ›ehrenvoll wieder rausgerettet‹!«

Mit süffisanter Miene reicht Mia mir unseren mittelgroßen Edelstahltopf.

»Du hast es nicht ›ehrenvoll gerettet‹, sondern einfach wieder rausgeholt, und das ist ja wohl das Mindeste!«

Den Topf in der Hand lasse ich meinen Blick über unsere Küche schweifen und entdecke die angetrunkene Tempranillo-Flasche.

»Wo ist denn der Deckel zum Topf?«, frage ich.

»Hab ich mit der Hand gespült!«, antwortet Mia, und als sie ihn in die große Topfschublade steckt, greife ich zum Wein und lasse ihn in der Altglas-Kiste verschwinden. Dann lehne ich mich an unsere Center und ziehe Mia an den Schultern zu mir.

»Mia! Okay, ich hab ein Rad versenkt. Ich hab aber auch zuschauen müssen, wie ein fremder Typ sieben Minuten lang meine Frau umarmt, und ich hab eure Blicke gesehen. Da musst du doch verstehen, dass –«

Mia tritt einen Schritt zurück und gibt mir unseren großen Schöpflöffel und einen Schneebesen. »Den Schöpflöffel bitte zu den Töpfen, der klemmt sonst in der kleinen Schublade.«

»Und was macht ihr eigentlich bei diesen internen Fortbildungen?«

»Dein Handtuch rutscht.«

»Was heißt das?«

»Dass du nackt bist, wenn du es nicht hochziehst.«

Ich ziehe mein Handtuch hoch und nehme Mias Hand. »Können wir vielleicht auch mal normal reden? Was ihr bei den internen Fortbildungen macht!«

»Nico. Ich bin Physiotherapeutin!«, stöhnt Mia, »Ich fummel den ganzen Tag an irgendwelchen Leuten rum, also bitte!«

»Also auch an Theo?«

Sie greift sich ein Geschirrtuch und poliert das Glas mit der Hand. »Das ist nicht sauber geworden, da muss ich noch mal mit der Hand ran.«

»So wie bei Theo?«

Mias Geschirrtuch fliegt auf den Boden. »Nico, also jetzt hab ich die Schnauze voll, echt! Wie lange soll das noch gehen?«

»Bis wir kurz über diesen Theo sprechen können.«

»Was wir seit einer Stunde tun!«

»Ja, aber du sagst ja nix dazu!«

»Was soll das auch bringen, so aufgewühlt, wie du bist?«

»Vielleicht bin ich ja morgen noch aufgewühlter!?«

»Dann reden wir übermorgen!«

Mia schließt die Spülmaschine, schaltet das Licht aus und geht aus der Küche.

»Wo gehst du denn hin?«, rufe ich verwundert hinterher.

»Waschmaschine!«

Ich halte mein Handtuch fest und tapse den Flur entlang wie ein angeschossener Bär. Mia steht bereits in unserem kleinen Hauswirtschaftsraum vor dem Trockner, auf dem sie einen Plastikkorb positioniert hat, und sortiert gewaschene Kleidungsstücke nach ›Nico‹ und ›Mia‹.

»Da bist du ja wieder«, bemerkt Mia trocken.

»Ja, sorry, ich wohne halt auch hier«, entgegne ich beleidigt und zupfe mein Handtuch zurecht. Okay. Das muss jetzt mal aufhören. Es ist vielleicht nicht gerade der romantischste Zeitpunkt, Mia vom Urlaub zu erzählen, aber wenn ich's tue, ist wenigstens dieser kindische Streit vorbei. Also hole ich tief Luft und sage:

»Pass auf, Mia. Was ich dir den ganzen Abend lang sagen wollte und weswegen ich auch was kochen wollte für dich und warum mir Theo heute extra nicht gepasst hat, ist ein Urlaub!«

»Ein Urlaub?«

Mia schaut mich neugierig an. Zum ersten Mal an diesem Abend habe ich die Aufmerksamkeit meiner Frau.

»Genau! Mein Chef hat uns einen Urlaub geschenkt! Sieben Tage Cluburlaub im Candia Playa auf den Kanaren! Sommer, Sonne, Strand und nur wir beide! Was sagst du?«

Statt eines überraschten Gesichtsausdrucks oder einer Umarmung bekomme ich einen Dreierpack Socken in die Hand gedrückt.

»Deine!«

Beleidigt gebe ich Mia die Socken zurück. »Deine? Hallo? Hörst du mir zu? Wir haben einen Urlaub geschenkt bekommen!«

»Und deine Unterhemden.«

Ich bekomme die Socken auf einem Stapel Unterhemden wieder.

»Mia! Bitte! Das geht so nicht!«

Mia dreht sich zu mir und blickt mir in die Augen. »Okay, Nico, ich hab zugehört. Dein Chef hat uns einen Urlaub geschenkt. Warum auch immer …«

»Weil ihm ein Manager ausgefallen ist und ich mich um die Camry-Promo kümmern soll. Das ist eine Stunde Arbeit für sieben Tage Urlaub auf den Kanaren!«

»Und der Urlaub ist genau wann?«

»Nächste Woche!«

»Hier ist deine Jeans. Is links rum, musste noch wenden.«

»Das sehe ich selbst, aber was sagst du denn dazu? Du reagierst ja gar nicht.«

»Richtig. Es ist der falsche Augenblick.«

Ich rolle mit den Augen.

Mia präsentiert mir mein orangenes Lieblings-T-Shirt. »Flecken sind raus, kannst du wieder anziehen.«

»Wie hast du die denn rausgekriegt?«, staune ich.

»Gallseife, Fleckenprogramm und fünfzig Grad statt vierzig.«

»Super!« Ich lege Unterhemden, Lieblingsshirt und Socken auf die Jeans. »Und wann kommt der rechte Augenblick? Nach dem Frühstück? Oder vor dem Abendessen?«

Mia dreht sich zu mir und nimmt meine Hände. »Ich kann nicht mit. Und dein Superman-T-Shirt ist eingelaufen!«

Noch ehe ich antworten kann, löscht Mia das Licht, und ich steh schon wieder im Dunkeln. »Wie? Du kannst nicht mit? Warum kannst du denn nicht mit? Und … wo willst du denn jetzt wieder hin?«

»Zähneputzen!«, tönt es aus dem Bad. Ich trete gegen die Waschmaschine und folge ins Bad, wo Mia gerade Zahncreme auf ihre elektrische Bürste drückt. Ich tue es ihr trotzig gleich und stelle mich direkt neben sie vor unseren ovalen Leuchtbadspiegel. Wenn Mia sich lieber beim Zähneputzen streitet, dann bitte. Unsere Augen treffen sich im Spiegel und mit der vibrierenden Bürste auf der unteren Zahnreihe nuschle ich: »Geh dach nich in deinen Kopf, Mia, dach wir einen Urlaub gechenk bekommen haben?«

Und auch Mia spricht einfach mit Zahnbürste im Mund weiter: »Doch, ager wenn dach nächte Woche ick, ind ir auf Forgbildung!«

Ich schüttle mit dem Kopf und reinige die rechte obere Zahnreihe.

»Forgbildung?«

»Ja, Griggerunk Forgildung!«

Ich nehme meine Zahnbürste aus dem Mund und ziehe an Mias, doch sie hält sie fest.

»Hey, chpinndu?«

Ich werfe meine Bürste ins Waschbecken und siehe da – auch Mia schaltet ihre Bürste aus.

»Hey, was soll das denn?«

»Was zum Teufel ist eine Griggerunk Forgildung?«

»Eine Triggerpunkt-Fortbildung! Das ist eine Behandlung, die wir bald anbieten wollen.«

»Dann bietet sie doch einen Monat später an!«

»Das geht nicht!«

»Und wo triggert es euch hin?«

»Nach Hamburg.«

»Mit Übernachtung auch noch oder was?«

»Nico, bitte! Es ist beruflich!«

»Mein Urlaub ist auch beruflich, und wir kriegen ihn sogar geschenkt. Eine Woche Kanaren zusammen, meinst du nicht, das würde uns mal guttun?«

»Vielleicht!? Aber ich kann nicht mehr absagen, sonst zahle ich die komplette Seminargebühr!«

»Ja, und ich kann halt auch nicht absagen!«

Schweigend stehen wir da und starren uns ungläubig im Spiegel an. Irgendwie stimmt gerade gar nichts mehr. Und wie ich so starre, merke ich, das mein Kopf dermaßen leer ist, dass ich gar nicht mehr weiß, über was genau wir uns jetzt alles gestritten haben und was ich noch dazu sagen soll.

»Ausspucken?«, fragt Mia kraftlos.

»Ja«, antworte ich schwach, dann spucken wir beide zur gleichen Zeit, und wie es zu diesem beschissenen Abend nicht besser passen könnte, knallen wir mit den Köpfen aneinander.

»Aua!«

»Aua! Mann!«

In einer amerikanischen Filmkomödie würde das Paar jetzt vermutlich lachen und sich versöhnen. Doch leider sehe ich weder eine Kamera noch einen Regisseur, und statt fetter Filmscheinwerfer ist da auch nur das schummrige Badlicht. Enttäuscht stampfe ich zum Schlafzimmer und krieche unter die Bettdecke. Was für ein Scheißtag! Als Mia ins Bett kommt, dreht sie sich weg von mir und löscht ihre Nachttischlampe.

»Lass morgen noch mal reden, bitte …«, murmelt sie.

»Wie kannst du so einschlafen?«, frage ich barsch.

»Meditation!«

Ich werfe mich mit einer solchen Wucht zur Seite, dass Mia auf ihrer Matratzenhälfte fast abhebt. Natürlich ignoriert sie es. Und dann ist es still. Sehr still. Mias Atem wirkt ruhig und gleichmäßig. Schläft sie etwa tatsächlich schon? Nach all dem, was eben war? Da kann man doch nicht einfach so wegpennen? Oder bin ich ihr schon so egal, dass es nichts mehr mit ihr macht? Vielleicht ist sie ja schon komplett in ihrer kuscheligen Sektenwelt, wo alle sich umarmen und liebhaben. Aber das schau ich mir noch mal genau an, was da los ist nach der großen Theo-Show heute, das ist ja wohl klar. Was für ein Grinsewichser. Bunthosen-Zampano …

Okay, ich muss mich ablenken, dringend. Runterkommen. Aber mit was?

Eine Folge *Kimba* hören? Was kaufen bei Amazon? Oder noch mal ins Wohnzimmer und 'ne Knastdoku schauen mit dem Rest vom Tempranillo? Und dann …? Bin ich zwei Gläser später wieder im Bett neben Mia und dreh mich wie ein Dönerspieß. Da könnten wir endlich mal zusammen in den Urlaub,

und sie kann nicht mit wegen Theo! Triggerpunkt-Fortbildung.
Also, ich weiß auch ohne Fortbildung, was mich triggert! Es
trägt bunte Hosen, hat esoterischen Sprechdurchfall und umarmt meine Frau. Und was weiß ich, was da sonst noch alles
ist, so sicher wie sie sich fühlen in ihrem komischen Kuschel-
bunker, und garantiert denken die … jetzt haben wir den Nico
so richtig abgeschreckt mit der Lesung und allem, so schnell
kommt der nicht wieder, aber da haben sie sich geschnitten, im
Gegenteil, jetzt nehm ich diese Kuschelklitsche mal so richtig
unter die Lupe, und zwar bevor Mia komplett freidreht. Dann
fahren die beiden halt nach Hamburg. Dafür nehm ich dann
aber jemanden mit in den Urlaub, der sich darüber auch freut!
Ich räuspere mich und sage laut:

»Mia?«

»Ja?«

Aha. Von wegen Meditation, schläft ja doch noch nicht.

»Wann ist denn die nächste Veranstaltung in … eurem Institut?«

»Morgen Abend, wieso?«

»Weil ich da mitkomme!«

Mias Nachttischlampe geht an, und ich blicke in verwun-
derte Augen.

»Aber das ist eine AUM-Meditation, das ist wirklich gar
nichts für dich.«

»Umso besser!

»Das machst du jetzt extra, weil ich nicht mit in den Urlaub
kommen kann, oder?«

»Nein, das mache ich aus Interesse. Und mit dem Urlaub
mach dir keine Sorgen, ich weiß nämlich jetzt, wen ich mit-
nehme.«

»Wen?«

»Meine Mutter!«

133

Noch bevor ich Mias Reaktion sehen kann, ist die Nacht-tischlampe wieder aus. Aber egal – ich weiß auch so, dass ich gerade alles richtig gemacht habe. Ich muss sogar grinsen. Wollen wir doch mal sehen, wer jetzt zuerst einschläft.

14

Ich sitze mit T-Shirt und Shorts auf dem Lesesessel unseres Hotelzimmers und beobachte, wie meine Mutter im apfelgrünen Nachthemd akribisch jede einzelne LED im Raum mit Rewe-Treuepunkten abklebt. Meine Schnittwundenhand ziert inzwischen ein gelbes Kinderpflaster mit Bärchen drauf, zudem riecht es im Zimmer jetzt geradezu penetrant nach Eukalyptus – wäre ich 'ne Milbe, ich würde mich auch verpissen.

Meine Uhr vibriert, Nachricht von Tim:

Kleiner Tipp, Nico: mit viel Schlaf kriegst du deinen Ruhepuls auch runter!

Danke! Vermutlich hockt er gerade in seinem Müngersdorfer Designerhaus neben seinem zwanzig Jahre jüngeren Model und schaut grinsend auf meinen Live-Puls? 83.

Da ist noch Luft nach unten. Aber was will ich machen, Deal ist Deal. Ich klicke die Meldung weg und schaue wieder zu meiner Mutter. Kein Lichtschalter ist sicher vor ihr, der Fernseher nicht und das Bedienelement der Klimaanlage schon gar nicht. Mein Vater schaut auf dem gerahmten Foto zwischen Taschentuchturm und Heilstein vom Nachttisch aus zu. Ruhig und zufrieden sitzt er da auf seiner schiefen Holzbank, im Anschnitt sieht man sogar noch die blassrote, untergehende Sonne. Würde mich nicht wundern, wenn meine Mutter die auch noch abklebt. Aber der Papa schläft ja schon.

»So! Fertig!«, freut sich meine Mutter, »das war eine gute Idee, die Treue-Punkte mitzunehmen, hab sogar fast alle aufgebraucht, schau!«

Strahlend präsentiert sie mir die letzten Treuepunkte und scheint ein Lob zu erwarten.

»Super Idee«, bestätige ich, »dafür kriegste halt jetzt das Topfset nicht mehr billiger.«

»Was denn für ein Topfset?«, fragt sie verwundert und wuchtet dann das schwere Sideboard samt Minibar und Fernseher nach vorne.

»Ahhh … da!«, ruft sie erfreut und rupft einen Stecker nach dem anderen aus den Dosen.

»Und was wird das jetzt?«, frage ich verdutzt.

»Wo Strom fließt, ist auch Elektrosmog!«

»Und wenn du die Stecker ziehst, passiert was?«

»Dann schlafen wir besser und kriegen keinen Krebs«, erklärt sie und greift nach einem gelben Kabel, dessen Zugehörigkeit ich bereits identifiziert habe.

»Nicht den Router bitte!«, flehe ich.

»Ich weiß nicht, was ein Ruter ist!«, entgegnet meine Mutter, zieht auch den gelben Stecker und wuchtet die Möbelkombi wieder zurück zur Wand.

»Ein Router ist ein Gerät, mit dem ich ins Internet gekommen wäre«, erkläre ich, »aber egal, geht auch übers Mobilnetz.«

Meine Mutter schaut mich an, als hätte ich sie nicht mehr alle:

»Also manchmal versteh ich deine Logik nicht. Was willst du denn beim Schlafen mit dem Internet?«

»Nicht BEIM Schlafen, Mama, sondern davor. Ich schlaf eigentlich immer mit dem Handy ein.«

Es ist jetzt eine große Ratlosigkeit im Gesicht meiner Mutter auszumachen.

»Und was machst du dann?«

»Ich schaue eine Spielzusammenfassung, geh zu Amazon oder hör eine Folge *Kimba*.«

»*Kimba, der weiße Löwe* – also, dass es das noch gibt ...«

»Mich gibt es ja auch noch!«

»Aber du bist siebenundvierzig.«

»Ist doch egal. Es entspannt mich halt.«

»Und was kaufst du so bei Amazon?«

»Ja nix, ich kuck einfach nur, was es so gibt, was es kostet und was die Leute dazu sagen. Dann werde ich müde und schlaf ein.«

»Aber das ist doch nicht normal.«

»Mama, bitte! Dein Riesenwurstkissen ist auch nicht normal, also kann ich auch ins Handy schauen, finde ich.«

»Mein Kissen strahlt aber nicht«, entgegnet meine Mutter.

»Dafür ist mein Handy kleiner«, antworte ich und sehe mit großem Entsetzen, wie sie die von mir sorgsam verschlossene Terrassentür wieder aufschiebt.

»Was machst du da, Mama?«

»Siehst du doch. Ich brauch frische Luft.«

»Und das Getöse von der Bar stört dich auch nicht?«

»Nein, da hab ich ja meine Ohrstöpsel, ich will da nicht von anderen Leuten abhängig sein, ob ich schlafe oder nicht.«

Da hat sie recht, und dann kann ich ja auch machen, was ich will, denn wenn sie Stöpsel drin hat, kann ich auf meinem schmalen Schlummerstreifen neben der Stoffbockwurst auch noch irgendwas auf dem Handy schauen, vielleicht schlaf ich dann ja irgendwann ein. Trotz Boney M. von der Tanzfläche und alkoholfreiem Bier.

Zufrieden krabbelt meine Mutter ins Bett und wuschelt mir durchs Haar. Ich versuche vergeblich auszuweichen.

»Weißt du, das ist so beruhigend, dass mal jemand da ist, wenn ich nachts aufwache und aufs Klo muss. Beruhigt dich doch auch, dass deine Mama hier ist, oder?«

»Absolut!«

»Danke für alles, mein Schatz, und schlaf gut!«

Spricht's, umklammert ihr Seitenschläferkissen wie ein Koalabär seinen Eukalyptusbaum und schaltet ihr Licht aus. Mit einem Mal ist es rabendunkel.

»Gute Nacht, mein Schatz.«

»Hast du schon gesagt.«

»Ich hab's zu Georg gesagt, ich sag immer gute Nacht zu ihm.«

»Echt? Und du meinst, er hört dich?«

»Ich hör jetzt nix mehr, hab die Stöpsel reingetan!«, ruft meine Mutter so laut, als sei ich noch draußen auf der Terrasse. Den nächsten Satz schreit sie geradezu:

»Also, wenn du mir was sagen willst, dann tipp mich einfach an!«

Ich nicke. Was sinnlos ist, weil sie es ja nicht sieht.

Ja, und jetzt? So kann ich doch nicht einschlafen auf meiner dreißig Zentimeter breiten Schlafschneise, ohne einen Schluck Alkohol und mit einer Koalabärenmutter neben mir. Was fiept denn da? Ein Rauchmelder? Ich rutsche ein wenig näher an die Seitenschläferstoffwurst und horche. Es ist meine Mutter, die da fiept. Gleichmäßig und entspannt. Mal eben weggeknickt in einer Minute.

Beneidenswert.

Aber was mache ich?

Leise in den Internistenfummel schlüpfen und noch mal zur Bar vom Ärztekongress schleichen, wo gerade das gruselige *Mit Pfefferminz bin ich dein Prinz* von Westernhagen gespielt wird? Weil wenn ich hier einfach so liegen bleibe, bleibt auch mein

Puls da, wo er ist. Wo ist er eigentlich? 81! Puh! Ich greife nach meinem Handy, gebe ›Herzfrequenz senken‹ ein und klicke einen Artikel von wikiHow an:

Falls dein Herz sehr schnell schlägt, obwohl du dich gerade entspannst, kann das ein Zeichen dafür sein, dass du unter deutlichem Stress leidest.

Ach nee, na so was. Und was sind dann eure Tipps? Ich scrolle nach unten.

Sorge für ausreichend Schlaf.

Sehr witzig. Ich scrolle weiter.

Lerne zu meditieren!

Hab ich schon. Klappt nicht. Weiter.

Konzentriere dich auf angenehme Vorstellungen.

Okay, noch so eine Bewusstseins-Binse, aber ich kann's ja mal probieren. Was schreiben sie denn weiter …?

Denke zum Beispiel an einen schönen Ort oder eine andere Sache, die dich glücklich macht.

Eine Sache, die mich glücklich macht? Mich an meine Frau zu kuscheln würde mich glücklich machen, aber die ist jetzt ja mit ihrem Aushilfsbuddha … okay, stopp! Da brauch ich erst gar nicht auf meine Pulsuhr zu gucken, um zu wissen, dass das nix wird. Vielleicht doch besser an den schönen Ort denken!

Wo ist es denn schön? Ja, hier natürlich, am Strand zum Beispiel. Was ich nur vermuten kann, weil – ich war ja noch gar nicht da! Unfassbar! Wegen Strand und Meer bin ich doch hier! Stattdessen sitze ich mit leerem Glas und Teller in Ärztekluft am Achtertisch mit Magenkranken, Silberköpfen und ... Porno-Nadine. Was für ein scharfes Luder, und sie weiß es. Also, an die darf ich schon gar nicht denken, sonst ... Ich ziehe meine Hand wieder aus der Decke und prüfe meinen Puls: 92.

So wird das nix. Keine Nadine. Einfach mal weiterlesen. Was haben wir denn hier noch:

Schütte eiskaltes Wasser über dein Gesicht, um den Tauchreflex auszulösen, der deinen Stoffwechsel verlangsamt. Mach so lange damit weiter, bis du ein Absinken deiner Herzfrequenz feststellst.

Leute, also echt – den Tauchreflex auslösen?! Ich hab Fuerte gebucht und nicht Guantánamo! Und vor allem ... –
»SCHATZ???«, schreit mich meine an ihre Stoffwurst geklettete Koalamutter an.
»Ja?«
»DEIN HANDY BLENDET MICH!!!«
»Sorry! Aber du musst nicht so schreien, ich hab ja keine Stöpsel drin.«
»ICH VERSTEH KEIN WORT!«
»Ich halte es gleich so, dass es dich nicht blendet.«
»SEHR UNANGENEHM!«
Ich atme ein, und ich atme aus. Reduziere die Helligkeit meines Handys und versuche so, Blendfreiheit für meine Mutter und eine angenehme Surfposition für mich zu kombinieren.
»So besser?«
»DANKE! TRÄUM WAS SCHÖNES!!!«

»Träum du auch was Schönes, Mama.«

»WIE GESAGT: KEIN WORT!«

Eine Minute später fiept es schon wieder vom Stoffstamm. Und plötzlich weiß ich auch, an was mich das Geräusch erinnert. An ein Fax-Gerät! Der Koala kriegt ein Fax! Dazu nun *Macarena* von der Tanzfläche. Man wird echt bekloppt. Den Puls schau ich mir gar nicht mehr an. Oder doch? War ja klar: 97.

»Hey Macarena!!!«, schallt es bestens gelaunt von draußen. *Macarena*! Das kann man doch nicht allen Ernstes jetzt noch spielen, ich meine, wie alt ist das Ding und … dieses Brummen … ist das die Badlüftung? Vorsichtig stehe ich auf, tapse leise ums Bett herum und schließe ganz langsam die Badtür.

»Schatz?«, grummelt meine Mutter, »warum machst du die Türe zu?«

Wie zum Teufel hat sie das gehört? Okay. Sie schaut mich an. Sie hat es gesehen!

»Weil mich der Lüfter nervt.«

»Ich versteh kein Wort! Warte mal … ich nehm mal einen Stöpsel raus!«

»Ich sagte, dass der Lüfter nervt!«

»Den hör ich gar nicht.«

»Ja, wie auch? Du hast ja deine Stöpsel drin!«

»Nimm doch deinen Kopfhörer!«

»Der ist zu groß zum Schlafen!«

»Willst du auch Stöpsel?«

»Mama, ich hab Tinnitus, und wenn ich Ohrstöpsel drin hab, ist der noch lauter als die Lüftung. Deswegen würde ich gerne die Tür zumachen, dann hör ich nur dich!«

»Schnarche ich?«

»Nein!«

»Gott sei Dank. Aber sei so gut, lass die Badtür offen, ich will nicht dagegen laufen, wenn ich nachts mal raus muss.«

»Also ich geh ja immer vor dem Schlafen!«

»Ich bin vierundsiebzig, Nico, also lass sie bitte einfach geöffnet. Ich mach meinen Stöpsel jetzt wieder rein, dann hast du deine Ruhe.«

»Nein, dann hast DU deine Ruhe!«

»ICH KANN DICH NICHT MEHR HÖREN AB JETZT!«

Das Licht geht aus, und weil meine Mutter zur Terrassentür blickt, nutze ich das und schließe die Badtür, ich kann ja nicht die ganze Nacht dem verdammten Lüfter zuhören. Leise schleiche ich ums Bett, lege mich wieder hin und ziehe die Decke bis zur Nase.

Nur Augenblicke später kriegt der Koala wieder ein Fax rein. Es ist ein langes Fax, vermutlich die Jahresabrechnung für Eukalyptus.

Das hat die Natur nicht gut eingerichtet, dass sich Eltern und Kinder nicht mehr verstehen ab einem gewissen Punkt. Oder sie hat es absichtlich so eingerichtet, damit die Kinder irgendwann genervt das Elternhaus verlassen und selbst Kinder zeugen, während Mama und Papa auf der Couch vergammeln, weil die ja ihre genetische Pflicht erfüllt haben. Haste für Nachwuchs gesorgt, darfst du *Ninja Warriors Germany* gucken oder Netflix, sonst halt ab zu *Parship* oder *Elite Partner*. Generationenzwist zum Wohle der Menschheit. Rein genetisch sind generationenübergreifende Urlaube also gar nicht vorgesehen, weil sinnlos.

Jetzt bin ich aber im Urlaub – und nicht nur das: Ich muss mich auch entspannen, und das geht nur, wenn ich schlafe. Nur wie? Ich gehe in den App-Store und lade mir für € 4,99 eine Schlaf-App herunter, angeblich die beliebteste. Es gibt SleepSounds, die ›Sommerregen‹, ›Nickerchen in der Wiese‹ und

›Waschsalon‹ heißen. Waschsalon? Hab immer gedacht, dass man da wäscht und nicht schläft. Es gibt aber auch geführte Einschlafhilfen. Ich klicke auf die beliebteste und auf Play.

»Hör dir verschiedene Dinge an und stelle sie dir so genau wie möglich vor. So kannst du leicht abschalten und wirst schnell wegschlummern.«

Gut. Dann mach ich das jetzt. Ich drücke die Lautstärke hoch und lege das Handy auf meinen Nachttisch, der Koala hat ja eh Stöpsel. Eine Männerstimme sagt:

»Zunächst mach es dir bequem, und deck dich schon mal gut zu. Du wirst jetzt nacheinander unterschiedliche Gegenstände, Situationen oder Tätigkeiten hören. Sobald du das Wort hörst, versuche, es dir so gut wie möglich vorzustellen.«

Könnte klappen, das mach ich mal.

»Ein Tipp noch: Versuche nicht, die Wörter die du hörst, in deiner Vorstellung miteinander zu verbinden. Hörst du zum Beispiel das Wort ›Baum‹ und danach ›Bär‹, stelle dir den Bären nicht im Baum sitzend vor, sondern jedes Bild alleine für sich!«

Hallo? Waren bei der Programmierung der App Psychologen anwesend? Wenn man was nicht denken darf, dann denkt man es erst recht. Ist doch klar, dass ich jetzt meine Mutter auf einem Baum sehe.

»Gut, legen wir los!«

Wir? Du legst los. Und ich schlaf ein! € 4,99 hab ich bezahlt!

»Zahnpasta, die aus einer Tube gedrückt wird.«

Für den Bruchteil einer Sekunde sehe ich tatsächlich die Zahnpasta. Aber die Tube wird von meiner Mutter gehalten, die auf einem Baum sitzt. Und genau das soll ich ja …

»Ein Feuerwerk.«

Okay. Nicht so schnell aufgeben. Feuerwerk. Bunte Raketen steigen hoch. Hinter dem Baum, auf dem meine Mutter sitzt und ihre Zahnpasta ausdrückt.

»Mit dem Fahrrad über Kiesel fahren.«

Ich lege mich vor dem Baum meiner Mutter auf die Fresse mit dem Rad, weil ich auf ihrer verdammten Zahnpasta ausgerutscht bin.

»Ein Hotelrestaurant.«

Die Gäste von vorhin am Achtertisch haben gesehen, wie ich mich vor dem Baum auf die Fresse lege, und lachen mich aus.

»Ein frisch gezapftes Bier.«

»Ja, leckt mich doch alle am Arsch!«, fluche ich, wische wütend mein Handy vom Nachttisch und springe aus dem Bett, »denkt doch mal eine Sekunde nach, bevor ihr mir so einen Scheiß verkauft, also echt, ihr habt sie doch nicht mehr alle!«

»Ein Elefant.«

Jetzt labert der auch noch weiter?! Wo zum Teufel ist das verdammte Handy? Ich hab's auf den Teppich geschleudert, aber
wo isses jetzt? Auf allen vieren taste ich nach meinem Telefon.
Schwarzer Teppich, schwarzes Handy, Licht aus.

»Eine Umarmung.«

»Halt deine verdammte Fresse!«, fluche ich und taste hektisch
weiter.

»Ein Heiratsantrag am Strand.«

»Fick dich!«, zische ich, aber dann finde ich endlich mein Handy,
hebe es auf und springe hastig ums Bett damit, um es im Bad
auszuschalten.
Im Bad.
Ich knalle mit einer solchen Wucht gegen die verschissene
Glastür, dass ich Sternchen sehe und beinahe rückwärts auf
meine Mutter falle, die erschrocken zu mir hochblickt.

»Ein Arzt.«

»Wolltest du noch mal zur Bar?«, fragt sie verschlafen und
nimmt ihre Ohrstöpsel heraus. Ich taste meine Stirn ab, sie
fühlt sich nicht so gut an.

»Nein, aufs Klo …«, stammle ich immer noch ganz benommen
und kann endlich die App ausschalten.
»Ich dachte, du gehst immer vor dem Schlafen?!«
»Ich hab ja noch nicht geschlafen!«, knurre ich.

»Dann mach das mal, dass du morgen auch entspannt bist.«
»Weißt du was? Du hast völlig recht!«

Ängstlich schiele ich auf meine Pulsuhr.
Einhundertverdammtesiebenfickteuchalleundzwanzig.

15

Natürlich hab ich's gegoogelt vorher. Die AUM-Meditation ist ein therapeutisch-spirituelles Ereignis, das das Herz-Chakra öffnet. Mia hat mir abgeraten. Sie fände es zwar toll, dass ich mich nun so überraschend doch für das alles interessiere, frage sich aber halt schon, warum. Hab ich gesagt, weil ich ja nicht einfach jeden Abend Dokus anschauen könne auf der Couch und weil das Universum es erlaube natürlich. Mias Skepsis blieb.

Ich schätze, dass neben Mia und mir gut dreißig Jünger in den großen Raum des Instituts gekommen sind, die meisten wirken überraschend normal. Bis auf die Füllige mit der Nachkriegs-frisur im orangenen Overall vielleicht. Und den bulligen Krieger im Lendenschurz natürlich. Oh, und das dürre Fräulein mit Taschentüchern im Ohr, die wie zwei Tröten herausschauen. Hat sie Angst, dass es laut wird? Oder trägt man seine Taschentücher jetzt so bei sozialen Meditationen? Bei denen, so hat Mia mir das erklärt, die essentiellen Gefühle des Lebens ›getriggert‹ werden. Wut zum Beispiel. Ha! Da werde ich mich nicht groß anstrengen müssen. Mit Dingen werfen und Leute beschimp-fen? Mach ich sowieso sieben Stunden am Tag. Aber es soll auch um Liebe gehen und um Sex. Hab ich kein Problem mit. Mia und ich hatten regelmäßig Sex, also so bis vor ein oder zwei Jahren. Aber kann ja wieder werden. Die Umarmerei mit Theo kann sie jedenfalls vergessen, da geh ich dazwischen, das mach ich kapott, und ich mach es Schritt für Schritt, Köln wurde ja auch nicht in zwei Nächten zerstört.

Noch tanzen alle. Tanzen zu irgendetwas, das sich wie eine Mischung aus 80er-Jahre-Discomucke und Yogagebimmel anhört. Ich selbst wippe erst mal nur schüchtern zur Musik, die Augen immer auf Mia. Sie tanzt alleine und mit geschlossenen Augen und ist nicht mal in der Nähe von Theo, der in einer kurzen bunten Hose und grauem Unterhemd gerade gegen ein imaginäres Fischernetz zu kämpfen scheint. Hoffentlich verheddert er sich drin und ersäuft. Die Musik stoppt, und ein pummeliger Mittvierziger mit krausem Resthaar und roten Stressflecken im Gesicht begrüßt uns und fragt, wer noch nie hier war. Das bin dann wohl ich.

In jedem Fall würde ich gestärkt aus dem Abend hervorgehen. Die Kraft der Gruppe und das wohlwollende Miteinander würden uns allen ermöglichen, unsere Begrenztheit im Umgang mit den anderen zu überwinden und unsere Panzer zu durchstoßen, so dass unsere Herzen sich öffnen können und der Weg für die Liebe frei wird … bla … Fluss der Energien … blubb … Transformation der Gefühle … blubbblubb … und natürlich Ganzsein, immer wieder Ganzsein. Auf jeden Fall! Ganzsein ist ganz wichtig, sonst wär ja man ja halb.

»Wir legen gleich los mit der Wut-Phase«, erklärt der fleckige Krauskopf. »Sucht euch einen Partner, stellt euch gegenüber, macht ein böses Gesicht und schreit ihn an. Und wenn ihr merkt, dass die Luft raus ist, sucht euch einfach einen anderen Partner. Aber nicht vergessen: Es geht nicht um euch persönlich, ihr seid nur der Spiegel des anderen. Und wie immer gilt: Nicht schlagen!«

Ein paar Teilnehmer lachen. Die Wut also zuerst. Ist mir nur recht. Musik startet, es sind geradezu putzige Keyboard-Sounds, die eher an ein 80er-Jahre-Jump-and-Run-Videospiel erinnern als an einen Wutanfall, aber vermutlich ist das bewusst so gemacht, damit man sich gleich schon mal über die Musik aufregt. Und wie ich das so denke, bemerke ich, dass ich ausgerechnet vor Theo stehe, der sich schon ein wenig in Pose gepumpt hat, also die Hände zu Fäusten geballt. Ich muss grinsen, wie lächerlich. Obwohl sein Blick nicht lächerlich ist, denn wie er mich so anstarrt in seinem verschwitzten grauen Unterhemd, fast wie *Der Lehrer* auf RTL, da könnte man glatt meinen, er wolle mich mit seiner Halsschlagader erdrosseln. Theo atmet schneller, nimmt die Übung ernst. Dann mach ich das eben auch. Ich hole also tief Luft, presse die Zähne aufeinander, balle meine Hände zu Fäusten und –

»DUUUU ARSCHLOCH!!!«, brüllt Theo mich so laut an, dass die Adern an seinem Hals zu platzen drohen. »WIEEEE ICH DICH HASSE UND DEIN SAUBLÖDES GETUE, als wärst du irgendwas Besseres. Ich könnte echt jedes Mal KOTZEN, wenn ich dich schon sehe …«

Ich schlucke. Mir bleibt die Luft weg. Was ist denn mit dem los? Und hieß es eben nicht noch ›wohlwollendes Miteinander‹? Ich schaue, was die anderen machen. Sie schreien sich ebenfalls an, aber irgendwie anders und …

»UND GLOTZ NICHT SO SAUBLÖD, DU EGO-WURST! NIX CHECKEN, ABER ALLES BESSER WISSEN UND DANN NOCH DEINE FRAU EINSCHRÄNKEN! FICK DICH!«

Ich bin eine Ego-Wurst und schränke meine Frau ein? Ich steh da wie ein Dreijähriger, dem gerade sein Marmeladenbrötchen runtergefallen ist. Und natürlich wäre ich jetzt dran, um ihm zu sagen, dass ich ihn gar nicht mal so gut finde, aber irgendwie bin ich komplett raus, und wo vorher Wut war, ist jetzt einfach nur eine große Leere, und in was könnte Theo besser reinbrüllen als in so eine Leere? Ich probiere es trotzdem:

»Also …«

»WIE ALT BIST DU??? DREI? VIER? WANN GENAU HAT DEIN HIRN AUFGEHÖRT ZU WACHSEN?

»Ich –«

»VERPISS DICH UND REPARIER DEINE VERDAMMTE BRILLE!«

Und dann geht er weg. Ich nehme meine Brille ab und tatsächlich – der Tesafilm, mit dem ich den gebrochenen rechten Bügel geklebt habe, ist schon fast wieder ab. Ich setze sie wieder auf und muss eingestehen, dass ich überfordert bin. Mit einer solchen Wut hab ich einfach nicht gerechnet und vor allem, wo ist denn meine? Aber gut. Er hat mich einfach auf dem falschen Fuß erwischt. Beim Nächsten werde ich einfach meine Wut über meinen Job rausschreien und über Köln und –

Vor mir steht die Dicke im orangenen Overall und pumpt wie ein Käfer. Und sie ist in jedem Fall noch wütender als Theo. Ich schaue hilfesuchend nach Mia, doch da werde ich schon gegen die verspiegelte Wand gebrüllt.

»ICH HASSE DICH!«

»Aber warum denn?«, entgegne ich schwach.

»ICH HASSE DICH, weil du mich ARROGANT AN-GLOTZT, als würde ich den ganzen Tag IMMER NUR FRES-SEN, IMMER NUR FRESSEN UND, JA, ICH FRESSE AUCH den ganzen Tag, aber das ist allemal besser als fernsehen, wichsen, saufen, und ich könnte wetten, du säufst!«

»Ich –«

»WAS? WAS? KOMMST HIERHER, UM DICH ZU BE-PISSEN ÜBER UNS, UND KRIEGST DANN DEIN MAUL NICHT AUF!«

»Na ja … also, ich könnte –«

»ICH HASSE DICH!«

»Is klar.«

»UND KLEB DEINE SCHEISS BRILLE!!!«

»Ich ... ja. Danke«, nuschle ich, will einen Schritt zurücktreten und stolpere über eine Box mit Taschentüchern. Ich bin fix und fertig. Warum hassen mich denn hier alle so? Ich blicke hilfesuchend zu Mia, die sich neben einer Säule ein Wut-Duell mit einem dicken Inder liefert. Sie macht es definitiv besser. Ah! Der kleine Typ mit dem Lendenschurz ist frei! Er hat mich auch gesehen, und wir positionieren uns. Dieses Mal werde ich zuerst schreien, und ich weiß auch schon, was, denn so langsam werde ich tatsächlich wütend, und genau das sag ich auch, weil es echt ist und von innen kommt. Erwischt's halt den Lederzwerg. Ich baue mich vor ihm auf, hole tief Luft und sage:

»Ich bin auch wütend! Weil wenn hier jeder glaubt, dass man mich einfach so –«

»AHHHHHHHHHHHHH!!!«, überbrüllt mich der Lendenzwerg mit geballten Fäusten und Feuer in den Augen. Wo war ich?

»... wenn hier jeder glaubt, mich beleidigen zu können, nur weil meine Brille –«

»AHHHHHHHHHHHH!!! AHHHHHHHHHHHHHH!!!«

Der Zwerg keift und brüllt derart cholerisch zu mir hoch, als würde man ihm ein glühendes Messer im Bauch herumdrehen. Und so langsam reicht's mir. Wo ist denn das angekündigte wohlwollende Miteinander?

»AHHHHHHHHHHH! AHHHHHHHHHHH! AHHHH-HHHHHHHHH!«

Ich drehe mich hilflos zu einer blonden Assistentin des Instituts, doch die gestikuliert nur, dass alles in Ordnung sei und ich halt meine Wut auch rauslassen solle. Nur wie soll ich was rauslassen, wenn mir –

»AHHHHHHHHHHH! AHHHHHHHHHHH! AHHHH-HHHHHHHHH!«

… ein bebender Zwerg gegenübersteht, der so doll tobt, dass ihm fast die Augen aus den Höhlen poppen?

»AHHHHHHHHHHH!«

»Ich …«

»AHHHHHHHHHHH!«

»… gehe jetzt!«

Ich flüchte mich zu Trinkflasche und Handtuch an der Stirnseite des Raumes und schaue keinem mehr in die Augen. Als ich meine Wasserflasche ansetze, merke ich, dass ich zittere. Das Licht wechselt, und das allgemeine Geschrei endet.

Die zweite Phase der Meditation beginnt, wie Krauskopf via Mikrofon durchgibt, und diese Phase heißt ›Sorry‹. Wir sollen uns die Partner suchen, die wir beschimpft haben, uns entschuldigen und sie dann umarmen. Okay, denke ich mir, dann hab ich jetzt ja Pause, weil erstens hab ich keinen beschimpft, und zweitens werde ich eine Sache ganz gewiss nicht tun: irgendwelche fremden und nassgeschwitzten Psychos umarmen. Nur kann das die Dicke im Overall natürlich nicht wissen. Sanft legt sie ihre schweren Hände auf meine Schultern und blickt mir tieftraurig in die Augen.

»Tut mir leid, wenn ich dich verletzt habe.«

»Ich …«, stammle ich gerührt, doch sie ist noch nicht fertig.

»Und danke, dass ich dir meine Wut zeigen durfte.«

Ich winke gekünstelt ab und sage: »Ach, da nich für.«

»Danke.«

»Und mir tut es leid, wenn ich komisch gekuckt habe.«

Sie hat Tränen in den Augen, und dann umarmt sie mich. Ich werde in sie gedrückt wie eine Fernbedienung in ein großes Couchkissen. Ich spüre ihren Atem, einmal, zweimal, dreimal, dann will ich mich befreien, doch sie ist entweder stärker als ich oder sie braucht die Umarmung.

»Ich glaub auch«, presse ich heraus, »du isst gar nicht so viel«, werde aber nur noch fester umarmt. Erdrückt eigentlich. Nach einer gefühlten Ewigkeit lässt der Druck nach, und wir verabschieden uns.

»Danke.«

»Danke.«

Ich atme durch und erspähe Theo, der alleine steht. Nur entschuldigen will er sich offensichtlich nicht, umarmt gerade einen anderen Teilnehmer. Okay … Und schon wieder spüre ich Hände auf meinen Schultern. Ich dreh mich um. Es ist der Inder. Auch er schaut mich betroffen an und sagt mit breitem, indischem Akzent: »Es tut mir leid, wenn ich dich verletzt habe.«

»Hast du doch gar nicht!«

»Doch, habe ich und … es tut mir leid! Und es tut mir leid, wenn etwas, das ich geschrien habe, dich gekränkt hat …«

»Wie gesagt –«

»Das war nicht meine Absicht!«

Ich versuche, möglichst verständnisvoll zu schauen, und sage »Nicht schlimm!«, aber zu spät. Der Inder umarmt mich sanft, drückt seine Wange an meine und bricht dann in Tränen aus.

»Alles gut, nicht schlimm«, wiederhole ich leise und erwidere die Umarmung. Ist aber offensichtlich doch schlimm. Also für ihn. Und jetzt halt auch für mich. Denn der arme Kerl schluchzt wie ein Schlosshund. Sein ganzer Körper zittert.

»Es tut mir soooooooo leieieieieid!!!«, schluchzt mein Inder.

»Tsssss …«, versuche ich ihn zu beruhigen und scanne den Raum über seine Schulter. »Es ist wirklich alles gut«, tröste ich, und irgendwie gelingt es mir sogar, ihm ein Kleenex aus einer der vielen aufgestellten Boxen zu reichen. Er trocknet seine Augen, bedankt sich und geht weiter.

Die dritte Stufe der Meditation heißt ›Heaven‹. Beruhigende Musik setzt ein, und Krauskopf erklärt noch einmal kurz, dass wir nun das Gefühl der Liebe in uns wecken wollen. Hierzu suchen wir uns einen Partner, halten dessen Hände und schließen die Augen. Dann öffnen wir sie und sagen unserem Partner, dass wir ihn lieben, und umarmen ihn. Dann wechseln wir zum nächsten. Ich starre Mia an, die sorgenvoll neben mir steht.

»Alles okay bei dir?«

»Geht so. Aber … muss ich jetzt echt wildfremden Hippies sagen, dass ich sie liebe?«

»Musst du nicht. Du kannst auch nur so tun.«

»Dann … können wir diese Phase zusammen machen vielleicht?«

»Ach Schatz, du bist ja drollig, und auch wenn es gerade irgendwie seltsam ist zwischen uns: wir wissen doch, dass wir uns lieben.«

Wissen wir das?

Und dann verlässt sie mich und verschwindet in den Armen des nächstbesten Typen.

Okay? Na klar. Warum auch nicht. Offenbar ist es etwas sehr Grundsätzliches, was ich hier nicht verstanden habe.

»Love ist the answer«, tönt es aus den Lautsprecherboxen. Ich gehe zu der blonden Assistentin mit dem Kleenex-Würfel in der Hand und sage ihr, dass ich gerade keinen liebe und diese Phase überspringen werde. Doch die Assistentin meint, dass das gar nicht gut für mich wäre, gerade wenn ich jetzt so einen Widerstand spüre, ich solle es zumindest probieren, und außerdem sei es ja auch eine Übung und kein echtes Liebesgeständnis.

Okay, das hilft, denke ich mir, wenn ich das faken darf, doch dann sehe ich meine Frau, die die Hände eines attraktiven jungen Mannes mit freiem Oberkörper hält, und eben weil sie seine Hände hält oder er ihre, kann man ihre Lippen sehen und ihr Lächeln und was sie sagt, und es ist ganz eindeutig: »Ich liebe dich«.

Mir wird so ein bisschen schlecht. Mia hatte völlig recht, ich hätte nicht kommen dürfen. Da nimmt jemand meine Hände und zieht mich zu sich.

Es ist Theo.

Er schaut mir kurz warm in die Augen, um sie dann zu schließen und sanft den Kopf zu senken. Meine Hände hält er fest dabei. Nee, oder? Theo öffnet seine Augen und blickt mich mit derart inniger Wärme an, dass es mich fast umhaut. Und dann sagt er mit wohliger Stimme:

»Ich liebe dich.«

Ich schlucke. Schaue nach links und rechts und dann wieder zu Theo. Seine kristallblauen Augen fixieren mich milde. Das … ist jetzt so irgendwie gar nicht gefakt. Und dann spüre ich, wie meine Augen feucht werden und ich seine Hände fester drücke, und dann sage ich – und ich hasse mich bis heute dafür – ich sage: »Ich liebe dich auch.«

Und dann umarmen wir uns. Wir umarmen uns die gesamte Meditationsphase lang. Spüren unseren Atem, die Wange, den Herzschlag. Ich hab keine Ahnung, was da jetzt los ist, aber es fühlt sich richtig an in diesem Augenblick. Die Umarmung mit dem Feind, sie bringt einen unheimlich wohligen Frieden.

Irgendwann endet die Umarmung, und ich schleiche verwirrt zu meiner Trinkflasche. Was passiert hier? Wollen sie mich weichkochen? Brainwashen? Oder einfach nur meinen Freibrief für die freie Liebe? Ich weiß es nicht. Ich weiß nur: wenn ich jetzt nicht höllisch aufpasse, dann haben sie mich. Weil das eben typisch ist für Sekten: Sie bringen einen in diese Situationen und dann schlagen sie zu, kam neulich erst bei n-tv und den *Sieben gefährlichsten Sekten der Welt*.

Es reicht.

Ich gehe.

Ich war da, ich hab's gesehen, und es ist nix für mich. Ich zieh mich um, knatter mir ein schönes Bierchen und schau im Restaurant Sky Sport News auf'm Handy, bis die Irren hier durch sind. Ich werde zu Mia gehen und ihr einfach sagen, dass sie recht hatte und das hier einfach nichts für mich ist.

Da spüre ich ihren Atem in meinem Nacken, und ihre Hände falten sich von hinten sanft um meinen Bauch. Sie drückt mich an sich und flüstert mir ins Ohr: »Ich bin echt beeindruckt, dass du so offen bist und das alles mitmachst!«

»Echt?«, frage ich irritiert, »was hast du denn gedacht?«

»Dass du nur hier bist, um mich zu ärgern, und relativ schnell wieder abhaust.«

»Aber das ist doch Unsinn!«, sage ich und zupfe mein T-Shirt zurecht, »und ich komme ja auch gut zurecht mit allem!«

»Das ist gut!«, lächelt Mia, »denn es wird halt jetzt schon noch eine Spur krasser ...«

16

Als ich aufwache, ist es bereits hell und der Koala-Stoffbaum unbesetzt. Nur das Foto von meinem Papa ist noch da, der Taschentuchturm und der Energiestein. Die Terrassentür ist geöffnet, davor bewegt sich ein halbdurchsichtiger, weißer Vorhang im Windzug. Ich taste nach meiner Stirn und fühle eine Beule. Diese verdammte Badtür!

»Sehr gut!«, dringt eine quäkige Stimme durch die geöffnete Terrassentür. Es ist die von Tayfun, offenbar gibt er schon Tennisstunden.

»Und noch früher ausholen!«

Ich richte mich auf und schaue auf meine Uhr. Erst 8 Uhr 21? Dann kann ich ja nicht besonders lang geschlafen haben. Ich greife zu meinem Handy, synchronisiere die Daten der Uhr mit der App und klicke mich zur Schlafaufzeichnung. Wie bitte?

»Den hast du noch! Super!«

Eine Stunde und neun Minuten? Da hätte ich in der Kölner Bombennacht 1943 mehr zusammenbekommen. Findet Tim wohl auch, der meinen Schlaf entsprechend kommentiert hat.

Na? Bis zum bitteren Ende im Nachtclub gewesen?

Ja, genau. Ich klicke mich zu meinem Pulsverlauf, der leider auch eher nach Saufen als nach Schlafen aussieht, und vor allem: Er ist höher als vor meiner Abreise. Ich überlege kurz, dann tippe ich trotzig:

Nicht Nachtclub! Doppelbett mit meiner Mutter!

Wütend setze ich mich auf die Bettkante und bekomme auch sofort eine Antwort.

Ich will keine Ausreden, ich will Zahlen! Mach doch mal Sport!

Ich reiß mir meine Fitnessuhr vom Handgelenk und donnere sie auf den Lesesessel gegenüber. Was weiß der denn? Ich hab ja versucht, mich zu entspannen! Aber wie soll das denn klappen? Ja, Sport entspannt, Mister Wise Guy. Aber nach einer Stunde noch was Schlaf neben einem faxenden Koalabär macht man keinen Sport, da legt man sich an den Strand. Ich quäle mich aus dem Bett, schleppe mich zum Lesesessel und ziehe meine Fitnessuhr aus einer Stoffritze.

»Ja, genau! So!«, quakt es vom Tennisplatz, und mit einem Mal weiß ich, wie es klappen kann. Tim will Zahlen? Dann kriegt er Zahlen. Aber halt nicht meine. Outsourcing nennt man so was.

Ich dusche mich und erneuere die Bärchenpflaster am Handballen und auf der Stirn. Als ich das Zimmer verlasse, ist es kurz vor neun, also Schülerwechsel bei meinem türkischen Freund. Mit bester Laune eile ich zu den gelbgrünen Quarzsand-Tennisplätzen. Tayfun steht in einem engen, blauen Shirt entspannt neben einem Einkaufswagen voller Tennisbälle, klickt sich durch sein Handy und trinkt einen Espresso. Als er mich bemerkt, stellt er die Tasse zur Seite und begrüßt mich erfreut.

»Hey Nico! Was ist mit deiner Stirn? Badtür?«

»Richtig!«

»Alder, ich sag das denen seit einem Jahr, klebt euer Logo

drauf oder irgendwas, aber was wir da unten sagen, ist denen in der Zentrale ja scheißegal. Aber cool, dass du hier bist! Doch noch Lust auf Tennis bekommen?«

»Nein, ich will dir was schenken!«

Ich ziehe Tracker und Ladegerät aus der Hosentasche und reiche sie dem völlig perplexen Tayfun.

»Ist nicht dein Ernst!«

»Doch! Du warst so lieb zu meiner Mutter. Hast sie aus dem Bus geholt mit deinem Dessertteller und alles!«

»Ja, aber dann hast du ja keinen Tracker mehr!«

»Eben! Mich stresst der eh nur. Ich mag nicht jeden Schritt aufzeichnen im Urlaub. Also, nimm!«

Tayfun scheint mit sich zu hadern.

»Ich weiß nicht«, seufzt Tayfun, »wie wär's denn, wenn ich dir das Ding abkaufe?«

»Kommt nicht in Frage«, antworte ich.

»Aber ein paar Tennisstunden könnte ich dir geben dafür!«

»Deal!«, sage ich erleichtert, »aber du ziehst ihn dann auch an, oder?«, frage ich sicherheitshalber.

»Alder, mich siehste nicht mehr ohne!«, strahlt er und streift ihn gleich über, »ich lieb doch so'n Tech-Kram: Schritte, Kalorien, Puls, Fitness-Level … eitler Tennis-Türke halt! Aber jetzt lass mal schauen wegen Tennis. Um sechzehn Uhr ist Schnupperkurs, da lernste ein paar Leute kennen, wollen wir so mal anfangen?

»Klar, ich hab noch gar nichts vor!«

»Würde dir gerne einen Espresso anbieten, aber da kommt schon meine nächste Schülerin. Die ist der Hammer, sag ich dir!«

Ich weiß. Der Hammer heißt Nadine und kommt im kurzen Tennisrock schmunzelnd auf uns zu.

»Na, ihr, wie geht's? Und was hast du denn auf der Stirn?«

»Badtür …«, grummle ich.

»Lass ich immer offen!«, sagt Nadine und zieht ihren Schläger aus der Hülle.

»Guck mal!« Freudig streift Tayfun sich meine Fitbit über. »Hat Nico mir gerade geschenkt!«

»Wow!«, sagt Nadine anerkennend, »hat er dir auch gesagt, dass die Kinderlieder spielt, wenn du deine Fitness-Ziele schaffst?«

»Nee, aber das kann man doch abstellen, Alder, oder?«

»Klar!«, sage ich, dann schaue ich noch ein paar Ballwechseln zu und schwebe gut gelaunt und ungetrackt zur Rezeption, wo ich Zopf-Melanie daran erinnere, dass ich gerne zwei Einzelbetten hätte statt ein Doppelbett, weil ich ja mit meiner Mutter Rosi Schnös hier bin und nicht mit meiner Frau Mia Schnös. Melanie entschuldigt sich und verspricht, sich nun persönlich darum zu kümmern. Ich bedanke mich, wünsche einen schönen Tag und merke: So entspannt hab ich mich noch nie beschwert, was für ein Jammer, dass es nicht mehr gemessen wird.

Bester Laune und lächelnd laufe ich ins Buffetrestaurant ein und finde plötzlich auch die anderen Gäste gar nicht mehr so schlimm wie gestern. Ich scherze sogar mit einer älteren Dame an der Früchtestation und schenke ihr Sekt nach.

»Danke, das ist aber aufmerksam!«, freut sie sich, und als ich mein Glas ebenfalls gefüllt habe, stoßen wir sogar an, und ich sage:

»Wir sollten das genießen, dass wir hier in der Sonne sein dürfen!«

»Da haben Sie völlig Recht!«

Ich schnappe mir einige Teller und schaue, was es so gibt. Viel gesundes Zeugs, aber auch richtige Sachen, und als ich an den Rühreiern vorbeilaufe und den Speck rieche, da merke ich erst, wie lange ich nichts mehr gegessen habe. French-Toast haben sie auch mit Ahorn-Sirup? Und Nutella? Ich liebe Nutella. Und Pommes, auch wenn sie nicht wirklich zum Rührei passen, aber wer hat das eigentlich entschieden? Kleine Kinder essen ja schließlich auch Spaghetti mit Pommes, bis ihnen die zappelige Helikoptermutter den einen Teil wieder vom Teller schabt.

Als ich meine drei Teller zusammen habe, mache ich mich auf die Suche nach meiner Mutter und entdecke sie überraschend griesgrämig an einem der langen Holztische auf der Sonnenterrasse. Ebenfalls noch am Frühstücken sind Horst, Tui Buh und ein junges Pärchen in Sportklamotten.

»Moin moin zusammen«, grüße ich freundlich, stelle meine Teller ab und streiche meiner Mutter mit einem Extragruß liebevoll über den Arm: »Hallo, Mama!«

Freundlich wird zurückgegrüßt, nur von meiner Mutter kommt ein schmallippiges »Ein bisschen früher hab ich dich schon erwartet!«

»Tut mir leid, aber ich hab schlecht geschlafen und …«

»Ich hab auch schlecht geschlafen, Nico. Ein Gezappel war das!«

»Ich war schon an der Rezeption, ab heute haben wir Einzelbetten!«

»Gut! Dass du eine Beule hast, weißt du?«

Ich nicke und nehme eine erste Gabel Rührei mit Speck. Köstlich. Am Pool rattert Clubchef Mattes das Tagesprogramm herunter wie ein Kirmessprecher: »Ich und das gesamte Team des Candia Playa wünschen euch einen Wahnsinnstag hier unter der kanarischen Sonne. Und nicht vergessen: Tischreservierungen zum Schlager-Barbecue in der Beachbar nur noch bis heute zwölf Uhr bei Ute an der Info.«

»Schlager-Barbecue? Also wenn da Florian Silbereisen gegrillt wird, geh ich hin!«

Der Tisch lacht, das Eis ist gebrochen. Bis auf die Scholle, auf der meine Eisbären-Mutter steht, natürlich, aber da kann ja Horst wieder ran und tut es auch. Er schenkt meiner Mutter Wasser nach und verteilt Komplimente. Diese elegante Bluse müsse ja ein Vermögen gekostet haben. Ach was, sagt meine Mutter, war runtergesetzt um 40 %, aber sie habe da noch einen kleinen Flecken am Kragen entdeckt und sie dann für nur fünfzehn Euro bekommen. Was dieser Horst nur an meiner Mutter gefressen hat – ich weiß es nicht. Und weiter geht's mit den Komplimenten. Ein paar Kilos zu viel? Genau das ist doch wunderbar und weiblich. Über 70 sei sie? Niemals! Da hätte er einen Petrus drauf verwettet, dass da noch eine 6 vor dem Alter steht.

»Was hat denn das Wetter mit meinem Alter zu tun?«, fragt sie.

»Den Wein, Rosi, ich meine doch den Wein!«

Gut, denke ich mir, wissen wir das auch, dass du Weine für 4000 Euro kennst, kann man ja mal fallen lassen. Und meine arme Mutter checkt es nicht, weil ihr nach dem pomadigen Pulheim halt jeder recht ist, der ihr einen Schnitz Aufmerksamkeit schenkt. Oder spricht sie nur mit ihm, weil ich ihr nicht genug Zeit widme? Meine unkonventionelle Frühstücksauswahl jedenfalls wird noch immer kritisch beäugt und schließlich auch kommentiert:

»Also, was du da isst, Nico … so kenne ich dich gar nicht!«

»Ich bin ja auch achtundachtzig ausgezogen.«

Und wieder lachen alle bis auf meine Mutter. Was hat sie denn? Ich hab doch nix gemacht. Das Rinderplissée von gestern? Dass sie alleine zum Frühstück musste? Oder immer noch die ganzen Erinnerungen an Georg? Vielleicht sollten wir ja mal drüber reden, aber mit den ganzen Leuten hier am Tisch – schwierig. Ist man hier überhaupt jemals alleine?

Das Sportlerpärchen studiert das ausgelegte Tagesprogramm und hat schon gefrühstückt, also gehen sie gleich. Beide Ende zwanzig. Er, der perfekt gebräunte Athlet, schwarze kurze Haare, atmungsaktives gelb-schwarzes Tank-Top, weiße Zähne, amerikanische Collegeboy-Gesichtszüge. Sie: die klassische kalifornische Fitness-Blondine mit Zopf, kein Gramm Fett, künstliches Lächeln, pink-graue, bauchfreie Sportswear. Tui Buh das Clubgespenst sitzt vor seiner Kaisersemmel mit Butter und Marmelade, als wär's eine Handgranate, Horst spielt am Stundenring seiner Rolex.

»Und wie lange seid ihr schon hier?«, fragt der Collegeboy und steckt das Tagesprogramm zurück zwischen Serviettenspender und Zuckerstreuer. Seltsam, denke ich mir, er glaubt bestimmt, Horst, Rosi und ich wären eine Familie.

»Wir sind gestern angekommen, mein Sohn und ich«, antwortet meine Mutter noch immer frostig.

»Und, schon was geplant heute?«, fragt die kalifornische Blondine.

»Ich schon, aber an meinen Sohn kommt man ja nicht ran!«, antwortet meine Mutter.

»Aber natürlich kommst du an mich ran, ich sitze doch hier!«

»Ja, aber hast du mal auf die Uhr geschaut?«

Erst jetzt merke ich: Ich bin zwar den Firmentracker los, die hohen Erwartungen meiner Mutter aber noch nicht. Und da sie kein Tracker ist, kann ich sie ja auch nicht einfach so verschenken, zum Beispiel an Horst. Und will ich auch gar nicht, denn so kauzig wie sie manchmal auch ist – sie ist das Letzte, was ich noch habe von meinen Eltern. Und weil der Puls gerettet ist, der Magen voll und die Sonne scheint, sage ich gönnerhaft: »Was willst du denn machen, Mama?«

Sofort leuchten die Äuglein, sie sitzt kerzengerade und nimmt sich das Tagesprogramm: »Also, den ›Gartenrundgang

mit Verena‹ auf jeden Fall, dann lernst du mal den Club kennen und die ganzen exotischen Pflanzen, das wird dich entspannen.«
»Gartenrundgang? Okay!«, sage ich und nehme einen Schluck Sekt. »Danach zum Strand?«
»Nein, dann gehen wir zu ›Aqua Fit‹, weil das ist um elf, dann hätten wir danach immer noch genug Zeit, um Zitronensäure und Verdauungskekse zu kaufen vor dem Schlager-Grillfest, und nachmittags, dachte ich, gehen wir entweder zum Yoga mit Isabell oder zum Malkurs mit Hannes, das geht beides nur zwei Stunden, und dann sind wir bis zum Kaffee-und-Kuchen-Quiz zurück am Pool und können uns danach ganz gemütlich fertig machen für den italienischen Abend, oder was meinst du, mein Schatz?«
Fast ängstlich schaue ich aus meinen übernächtigten Augen in die Runde und bemerke: Jeder einzelne Gesichtsausdruck ist die dringende Empfehlung, dieses Tagesprogramm auch anzunehmen.
Also sage ich: »Mama? Ich mach das gerne alles mit. Nur um sechzehn Uhr hab ich eine Stunde Tennis mit Tayfun.«
»Kein Problem, da schau ich von der Terrasse aus zu und trinke einen Ingwertee!«
»Aber vor dem Gartenrundgang leg ich mich noch ein halbes Stündchen hin. Ist das okay für dich, Mama?«
»Ich glaube, damit kann ich leben!«

Kurz darauf betrete ich satt und zufrieden unser Hotelzimmer. Das Housekeeping war schon da, und das Doppelbett ist frisch gemacht. Doppelbett? Egal, ich werde später Rabatz machen, jetzt lieg ich ja alleine drin. Ich hänge das Nicht-Stören-Schild vor die Tür, ziehe die Vorhänge zu und schalte die Klimaanlage ein. Das Seitenschläferkissen lege ich sorgsam auf den Lesesessel. Es ist herrlich im Bett, kalt und ruhig. Ein Wahnsinn.

DAS ist Urlaub. DAS ist Entspannung. Es ist so ruhig und kühl, dass ich sofort einschlafe und erst Sekunden danach durch das Klingeln meines Handys wieder wach werde.

Es ist Tim.

Fuck!

Ich schrecke hoch, schüttel mich kurz und sage laut: »Eins, zwei, drei, Test!«

Dann lächle ich und drücke voller Elan auf Grün. Das Lächeln hört man nämlich, hab ich bei einem Seminar gelernt. In Tims Stimme ist leider kein Lächeln zu hören. Und auch kein Gruß. Er legt direkt los: »Auf einer Skala von eins bis zehn, für wie bescheuert hältst du mich?«

Ich räuspere mich. Schaue mich um. Sind irgendwo Kameras versteckt? »Wie jetzt? Versteh ich nicht!«

»Was machst du gerade, Nico?«

»Ich … spiele Tennis!«

»Und? Macht Spaß?«

»Riesenspaß! Ich hab 'nen Trainer genommen, der scheucht mich ganz schön!«

»Ja? Dafür ist dein Puls aber ziemlich niedrig!«

»Wir machen auch nur Technik«, erkläre ich und werde langsam unsicher. Weil er irgendwas weiß, das ich nicht weiß.

»Dann poste doch einfach mal ein Foto von dir und deinem Trainer!«

»Geile Idee und würde ich sofort machen, aber ich hab mein Handy gar nicht mit!«

»Nico?«

»Ja?«

»Du telefonierst damit.«

»Stimmt!«

»Okay. Ich kürze es ab, weil ich hab gleich 'ne Besprechung wegen deinem Nachfolger. Wer auch immer deinen Tracker ge-

165

rade trägt, hol ihn dir zurück! Sonst räum ich deinen Schreibtisch persönlich leer.«

Denk nach, Nico! Warum hat jemand anderes deinen Tracker?

»Ich weiß nicht, wer ihn trägt, ich … hab ihn … verloren.«

»Dann sag ich dir, wer ihn trägt: Tayfun Soysal, achtundsiebzig Kilo, zweiunddreißig Jahre, gutaussehend mit kurzen, schwarzen Haaren und Ruhepuls siebenundfünfzig.«

»War ja klar, der Tennistürke! Der hat schon die ganze Zeit so neidisch auf das Ding geschielt. Aber keine Sorge – den Typen schnapp ich mir!«

»Gut. Weil sonst …«

»Ich weiß.«

Ich lege auf, steige aus dem Bett und schiebe die Türen und Vorhänge auf. Darauf, dass Tayfun sofort ein eigenes Profil erstellt, bin ich natürlich nicht gekommen nach der Hampelnacht.

»Sehr gut, die Rückhand!«, fiept es gutgelaunt von Platz 1. Und genau da muss ich jetzt wohl noch mal kurz hin und mir was einfallen lassen, um meinen Tracker zurückzukriegen. Kommando zurück, alles auf Anfang. Schade eigentlich, weil die halbe Stunde Urlaub eben, die war echt schön!

17

Die nächste Phase heißt ›Kuckucksnest‹, vermutlich wegen des Films *Einer flog über das Kuckucksnest*. Jetzt sollen wir springen und schreien, unserer ganzen Energie freien Lauf lassen und einfach tun, was uns in den Kopf kommt. Ich scanne den Raum, vielleicht kann ich ja was auf Theo werfen?

Die Musik beginnt jedenfalls schon mal ordentlich durchgeknallt, ich höre Trommeln, Schreie, Bongos und ein sich steigerndes »Gaggedigogaggedigi!«, dazu schräge, elektronische Beats. Aber verrückt auf Befehl? Das geht im Karneval nach 10 Kölsch, aber in einem Kellerraum mit Holzboden? Was soll ich denn groß machen? Gegen die Wand laufen? Mir auf den Kopf hauen? Einen Pinguin auf LSD imitieren? Die Musik wird hektischer und das »Gaggedigo« intensiver. Ich schau, was die anderen machen. Sie schreien einfach nur und fuhrwerken mit ihren Gliedmaßen herum. Theo verprügelt eine Bodenmatte. Mia rennt mit erhobenen Händen lachend um eine Säule. Der Inder macht Froschsprünge. Und ich? Ich steh einfach nur da wie gelähmt und bin so ganz und gar nicht verrückt.

Wahnsinn, oder? Wenn man mal darf, dann geht's nicht, aber wenn ich nicht darf, dann trete ich einfach so gegen Wolfis Autotür oder werfe Tassen auf den Vorstand. Behutsam klopfe ich mir auf den Kopf und versuche den Anschein zu erwecken, ich würde bereits etwas Verrücktes machen. Dreh mich einmal um meine eigene Achse und rufe »Haha! Soso!«

Gar nicht mal so verrückt eigentlich. Warum kann ich nicht aus mir raus? Wo ist denn alles? Wo bin ich denn? Die anderen sind doch auch da! Die Dicke hat sich auf den Boden geworfen und dreht sich im Kreis wie eine Schallplatte. Theo hüpft inzwischen auf einem Bein an der Wand entlang wie ein Flamingo, Mia schlägt Sitzkissen gegeneinander. Da knallt sich die Dicke vor mich auf den Boden wie ein Sandsack und schreit »Wiegen! Wiegen!«

Warum will sie denn gewogen werden, sie weiß doch, dass sie fett ist, denk ich mir, aber einer der Typen mit nacktem Oberkörper greift sich ihre Beine und zeigt an, dass ich ihre Hände nehmen soll.

»Wiegen!!! Wiegen!!!«

Erst jetzt check ich das: Sie will gewiegt werden, nicht gewogen.

Gut, dann wiegen wir sie halt.

»Gaggedigogaggedigi!« dröhnt es aus den Lautsprechern, und gemeinsam schwingen wir die füllige Frau nach links und rechts, als sei sie ein federleichtes Kind auf dem Spielplatz. Und ganz genau so scheint sie sich auch zu fühlen – sie schreit vor Vergnügen. Ich stöhne vor Schmerz. Aber wie könnten wir aufhören, sie so schön zu wiegen, wo sie eine solch unbeschwerte Freude daran hat?

Plötzlich bekomme ich eine Matte gegen den Rücken geschlagen. Es ist Mia. Sie lacht, doch noch ehe ich sie schnappen kann, rennt sie kichernd zu Theo. Ich lasse die Hände der Dicken los, und sie kracht unvermittelt auf den harten Holzboden.

»Spinnst du?«, höre ich noch, da hab ich auch schon eine Sitzmatte in der Hand und steuere auf den einbeinigen Theo zu, der immer noch den Flamingo macht. Ich gehe zu ihm, lache wirr und klopfe ihm sein dünnes Standbein weg mit der Matte. Er fällt um wie ein Besen im Wind und schaut mich schweigend an.

»Uh-uh-uh!«, rufe ich und springe weiter.

Die blonde Sekten-Aufseherin zieht mich forsch zur Seite: »Hey! Das kannst du nicht machen!«

»Doch! Ich bin nämlich ein verrückter Frosch!«, erkläre ich.

»Ein gewalttätiger Frosch bist du!«

Und dann sehe ich, wie Theo meine lachende Ehefrau an den Beinen quer durch den Raum zieht auf einer Matte und danach auf sie drauffällt. Wie genau willst du sterben, Hollerbaum?

In diesem Moment setzt romantische Musik ein: Klavier, Panflöte, Meeresrauschen, was man in einem 3-Sterne-Hotel hören würde am Samstagabend, wenn sie Geld für einen Pianisten hätten. Das Licht wird schummriger, und plötzlich ist keiner mehr verrückt.

»Nächste Phase: Dance of the Lovers!« Wir sollen uns begehren, uns betören und mit unserer ganzen Erotik spielen. Zu zweit, zu dritt oder auch zu viert. Und so bewegen, als wollten wir den anderen bezaubern und verführen.

Was soll das werden? Der Kit-Kat-Club für Kassenpatienten? Ein Knuddelhaufen der Ungeknutschten?

»Nico?«

Theos Stimme? Theos Stimme! Bitte nicht. Nicht der!

»Ja?«, frage ich schwach und drehe mich um und schaue in Theos tiefblaue Augen.

»Du stehst auf meinem Handtuch.«

»Sorry!«, lache ich und rutsche zur Seite. Theo trocknet sich ab, lächelt mich kurz an und geht. Puh! Tanzt nicht mit mir – Glück gehabt.

»Touch the sky. It's time to dance!«, säuselt ein Billy-Ocean-Imitator, und ein Saxophon setzt ein. Ich husche hinter eine Säule, wo ich verharre wie eine erfrorene Spinne am Fensterrahmen.

»Feel your heart«, grummelt es bedrohlich aus den Lautsprechern, und ich mache mich noch ein wenig kleiner. Wo ist Mia eigentlich? Oh! Sie schmiegt sich an eine Frau. Wieder was Neues. Verdammt. Die blonde Klapsenwärterin hat entdeckt, dass ich nicht mitmache.

»Wenn du keinen Partner hast, ist es völlig fein, mit dir selbst zu tanzen.«

»Den ›Dance of the Lovers‹ alleine mit mir selbst tanzen?«

»Absolut! Oder liebst du dich nicht?«

»Doch! Schon!«

Gut, dann tanze ich halt alleine, ist eh alles egal jetzt. Ich schließe meine Augen und stelle mir vor, ich sei kein Controller mehr und nicht in Brühl, sondern irgendwo in Las Vegas und der attraktivste Stripper des Abends. Kreischende Frauen unter mir, die es gar nicht erwarten können, mir ihre klebrigen Dollarscheine in den String zu stecken.

»Soooo sexy!«, quillt es aus den Lautsprechern und ja … oh ja … ich bin sexy! In sanften Schwüngen bewege ich meinen Hintern nach unten, lecke mir über meine Oberlippe, streiche mir durch die Haare und ziehe mein Shirt aus. Schwinge es über meinem Kopf wie den Fanschal bei der FC-Hymne im Stadion. Ich genieße es. Lass alles raus. Bin voll im Flow. Weil ich mich nicht abstimmen muss und mich ganz auf mich konzentrieren kann. Ich kann nichts falsch machen, ich bin einfach nur da und sexy, ich bin der verdammte Sex-Guru im Tempel der Ekstase. Ich tanze und tanze und tanze, immer wilder und immer heißer und kann förmlich spüren, wie die anderen Körper mich begehren.

»Der junge Mann …?«, höre ich irgendwann eine Stimme.

»Ja?«, sage ich und bemerke erst jetzt, dass da gar keine Musik mehr ist.

»Wenn's fein ist für dich, würden wir gern mit der nächsten Phase beginnen.«

Ich öffne vorsichtig die Augen und sehe, dass der Raum schon wieder erleuchtet ist und mich dreißig perplexe Gesichter anstarren. Unauffällig greife ich nach meinem T-Schirt, und mit gebrochener Stimme sage ich:»Ja, das wäre völlig fein für mich.«

Die nächste Phase heißt ›Meltdown‹. Hier sollen wir sitzen und unsere Traurigkeit zum Ausdruck bringen. Trauer nach Erotik, das ist hart. Obwohl … weinen nicht viele Frauen nach dem Orgasmus? Aber warum? Weil es so schön war, oder weil sie keinen hatten?

Ich schaue mich um. Mittlerweile haben sich alle gesetzt oder auf Matten gelegt, quer über den Boden verteilt. Melancholische Klänge erfüllen den Raum. Auch ich schnappe mir eine Matte und setze mich. Trauer also. Jetzt hätte ich mal Zeit. Im Alltagsgehampel ging das noch nicht. Und in den Wochen nach Papas Tod hatte ich so viel zu tun, wenn ich da noch getrauert hätte, wär ich ja zu gar nix gekommen!

Ein erster Teilnehmer beginnt leise zu schluchzen. Wie kann der das, einfach so losheulen? Und dann heult noch einer los. Und noch einer. Aber wie machen sie das? Hat mir keiner gesagt. Selbst, wenn ich jetzt an meinen Vater dächte – ich würde doch da nicht einfach losflennen können. Und wenn er jetzt da wäre und mich hier sähe oder gar neben mir säße in diesem Augenblick, er würde mich lachend in die Seite stupsen und so was sagen wie:

›Die sind ja völlig irre, hier kommen wir nicht mehr her, oder?‹

Mittlerweile scheinen alle zu weinen, nur ich nicht. Sogar Mia schluchzt ganz erbärmlich. An was denkt sie nur? An mich? An unser erstes Mal, als aus Stressgründen einfach nichts passierte bei mir?

Plötzlich fühle ich mich ganz elend, dass ich nicht einfach so weinen kann, nicht mal über den Tod meines Vaters – aber vielleicht ist Trauer ja so was wie eine Erektion, man kann sie nicht erzwingen. Dann kommt mir doch eine Träne. Aber nicht weil mein Vater tot ist, weine ich, sondern weil ich nicht weinen kann um ihn. Wie erbärmlich. Bei jedem Disney-Film breche ich in Tränen aus, aber wenn mein Vater stirbt, dann ist da nix. Ich hasse mich dafür. Jetzt haben sie's geschafft: Ich bin am Arsch, sie haben mich gebrochen. Wo soll ich unterschreiben?

»Hahahaha!«, tönt es aus der Mitte des Raums.

Nirgendwo! Entschlossen stehe ich auf.

»Der lachende Buddha!«, erklärt Krauskopf. »Jetzt dürfen wir albern sein, Spaß mit den anderen haben und uns necken!«

»Lecken könnt ihr mich alle mal, und zwar am Arsch!«, sage ich laut, nehme Handtuch und Trinkflasche und verlasse den Raum, ohne irgendjemanden anzuschauen. Mia schon gar nicht. Für den einen Abend mögt ihr mich zu einem tränenlosen Stripper gemacht haben, aber wenigstens bin ich ein Stripper auf dem Nachhauseweg. Reflektiert und … mit Potential!

18

›Dies sind die Notizen des Urlaubers Nico Schnös, 47, Controller in einer japanischen Automobildivision bei Köln, eingesetzt im Sport- und Partyclub Candia Playa, Kanarische Inseln, Zimmer 1010, Brigade Wellfit-Pavillon, kurz nach der einseitigen Urlaubserklärung von Toyota. Bereits unmittelbar nach Ausbruch des Urlaubs geriet Schnös im Kampf gegen einen überhöhten Ruhepuls in ein schier ausweiloses Scharmützel mit vormals verbündeten türkischen Truppen und bezahlte dies beinahe mit seinem Leben.‹

Ich bin zufrieden mit dem Einstieg meines Urlaubstagebuchs. Mag alles so berichten, wie es sich zugetragen hat, denn der Leser hat ein Recht auf die ungeschminkte Realität des Urlaubs.

Zitternd nehme ich einen winzigen Schluck des isotonischen Getränks, das man mir gegeben hat, ziehe die schweißnasse Bettdecke bis zu meiner Nase und arbeite mich mit meinen Händen seitwärts wieder zu meinem Laptop vor bis zu meinem Schoß, der nun nicht mehr so sehr schmerzt.

Es ist bereits kurz vor Sonnenuntergang, die Vorhänge hat mir der Feldarzt zugezogen, die vom Türken zurückerbeutete Fitnessuhr lädt auf dem Nachttisch. Hier, wo der Feind nicht zugegen ist, kann ich sie ja offen zeigen. Mein Zustand ist erbärmlich, ich bin völlig entkräftet, auch zittere ich noch aufgrund des Erlebten. Urlaub. Wer je in einen verwickelt war, der weiß: Man sieht dort Bilder, die man sein Leben lang nicht mehr vergisst.

TAG 2 NACH URLAUBSAUSBRUCH

11.03 Uhr – Beutezug auf dem Ballspiel-Feld
Im türkisch besetzten Norden erbeute ich durch eine List meine Pulswanze zurück, mit der ich wichtige Geheiminformationen an General Tim berichten muss. Da die Türken die Zufahrtswege zu vielen ihrer Enklaven kontrollieren, meine Beute aber unter keinen Umständen gesehen werden darf, muss ich die Gerätschaft ebenso versteckt wie funktionstüchtig halten. Es bleibt mir hier leider nur die eine Möglichkeit, sie um eine höchst intime Stelle zu binden, was mir einen recht seltsamen Gang verleiht. Da die über Funk an General Tim übermittelten Daten urlaubsentscheidend sind, nehme ich das schmerzhafte Opfer in Kauf.

11.27 Uhr – Ertüchtigungs-Pavillon
Nur mit einem dünnen Handtuch bewaffnet, marschiere ich zu meiner Einheit ›Rumpf ist Trumpf‹. Ich bin spät und rücke vor, so schnell ich kann.

Der Urlaub zeigt sich hier von seiner schlimmsten Seite: Schon auf dem kurzen Weg zu meinem Einsatz sehe ich aufgedunsene, weiße Leiber, zerfetzte Sonnenliegen und traurige Kinder. Es sind vor allem die traurigen Augen der hilflosen Knaben und Mädel, die sich mir einbrennen, nur allzu oft sind sie ohne WiFi und wissen weder ein noch aus.

Schauplatz der Kampfhandlungen ist ein einfacher Holzverschlag. Der Vorgesetzte heißt Martin, er ist jung und sehnig. Er tadelt mich vor allen anderen für mein spätes Eintreffen und lässt mich zur Strafe Matten für drei weitere Kameraden aus dem Lager holen. Schon nach den ersten Übungen quält mich fürchterlicher Durst, doch trinken lässt man uns nicht. Auch meine Kameraden leiden Durst und Schmerzen. Wir machen

Hampelmänner, springen mit einem Boxseil und laufen auf der Stelle, die Knie emporgerissen. Ich kriege sie nicht so gut hoch, weil die versteckte Pulswanze im Schritt schmerzt, und werde neuerlich gemaßregelt. Auch die anderen scheinen bereits am Ende ihrer Kräfte. Die Beine strecken, mit dem Hintern nicht den Boden berühren, Bauch anspannen, es ist ein heilloses Durcheinander.

Die Übungen prasseln im Minutentakt auf uns herab, ohne dass wir irgendeinen Schutz hätten: dynamischer Seitstütz, Sit-ups und Liegestütze, Kniebeugen und Froschsprünge. Bald hab ich einfach die Augen geschlossen und bete, dass es vorbeigehen möge. Das leidvolle Winseln der anderen ist furchtbar. Als ich meine Augen wieder öffne, fehlt mein rechter Brillenbügel. Ich will ihn zunächst suchen, doch der Urlaub ist brutal, der Urlaub wartet auf keinen Brillenbügel, er geht einfach unvermindert weiter, ohne dass auch nur ein Augenblick Zeit zum Suchen wäre. Insgesamt dauert der Spuk fast eine Stunde.

12.00 Uhr – Zentrum für Leibesauflockerung

Die Überlebenden marschieren im Treck über das Clubgelände. Ich bleibe auf dem Steinweg und versuche, aufrecht zu gehen, den Blick streng auf den Boden gerichtet, überall lauern heimtückische Gesprächsfallen. Trotz Schmerzen und Müdigkeit gehe ich, so schnell ich kann, denn um 12 Uhr schließt sich das Eintragungszeitfenster für die Rückenlockerung. Dies zu ermöglichen, hatte ich meiner Frau Mutter jüngst versprochen. Fünf leidende Kameraden und eine vom Urlaub verbitterte Frau formen eine lange Schlange vor dem Eingang. Ich warte eine gute Viertelstunde in der prallen Sonne, bis ich an der Reihe bin, und erhasche einen letzten Behandlungstermin für meine Frau Mutter. Ich selbst bekomme keinen mehr.

12.26 Uhr – *Waffenschau auf dem Beschaffungshof*

Obwohl mir meine Augen oft unwillkürlich von selbst zufallen und es wegen des fehlenden Bügels schwerfällt, meine Brille überhaupt aufzubehalten, gelange ich zum Beschaffungshof, um unsere hier deponierte Geheimwaffe in Augenschein zu nehmen: ein brandneuer und leistungsstarker japanischer Hybrid-Panzer mit automatischer Sonnenliegenerkennung und Smalltalk-Assistent. Doch da meine Frau Mutter ungeschützt im Gelände auf mich wartet, bleibt keine Zeit für Tests. Obwohl ich sofort aufbreche, ist meine Mutter ungehalten über mein spätes Eintreffen beim Gartenrundgang und spricht nur das Nötigste mit mir.

Der Garten wird ohne eigene Verluste genommen. An einem kleinen Bach kann ich einen Schluck Wasser trinken und finde meinen Brillenbügel wieder. Meine Mutter scheint etwas auf dem Herzen zu haben, aber die Anwesenheit der anderen Frauen verhindert ein Gespräch. Ich signalisiere ihr, sie solle es mir aufschreiben. Nach nur einer halben Stunde schon müssen wir uns verabschieden – mich führt mein Weg gen Westen, der ihre geht ostwärts. Beide haben wir Tränen in den Augen, denn zu bestimmen, wann wir uns wiedersehen, steht nicht in unserer Macht.

13.02 Uhr – *Schwere Verluste am B-Day*

Ich überwinde die eiserne Drehtür und gelange zum nächsten Einsatzort, den Gestaden von Morro Jable. Es ist grausam. Seite an Seite liegen reglose, apathische Menschen, viele von Verbrennungen entstellt, einige lachen wirr oder hören Heimatradio. Ich begegne dürren Frauen mit nur dem Nötigsten am Leib, bei einigen schimmern schon die Knochen durch. Schreiende Möwen kreisen über ihnen wie Leichenfledderer, der erbarmungslose Atlantik speit seine Verachtung auf tollende Kinder. Meine Landsleute erkennt man sofort, denn sie haben ihre Landgewinne mit allerlei Planen, Netzen und Sandmauern gesichert. Dazwischen sitzen Zivilisten, Fremdländer und Eingeborene, als ginge all dies sie nichts an.

Schließlich gelange ich zu meinem Bestimmungsort für verschärfte Strandertüchtigung. Die diensthabende Übungsleiterin heißt Bettina, trägt eine mir unbekannte Uniform und schreit ihre Befehle, die meisten auf Englisch. Frage mich, ob sie übergelaufen ist. Die Übungen jedenfalls sind mörderisch. Am Zustand meiner Kameraden ist nicht zu übersehen, dass sie schon eine ganze Weile die Unbill dieses Urlaubs erdulden: Viele sind schrecklich zugerichtet, andere mit bunten Kunststoffverbänden notversorgt. Zum ersten Mal denke ich daran, mich dem Grauen durch Stornierung zu entziehen. Doch selbst der Versuch ist ja schon strafbar.

Also besinne ich mich auf meinen Marschbefehl, die nachhaltige Erholung mit Hilfe körperlicher Ertüchtigung, und versuche durchzuhalten. Ich reihe mich ein und muss sofort in Stellung gehen und allerlei Liegestütze absolvieren. Als ich unter der namenlosen Qual das erste Mal seit Stunden mir zum Troste an meine Liebste zu Hause zu denken wage, wird mir ein Arm weggerissen – ich hatte ihn wohl falsch abgestützt.

13.15 Uhr – Musik für die Seele
Bei der Feldküche treffe ich meine Mutter wieder und kann die bittere Wirklichkeit ein wenig vergessen. Eine Kapelle spielt Schlagermusik, und es gibt für jeden Fleisch und Bier. Ich trinke gierig und bin daraufhin gleich besoffen. Auf dem Tisch liegen Liedtexte aus. Es gibt wohl an die 50 Tische, und jeder hat einen Namen. Der unsrige heißt ›Silbereisen‹, und als wir an der Reihe sind, schmettern alle wie aus einer Kehle »Du schaffst das schon«.

Unfassbar – um uns herum tobt der Urlaub, und wir singen und trinken Bier. ›Wollt ihr den totalen Lenz?‹, ruft der Unterhaltungsführer, und alles jubelt euphorisch. Mitten unter dem Gejauchze steckt meine Mutter mir heimlich einen Zettel zu. Ich verstecke ihn. Froh, einander lebend wiederzusehen, genießen wir den Augenblick, wohlwissend, was uns alsbald erwartet …

14.20 Uhr – Nachschub im Feindesland
Im Schutze einer Hecke kann ich den Kassiber meiner Mutter lesen: Zitronensäure, Verdauungskekse und Ingwerwaffeln soll ich besorgen. Ich tue alles für meine Mutter im Urlaub, ich habe ja ganz andere Möglichkeiten und spreche seit jenem Kuba-Feldzug damals mit meinem Mädchen sogar die Sprache des Feindes. Vorbei an der Frontsammelstelle schlage ich mich zum spanischen Verpflegungsamt durch, wo ich alles bekomme bis auf die Waffeln, offenbar wurde ohne unser Wissen ein Waffelstillstand vereinbart. Auch der Versuch, meine geliebte Frau in der Heimat zu erreichen, misslingt, da der öffentliche Fernsprecher von Saboteuren zerstört ist. Ich bin betrübt und hoffe, dass die Liebste mich nicht gefallen wähnt, um sich mit einem anderen zu trösten.

15.30 Uhr – Trost durch Kunst
Mit letzter Kraft schlage ich mich zu Hannes' Atelier durch, wo meine Frau Mutter mich bereits ungeduldig erwartet. Sie hat einen grünen Apfel in einem Korb gemalt und harrt der Belobigung. Ich gestehe ihr, dass ich keine Waffeln erbeuten konnte. Obgleich ich meiner Mutter mit wenigen Federstrichen ein Herz male, weint sie bitterlich. Dann heißt es wieder Abschied nehmen.

16.00 Uhr – Türkische Gefechte

Der Ballkunst-Türke ist untröstlich ob des Verlustes seines Geschenks, doch freilich kann ich mit der Wahrheit nicht dienen und tröste ihn stattdessen durch meine Teilnahme am Ballrückschlag-Wettbewerb. Ich spiele gegen eine beleibte Habsburgerin, einen preußischen Herrn mit Schnauz und einen kleinen Russen. Leider verliere ich jedes Mal, weil ich nicht gleichzeitig meine kaputte Brille und meinen Schläger zu halten imstande bin und mir das Pulsband ins Gemächt schneidet. In einem letzten Gefecht gerate ich unter starken schwäbischen Ballbeschuss und gehe nach einem Treffer auf den Hals zu Boden. Mit letzter Kraft verlasse ich das Schlachtfeld. Aus der Ferne höre ich die vertraute Stimme unseres Front-Unterhalters, es sei Zeit für NEKG, ›Nur Einer Kann Gewinnen‹, das heitere Raten zu Kaffee und Backwaren.

17.00 Uhr – Besinnungslose Kapitulation beim Kuchenrätsel

Sitze mit meiner Mutter am Pool unter Sonnenschirmen, wo Markenkaffee und Blechkuchen gereicht werden. Ein Narr mit Megaphon fragt, wie oft der 1. FC Köln bereits Deutscher Fußballmeister geworden sei, dann kippe ich um. Aufgewacht bin ich vor einer Weile in diesem Luxus-Lazarett mit zwei Betten, von denen eines noch unbesetzt ist. Aber sicher ist es nur eine Frage der Zeit, bis ein weiteres Opfer dieses sinnlosen Urlaubs an meiner Seite mit dem Tode ringen wird.

Und wieder donnert es an meiner Zimmertür, doch dieses Mal verstecke ich mich nicht – zu schwach bin ich und langsam, ich bin schwangsam. Soll der Türke mich und meine Pulswanze halt holen. Doch es ist kein Türke. Es ist meine Frau Mutter. Sie schaut besorgt drein und trägt ein Tablett mit einer Schale Hühnersuppe drauf.

»Wie geht's dir denn, mein Schatz?«, fragt sie und setzt sich auf das freie Bett.

»Weiß nicht«, sage ich und starre auf meinen Laptop. Es ist ausgeschaltet, auch ist mein Geschriebenes verschwunden. Dafür läuft im Fernsehen eine Kriegsdoku in Schwarzweiß und auf voller Lautstärke. Meine Fitbit ist längst aufgeladen. Auf dem Handy eine Nachricht von Tim:

Hut ab! Das nenne ich Einsatz!

Meine Mutter schaltet kopfschüttelnd den Fernseher aus. »Dass du sowas schaust!«

Ich frage, wo ich bin und was passiert ist.

»Du bist umgekippt beim Kuchen-Quiz, aber Gott sei Dank war einer der Gäste Arzt. Hast dich übernommen, hat der gesagt, und dass du dich entspannen sollst! Und Fieber hattest du auch.«

Ich versuche, das Gesagte zu verbinden mit meinen Notizen von eben – vergeblich.

Ich richte mich auf und greife nach der Hühnerbrühe. Dann frage ich schwach:

»Ist denn der Urlaub vorbei?«

»Nein, noch nicht«, antwortet meine Mutter und berührt mit der Handinnenfläche meine Stirn. Ich schaue sie unsicher an, bis sie lächelt und sagt: »Fühlst dich schon besser an, vielleicht kannst du ja sogar mit zum Abendessen?!«

Erschrocken stelle ich die Suppenschale neben das Foto meines Vaters und verstecke mich wieder unter der Decke. Dann sage ich schwach:

»Mutter? Ich weiß nicht, ob ich jetzt schon wieder in den Urlaub ziehen kann.«

19

Mindestens zehn Runden haben wir schon gedreht im Kreisverkehr, ohne auch nur den geringsten Hinweis zu erhaschen, welche der fünf Straßen nun nach Cienfuegos geht. Schilder sind auch keine da, vermutlich hat die alle ein imperialistischer Hurrikan mitgenommen. Auch kann der einzige kubanische Mobilfunkanbieter nicht wirklich etwas mit Google Maps anfangen, oder andersherum. Also umrunden wir in unserem kleinen roten Mietwagen einfach immer weiter den Kreisverkehr mit den schönen Bäumen in der Mitte und fragen uns, welche der fünf Ausfahrten jetzt wohl die nach Cienfuegos ist, dem ersten Halt unserer Kuba-Rundreise. Unsere erste gemeinsame Fernreise, und Mia ist schon genervt:

»Jetzt halt doch einfach mal an und frag jemanden!«

»Mia, bitte! Wir werden ja wohl noch aus Havanna rauskommen.«

»Klar kommen wir raus, aber halt wohin?«

»Frag du doch, du sitzt ja rechts! Die beiden Polizisten da zum Beispiel an der Bushaltestelle!«

»Du weißt genau, dass ich kein Spanisch kann.«

»Dann schau einfach noch mal auf die Karte, bitte.«

»Nico! Ich kann keine Karten lesen während der Fahrt, weil mir dann schlecht wird!«

»Du kannst kein Spanisch, du willst nicht fahren, und du kannst keine Karten lesen, warum genau machen wir diese Rundreise noch mal?«

Mia donnert die Landkarte in den Fußraum, und wieder fahren wir an den beiden Polizisten vorbei, die uns inzwischen natürlich im Auge haben. Und dann winken sie uns raus. Kein Wunder, die fünfzehnte Runde unseres kleinen roten Wagens war vermutlich genau eine zu viel.

»Geht ja gut los!«, stöhne ich und gehe vom Gas, »das wär uns bei zwei Wochen Strandhotel nicht passiert!«

»Aber wir haben doch gar nichts falsch gemacht«, sagt Mia und kurbelt wie ich die Scheibe runter.

»Glaub mir, Mia«, sage ich leise, »wenn die was finden wollen, dann finden sie was. Einfach nur um ein paar Dollar zu machen, hat uns doch Friedemann alles erzählt.«

»Sorry, aber Friedemann glaubt immer, dass er betuppt wird!«

Ich fahre langsam rechts ran und kurble nervös die Scheibe runter. Neben unserem Wagen stehen zwei sehr junge Beamte in Uniform: blaue Hosen, graue Hemden mit Namensschildern und Barett auf dem Kopf. Der eine ist eher klein und drahtig, der andere groß und haarig. Besonders grimmig schauen sie allerdings nicht drein, trotz der Pistolen im Halfter.

»¡Hola!«, begrüßt uns der Haarige durch Mias Fenster hindurch und schaut neugierig ins Wageninnere. Mia ist inzwischen doch nervös und klemmt so künstlich lächelnd im Sitz wie ihre eigene Wachsfigur.

»¡Hola!«, antworte ich und harre der Dinge, die kommen. Während der kleinere der beiden an Mias Fenster stehen bleibt, kommt der große Bärtige ums Auto herum und beugt sich runter zu mir.

»¿Adónde van?«

Wohin es geht. Ein bisschen Schulspanisch ist also noch da.

»¡Cienfuegos!«, antworte ich, woraufhin er zu seinem Kollegen geht und etwas bespricht.

Ich drehe mich zu Mia und sehe, dass ihr nun doch ein wenig die Düse geht.

»Was reden die denn?«, will sie wissen.

»Ich tippe mal, sie überlegen sich, wie sie uns ein paar Dollar aus der Tasche ziehen«, sage ich, doch Mia schüttelt den Kopf.

»Glaub ich nicht!«

»Gleich wissen wir's!«

Der bärtige Polizist beugt sich wieder zu mir runter, zögert kurz, und dann ist mein Schulspanisch wirklich gefragt. Irgendwas mit Bus verpasst und dass der andere schuld wäre, weil er mal wieder kein Ende gefunden hat in der Bar gestern und es einen ganz schönen Ärger gäbe, wenn sie am Abend nicht da wären.

Mia, die inzwischen doch ein wenig bleicher um die Nase ist, schaut mich fragend an, doch der Bärtige redet einfach weiter, bevor ich nur ein Wort übersetzen kann. Jedenfalls wäre es sehr freundlich, wenn wir sie mitnehmen könnten, sie würden uns auch helfen mit dem Weg, es fehlten ja fast alle Schilder nach dem Hurrikan, und einen Hoteltipp hätten sie auch noch. Ich versuche zu verstehen und sage, dass ich die Frau frage, die mich gerade mit großen Augen anschaut.

»Mia. Folgendes: Sie haben den Bus verpasst und fragen, ob wir sie mitnehmen. Dafür zeigen sie uns den Weg.«

»Haben wir denn eine Wahl?«, fragt Mia noch und nein, haben wir nicht, denn da steigen die beiden auch schon auf unsere Rückbank.

Ich lächle in den Rückspiegel.

»¡Muy amable!«, sagt der kleine Drahtige und »Es la tercera salida« der große Haarige, aber irgendwie ist mir das jetzt dann doch ein bisschen zu freundlich. Was, wenn gleich doch irgendein Dokument fehlt, ich einem Esel die Vorfahrt nehme oder sie mich was zu Castro fragen ...?

»Was haben sie jetzt gesagt?«, flüstert Mia nervös.

»Dass wir sehr nett sind und die dritte Ausfahrt nehmen sollen.«

»Das erfindest du!«

»Mia! Entspann dich! Ich wollte zwei Wochen Varadero mit schön Strand. Du wolltest die Rundreise machen.«

Mia verschränkt die Arme und schaut mich böse an. »Boah, bist du unfair!«

Dann spüre ich eine Hand auf meiner Schulter.

»¿Vamos?«

Erst jetzt bemerke ich, dass ich noch gar nicht losgefahren bin. Ich trete aufs Gas, nehme die dritte Ausfahrt und schaue in den Rückspiegel. Ganz normale Jungs eigentlich. Jungs in Uniform. Beim Bärtigen sieht es schon ein wenig nach sozialistischem Scheren-Notstand aus, aber wie kriegt der Kleine sich dann rasiert? Und vor allem: Warum fahren Polizisten hier Bus?

»Haben die Polizisten hier keine Autos?«, fragt nun auch Mia, die offenbar Gedanken lesen kann.

»Keine Ahnung, aber die Uniformen sehen doch echt aus, oder?«

Ich starre nach hinten zu den beiden Polizisten, die ihre Barette inzwischen abgenommen haben so wie ich meine Löwenkappe. Der kleinere hat gar keine Haare auf dem Kopf. Dafür gähnt er, als sei er alleine im Auto, und schaut aus dem Seitenfenster.

Offenbar merkt die Rückbank, dass Fahrer und Beifahrer schon mal lockerer waren. Der Bärtige lächelt in den Rückspiegel.

»No tengáis miedo, no pasa nada.«

»¡No problema!«, nuschle ich und übersetze Mia, dass wir keine Angst haben sollen, doch sie schaut mich gar nicht mehr an, sondern stiert wie hypnotisiert ebenfalls aus dem Seitenfenster.

Über eine dreispurige, leere Autobahn mit Büschen und Palmen am Rand holpern wir Richtung Osten. Auf der Rückbank scherzt die kubanische Staatsgewalt über den gestrigen Abend, dies allerdings mit ordentlich Akzent, so dass ich so gut wie nichts mitbekomme. Lieber nix falsch machen. Ich achte lieber darauf, um die Schlaglöcher herumzufahren.

Mia sitzt immer noch da wie in den Stoff getackert, als der kleine drahtige Polizist uns fragt, wo wir herkommen. Aus Deutschland, sage ich. Kennt er. Ein Freund von ihm sei da mal übel verprügelt worden im Kölner Karneval, aber es sei nur der Krankenwagen gekommen und gar keine Polizei. Ich sage, dass wir genau von dort kommen und mir das leidtue mit seinem Freund, vielleicht haben wir ja nicht genug Polizisten.

Und wieder überleg ich mir, ob es auf irgendeine Geldsache rausläuft nach all den Warnungen von Friedemann. Sollen wir vielleicht gleich was beisteuern für die Arztkosten? Erst mal nicht, so wirkt es, denn nun werden wir gefragt, wie uns Kuba gefällt.

»¡Bien! Todo!«, antworte ich wie aus der Pistole geschossen, und dann geht das Verhör weiter. Wie lange man fliegt von Deutschland aus? Fast zwölf Stunden. Was wir beruflich machen. Autos zählen und Rücken kneten. Wo wir uns kennengelernt haben. In ihrer Praxis vor zwei Jahren, ich sei verspannt gewesen, und sie hätte mich massiert. Wo unsere Kinder jetzt sind. Ich antworte, dass es für Kinder noch viel zu früh sei bei uns, ich sei ja gerade mal über 40 und meine Frau erst Mitte 30, was eine gewisse Fassungslosigkeit auslöst.

»¿Tan viejo?«, fragen beide und beugen sich vor, und ich protestiere energisch gegen den Vorwurf, wir seien alt.

»Über was redet ihr denn?«, fragt Mia vorsichtig.

»Sie können es nicht fassen, dass wir keine Kinder haben.«

»Echt? Wann haben die denn Kinder? Mit sechzehn?«, schmunzelt Mia, und ich überhole ein Pferdegespann mit Zuckerrohr drauf und gehe wieder auf die linke Spur.

Unsere kubanischen Mitfahrer sind immer noch erstaunt und haken bei mir nach, ob wir wenigstens verheiratet wären. Ich sage, dass Mia meine Freundin ist und dass uns das auch so reicht. Blankes Entsetzen auf der Rückbank. Das müsse ja echt ein komisches Land sein, in dem man keine Kinder will, eine so tolle Frau nicht geheiratet wird und dann nicht mal die Polizei kommt. So schöne blonde Haare und so ein hübsches Gesicht, die sei hier aber in einer Woche unter der Haube!

»¿Pero la quieres?«

Klar liebe ich Mia, sage ich auf Spanisch und amüsiere mich darüber, dass Mia nicht den Hauch einer Idee hat, was ich gerade sage. Wenigstens ist sie entspannter jetzt, denn da wir so nett plaudern, steht wohl kein Schmiergeld oder ähnliches mehr an.

Und ob ich denn das Gefühl hätte, dass sie mich auch liebt, kommt es von der Rückbank. Ich sage, ja, das Gefühl habe ich. Und gar keine Angst, dass sie mir davonlaufe? Nein, dafür sei ich nicht der Typ. Ob sie viele Dinge kaufe von meinem Geld und nicht selbst arbeiten wolle? Nein, dafür sei sie nicht der Typ.

»Ihr redet über uns, oder?«, funkt Mia dazwischen.

»Nein, wir reden über die politische Situation hier.«

»Da wäre ich vorsichtig.«

»Keine Angst, ich bestätige einfach immer das, was die sagen! Und natürlich kein Wort über Castro!«

Mia rollt mit den Augen. Kurzes Schweigen auf der Rückbank. Irgendwie sind wir auch gerade die Einzigen auf der Autobahn.

»¿Qué piensas de Castro?«, fragt der Kleine mich auf Spanisch.

Was bin ich nur für ein Idiot, jetzt sitze ich in der Falle. Was sag ich denn? Ich entscheide mich dafür, dass ich ihn so richtig gut finde.

»¡Buenísimo!«

»¡No, es un idiota!«, flucht der Bärtige; es gebe viel zu wenige Polizeiautos, Löcher in den Straßen, und seit drei Monaten hätten sie kein Gehalt mehr bekommen, DAS sei Castro.

»Jetzt sind sie sauer, oder?«, fragt mich Mia ängstlich.

»Ja, aber nicht auf uns!«

»Gott sei Dank!«

Nach einigen stillen Kilometern ist dann auch schnell wieder das Heiratsthema zurück, offenbar sind wir ja der fahrende Kulturschock für die beiden Systemgegner in Uniform. Also erkläre ich noch einmal, dass es sich einfach noch nicht ergeben hat und dass man in Deutschland auch nicht unbedingt nach zwei Jahren schon so was fragt.

»¿¿¿Después de dos años???«, wiederholen beide synchron und lachen sich tot. Kilometerlang. Machen Witze in schnellem Spanisch mit kubanischem Akzent, die ich nicht verstehe. »¡Dos años!« kommt aber immer wieder darin vor.

Und während wir so fahren und ich den einen oder anderen Seitenblick zu meiner ›Nur-Freundin‹ riskiere, da komme ich ein wenig ins Grübeln. Klar, manchmal finde ich Mia einfach unmöglich, weil sie so anders ist, aber trotzdem liebe ich einfach alles an ihr. Ich liebe es, wie selbstbewusst sie durchs Leben läuft, ich liebe ihren Humor und die stundenlangen Gespräche beim Wein, und dann sieht sie einfach phantastisch aus. Schon bei der ersten Massage, die ich damals in ihrer Praxis bekam, ist mir aufgefallen, wie gut sie riecht, und hab erst später gelesen, dass das eine biologische Sache ist und man da auch gar nichts gegen machen kann, denn da sagt einem die Natur einfach: Ihr gehört zusammen und müsst euch vermehren. Erst nach der Behandlung hab ich dann zum ersten Mal ihre rebellischen blonden Zöpfe gesehen und ihre kleine Nase und ihre großen Brüste natürlich auch, aber wenn sie sich runterbeugt wegen eines neuen Termins, wo sollte ich denn hinschauen? Auf den Bleistift?

Zwei Jahre sind wir jetzt schon zusammen, und noch immer küsse ich sie so gerne, dass wir fast nicht aufhören können, und mit dem Sex ist es meistens ganz genauso. Meistens, denn wenn einer mal nicht wuschig ist, dann geht das auch in Ordnung. Ich liebe es sogar, wie wir streiten, denn es ist immer auf Augenhöhe, und wenn wir uns mal prügeln sollten, wüsste ich nicht, wer gewinnen würde. Ich liebe die Freiheit, die wir uns geben. Wir dürfen nicht nur, wir wollen sogar, dass der andere seine Ex-Freunde trifft oder sich einfach mal in sein eigenes Zimmer zurückzieht, ohne dass der andere denkt, die Beziehung wäre zu Ende.

Und gerade weil wir uns so viel Freiheit geben, vermissen wir uns dann doch schnell. Das letzte Mal, das Mia eine Woche weg war, da dachte ich erst, cool, dann mach ich jetzt mal nur das, was ich will. Am ersten Abend war ich aus bis fünf Uhr früh, am zweiten hab ich eine Ex-Freundin in einem Restaurant getroffen, am dritten Abend hab ich Bundesliga geschaut, und am vierten Abend bin ich durch unsere Wohnung gelaufen, hab »Mia!?« gerufen und bin schließlich auf ihrem Kopfkissen eingeschlafen, das war schön, weil es noch ein wenig nach ihr roch.

Die Jungs haben recht: Es gibt keinen Grund für mich, diese Frau nicht zu heiraten. Und als wir Rast machen und Mia aufs Klo muss, fangen sie wieder an: So eine schöne Frau, das hätte man ja gar nicht gesehen im Sitzen! Am Ende kommt doch noch ein anderer und schnappt sie mir weg. Man muss die Dinge doch sicher machen in so unsicheren Zeiten! Ob ich Zweifel hätte?

Nein, sage ich, Zweifel hätte ich keine, aber selbst wenn die kubanische Polizei mich einsperrt: Ich frage, wann es MIR passt, ob Mia mich heiraten mag, und das ist in jedem Fall nicht heute. Schon mal deswegen, weil man so was ordentlich vorbereiten muss und ich keinen Ring habe, außerdem sei es jetzt wirklich mal gut mit der Fragerei, ich frage sie ja auch nicht, warum jetzt zum Beispiel der Bärtige noch keine Frau habe.

Weil seine Freundin einen anderen geheiratet hat, erklärt der kleinere verlegen.

Eine Stunde später erreichen wir eine wunderschöne Stadt mit großzügig angelegten Straßen und vielen farbenfrohen klassizistischen und maurisch anmutenden Gebäuden. Ein paar Oldtimer sind unterwegs, nur ab und an einige Menschen, und blitzsauber ist es auch – als hätte man eine Stadt 1958 eingefroren und gerade wiederaufgetaut.

»Wo sind denn alle?«, frage ich laut, und auch Mia schaut verwundert.

»Keine Ahnung, aber schön ist es hier. Tolle Farben!«

»Und so viele Parkplätze! Meine Mutter wäre begeistert.«

»Na, das wär noch was. Wann warst du überhaupt das letzte Mal mit deinen Eltern im Urlaub?«, fragt Mia.

»Lass mich kurz rechnen. So vor dreißig Jahren?«

Gemütlich schlingern wir in den Ort. Die Polizisten weisen uns den Weg bis zu einem Hotel, in das Ausländer gerne gehen, es ist ein schmuckloses blassgrünes Hochhaus mit dem Namen Santa Clara Libre.

Die Polizisten bedanken sich per Handschlag und erklären, dass es nur eine Viertelstunde zu Fuß sei zur Polizeistation, da könnten sie noch eine rauchen, und wir hätten ihnen schon so viel geholfen. Zahlen könnten sie leider nichts für das Benzin, weil sie kein Geld hätten, das sei ihnen peinlich. Aber ein kleines Dankeschön hätten sie trotzdem, sagt mir der Kleinere der beiden, der nun auch wieder sein Barett trägt und überreicht mir verstohlen eine kleine, blaue Pappbox.

Ich sehe rüber zu Mia, die noch im Auto sitzt und in den Reiseführer schaut, was freilich gar keinen Sinn macht, weil wir jetzt ja hier sind. Ich öffne die Box. Drinnen steckt ein liebevoll aus rotem Papier gebastelter Ring. Ich ringe nach Luft. Frage, aus was für Zetteln sie den während der Fahrt unbemerkt gebastelt haben.

»¡Boletas de tráfico!«, grinst der kleine, drahtige Polizist und klopft mir auf die Schulter. Zum ersten Mal registriere ich sein Namensschild: Ricardo López.«

»¡Gracias, Ricardo!«

»¡Nuestro anillo, tu decisión!«

Unser Ring, deine Entscheidung. Meine. Ich weiß. Aber jetzt? Die kubanische Staatsmacht entfernt sich winkend. Lässt mich einfach zurück mit meiner Nur-Freundin und ihrem aus kubanischen Strafzetteln gebastelten Ring und einer Entscheidung, die mein komplettes Leben verändern könnte. Mia steigt kopfschüttelnd mit ihrer Straßenkarte aus dem Wagen.

»Das glaubst du jetzt nicht!«

Ich schaue den Polizisten nach, doch die laufen plaudernd die Straße entlang in den Sonnenuntergang. Und natürlich schaut Mia gespannt auf die kleine Box in meiner Hand.

»Was glaub ich nicht?«, frage ich und Mia: »Was ist das?«

»Die Polizisten und ich – wir haben nicht über Autos gesprochen, sondern … über das Leben.«

»Aha …«

»Ja, wie unsicher es ist und wie schnell alles vorbei sein kann.«

190

»Oh. Das hätte mich auch interessiert!«

»Jedenfalls ist mir klar geworden, dass es so nicht weitergeht und … ich weiß, es passt jetzt gar nicht, weil wir auf einem Parkplatz stehen von irgendeinem 3-Sterne-Hotel und wir noch so eine lange Reise vor uns haben und …«

»Aber es ist doch nichts vorbei, oder?«

»Unsinn! Es geht gerade erst los! Weil … was ich dich fragen möchte: Willst du – auch wenn ich manchmal seltsam bin und immer noch mit meiner zerfetzten Kimba-Kappe rumlaufe, willst du vielleicht trotzdem meine Frau werden?«

Ich reiche Mia die Box mit dem Papierring. Sie ist jetzt wieder so bleich wie zu dem Zeitpunkt, als die Polizisten in unser Auto gestiegen sind. Wachsfigurenmodus.

»Aber was soll das sein?«, fragt sie mit zittriger Stimme.

»Ein … provisorischer Verlobungsring … aus Strafzetteln. Den haben die beiden Polizisten uns gefaltet!«

Mia blickt mich voller Liebe an und an mir vorbei zu den Polizisten, die gerade um eine Ecke biegen und ein letztes Mal winken.

»Du bist ja wahnsinnig!«, lacht Mia, und dann schießen ihr einfach so die Tränen raus, und sie umarmt mich und küsst mich: »Natürlich will ich deine Frau werden!«

Als unser life-changing hug endet, sind die Polizisten längst verschwunden.

»Und was wolltest du mir sagen?«, frage ich Mia.

Sie reicht mir den aufgeschlagenen Reiseführer mit einem Foto des Hotels, vor dem wir stehen: »Wir sind hier!«

»Jaaa …?«

»Wir sind nicht in Cienfuegos. Wir sind in Santa Clara!«

»Jetzt echt?«

»Schau mal auf den Hotelnamen!«

Ich schaue hoch und natürlich, da steht Santa Clara Libre

und nicht Cienfuegos Libre. »Wir sind also doch verarscht worden!

»Sieht fast so aus!«, schmunzelt Mia, wirft den Reiseführer zurück auf den Sitz und drückt mir einen Kuss auf die Lippen, »aber weißt du was? Mir doch egal, wo wir glücklich sind.«

20

Wir sind endlich am Strand, so wie alle anderen auch. Ich baue eine Windschutzmauer für meine Mutter, die in einem Badeanzug mit großen Kürbissen auf dem blauen Clubhandtuch neben mir liegt und *Der perfekte Rasen: Richtig anlegen und pflegen* liest.

Hab gut geschlafen in meinem Einzelbett und nicht mal gemerkt, dass meine Mutter wohl erst spät ins Zimmer kam. Mein Ruhepuls ist mit 70 zwar immer noch zu hoch, aber das war wohl das Fieber, und wenn ich jetzt erst mal gar nichts mehr mache, dann wird das sicher auch meine neue Sadomaso-Fitbit nach Deutschland funken, und ja, ich wünschte, es gäbe eine andere, von türkischen Tennistrainern und deren Schülern nicht einsehbare Pulsmessstelle. Schwierig, am Strand, wenn man nur die Badeshorts selbst anhat.

Aber egal, jetzt, wo ich das Mäuerchen baue mit meinem geliehenen Schäufelchen, da spüre ich den Tracker kaum. Was macht man nicht alles für seinen Job. Und für seine Mutter. Horst und seine attraktive Tochter liegen nur ein paar Meter hinter uns. Aber natürlich nicht auf schnöden blauen Clubhandtüchern, sondern auf bequemen Clubliegen, mit Stoffwindschutz, Sonnenschirm und Tischchen, auf denen schon die zweite Runde Drinks steht. Hätten wir auch haben können, aber …

193

»Dreiundzwanzig Euro für zwei Liegen? Die spinnen doch, Nico, das zahlen wir nicht!«

Und so liegen wir halt für lau im Sand auf unseren blauen Clubhandtüchern, während es sich die Hautevolee hinter uns gutgehen lässt. Nadine hat ihren BH ausgezogen und bräunt sich mit riesiger Sonnenbrille und goldenem Kopfhörer, Horst liest in einem Luxusuhren-Magazin und raucht einen Zigarillo nach dem anderen. Erholsamer als drinnen im Ferienclub ist es aber auch am Strand nicht: Es wird gebrabbelt, gelacht, telefoniert, und wie in jedem Urlaub spielen immer zwei Idioten direkt neben einem dieses unfassbar nervige Strandspiel mit den krachlauten Holzschlägern, in meinem Fall sind's natürlich Trottelkopf und Mehlbirne. Sieben Kilometer lang ist der Strand, und wo spielen sie? Hier!

Peng. Pong. Dötz.

»Ahhhhh!«

Klong. Peng. Pong. Dong.

»Männooooo!«

»Ich hol!«

Bäng.

»Sorry!«

Dazu kommen die Poser auf ihren röhrenden Jet-Skiern und die Teenie-Doku ›Die sinnlosesten Sprachnachrichten der Welt‹. Ein ganz besonderer Augengraus ist freilich die Fraktion textilloser Urlauber, meist ältere Pärchen, die wie Erdmännchen um uns herum stehen und Möpse, Wampe und Pimmel im Sonnenlicht glänzen lassen. Wenn sie nicht stehen, dann gehen sie nackt den Strand entlang. Die Männer mit Rucksack hinten und Bierpocke vorne, drunter die Zündschnur. Die Frauen watscheln hinterher mit Möpsen bis zum Knie und TUI-Umhängetasche. Und als wäre all das nicht schon gruselig genug, läuft jedes dritte Pärchen über unsere Handtücher. Wie jetzt über das meiner Mutter.

»Hallo?«, ruft sie Adam und Eva aus Thüringen hinterher, »warum laufen Sie denn über uns drüber?«

»Weil Sie im Weg liegen! Die Sonnenliegen sind hinter Ihnen.«

»Wir mieten doch keine Liegen für dreiundzwanzig Euro!«, protestiert meine Mutter.

»Ja, und wir laufen keinen Zickzack wegen Textilern!«

»Wie haben Sie uns genannt?«, fragt meine Mutter erbost.

»Textiler!«, antworte ich und bemerke, dass meine Mutter besorgt auf meinen Rücken blickt.

»Du bist schon ganz rot am Rücken, soll ich dich mal eincremen?«

»Nein!«, antworte ich energisch.

»Aber dann kriegst du einen Sonnenbrand!«

»Krieg ich nicht, weil ich einfach auf dem Rücken liegen bleib ab jetzt.«

»Ist es dir peinlich, weil ich deine Mama bin?«

»Nein!« Natürlich ist es mir peinlich.

Stöhnend greife ich zu meinem Handy. Vielleicht hat Mia mir geschrieben. Irgendwas Liebes, was meine Stimmung aufhellt. Und hey … sie hat mir geschrieben. Und ein Foto geschickt. Hamburg von oben. Meine Stimmung hellt es allerdings nicht auf:

Unser Blick! Hoffe, Ihr macht es Euch auch schön! Besos, M.

Wie? Unser Blick? Und wie, sie hofft, wir machen es uns auch schön …? Auch schön? Wie schön machen sie sich's denn? Offensichtlich ja sehr schön. Aber ›Besos, M.‹ Also wenn's so schön ist in Hamburg, dann kann sie sich ihr Küsschen auch schenken, Freiheit hin oder her – irgendwann reicht's.

Ich lege das Handy weg, denn was immer ich jetzt antworte, es würde die Ehe gefährden. Ich muss mich ablenken. An was anderes denken. Aber womit? Mit Zahnpasta, die aus einer Tube gedrückt wird? Lieber frisches Wasser holen und die Windschutzmauer benetzen.

Peng. Dong. Pong.

»Männo!«

»Hey, du bist ja voll rot!«

»Wo?

»Überall halt!«

»Vielleicht is ja mein Lichtschutzfaktor kaputt ...«

Wenigstens ist es mir egal, was für einen Schrott Mehlbirne und Trottelkopf labern. Weil ich gedanklich immer noch in Hamburg bin. Am Ende teilen die Fortgebildeten sich da nicht nur den Blick, sondern auch noch ein Zimmer! Genervt ramme ich die Schaufel in den Sand.

»Er hat bestimmt noch Creme aus dem letzten Jahr«, kommentiert meine Mutter die Mehlbirne mit dem kaputten Lichtschutzfaktor. Sie liegt auf dem Bauch wie eine Fallschirmspringerin. Füße und Hände nach oben und Strandtuchkontakt nur mit dem Rumpf.

»Wie kannst du denn so liegen?«

»Ich liege nicht, ich mache Yoga. Das wäre auch mal was für dich zur Entspannung.«

Ich sag mal so, wenn jetzt Hitlers Leibarzt aus der Kriegsdoku von gestern vorbeikäme mit einem Köfferchen Beruhigungsspritzen, ich würde sie ihm alle abkaufen. Ich klicke mich zur Fitness-App auf dem Handy. 106 funkt's aus dem Schritt. Ein Übertragungsfehler, die Hitze oder einfach nur Sacksausen wegen Theo? Den Tauchreflex auslösen, wie es bei wikiHow stand? Warum nicht.

Ich springe auf und laufe Richtung Meer. Gehe ein paar

Schritte ins eiskalte Wasser, beuge mich vornüber und tauche meinen Kopf hinein.

21, 22, 23, 24 ...

Hoffe, ihr macht es euch auch schön!

... 25, 26, 27 ...

Eine Frechheit!

28!

Ich reiße meinen Kopf aus dem Wasser und schnappe nach Luft. Als ich zum Handtuch zurückgehe, um zu sehen, was es pulsmäßig gebracht hat, sehe ich, dass Nadine ihren Kopfhörer abgenommen hat und mich herausfordernd von ihrer Liege aus anstarrt. »Was machst du da?«

»Nichts, was du verstehen würdest.«

Nadine lacht und setzt ihren Kopfhörer wieder auf. »Okay!«

Ich sacke auf mein Handtuch und streiche die Sandmauer glatt. Sie ist inzwischen höher als Mamas Seitenschläferfestung und mindestens ebenso breit. Vielleicht sollte ich ja Nadine mal fragen als Frau, ob Mia da zu weit geht. Meine Mutter hat sich inzwischen wieder auf den Rücken gedreht und schaut mich nachdenklich an.

»Nico, ich glaub, ich brauch mal deinen Rat.«

Ich stecke mein Schäufelchen ins Eimerchen und frage, was los ist. Sie kommt näher, so dass uns keiner hören kann, und flüstert: »Ich weiß nicht, wie ich mich bei Horst verhalten soll.«

»Aber wieso denn?«, frage ich erstaunt.

»Ich hab Angst, dass er – Er macht mir ja dauernd Komplimente und vorhin ...«, meine Mutter spricht noch etwas leiser, »... vorhin hat er sogar den Arm um mich gelegt und mich gefragt, ob ich nicht Lust hätte, in sein Penthaus zu kommen vor dem Abendessen auf einen ... Sandauner.«

»Auf einen was?«, frage ich.

»Sandauner?«

197

»Ach sooo … auf einen Sundowner. Und? Was hast du gesagt?«

»Dass ich kein Englisch kann und dass mein Mann ja erst seit einem Jahr nicht mehr da ist!«

»Mama, ein Sundowner ist nur ein Getränk, das man zum Sonnenuntergang nimmt. Also nix Schlimmes!«

»Und wenn er mehr will?«

»Das glaub ich nicht, Mama, der Horst hat doch ganz andere Möglichkeiten!«

Meine Mutter richtet sich auf. »Hör mal! Ich bin doch keine Omma! Und die Trude hat gesagt, dass die meisten Männer in dem Alter immer noch ganz spitz sind. Dann denkst du, dass du Kaffee trinken gehst oder einen Sekt, aber Pustekuchen, dann nehmen die dieses Viagro, und dann geht's aber zur Sache, sagt die Trude. Aber das kann der Horst vergessen, solange der Papa tot ist.« Meine Mutter kommt noch ein wenig näher und flüstert mir ins Ohr: »Was ist denn, wenn er über mich herfällt?«

»Das wird er nicht!«

»Und wenn er noch schnell jemanden kennenlernen will, der ihm den Haushalt macht und ihn pflegt im Alter?«

Ich muss lachen und drehe mich rüber zu Horst, der uns mit auf die Nasenspitze gezogener Lesebrille über sein Uhrenmagazin hinweg anschaut, als spürte er, dass wir über ihn reden.

»Wollt ihr nicht doch lieber zu uns kommen?«, ruft Horst, »ich geb auch die Liegen aus!«

»Sehr lieb, aber es geht ja nicht ums Geld, es geht ums Prinzip!«, antwortet meine Mutter wie aus der Pistole geschossen.

»Aber dann nicht jammern, wenn euch die Flut wegspült …«, lacht Horst amüsiert, und Nadine fügt schelmisch an:

»… und dein schönes Schäufelchen mit ins dunkle Meer reißt!«

»Da passt mein Sohn schon auf!«, antwortet meine Mutter und wendet sich mir verschwörerisch zu:»Siehst du's?«

»Was?«

»Wie er mir nachstellt!«

»Unsinn!«

»Wenn ich mir nur vorstelle, dass er versucht, mich zu küssen, wird mir ganz schlecht.«

Meine Mutter imitiert einen Würgereiz. Irgendwie, so mein Eindruck, steigert sie sich da gerade in etwas rein.

»Hat er's denn versucht?«

»Bisher nicht, aber er guckt ja oft so ...«

»Glaub ich nicht, und selbst wenn ... du bist halt einfach noch nicht so weit.«

»Ich bin vierundsiebzig!«

»Noch nicht so weit, weil der Papa erst vor einem Jahr gestorben ist, meine ich!«

»Aber wie mach ich das, dass ich gar nicht erst in so eine Situation komme?«, fragt meine Mutter.

»Leg dich einfach wieder auf den Bauch, so wie eben!«

Was sie tatsächlich macht. Ich greife nach meinem Schäufelchen und drehe mich kurz um. Horst liest, Nadine hat sich rumgedreht und präsentiert mir nun ihren stringfressenden Prall-Arsch. Kopfschüttelnd ziehe ich mein Handy aus der Strandtasche und schaue noch einmal auf Mias Nachricht. Vielleicht sollte ich sie ja einfach anrufen? Damit wir drüber reden? Bevor man sich in kilometerlangen Chats verzettelt ...

Aber was, wenn sie nicht rangeht? Dann ging's mir ja nur noch schlechter!

Ich ruf auf keinen Fall an!

»Nico!«, höre ich Nadine rufen. Ich drehe mich um. Mit einer Hand cremt sie ihre rechte Brust ein, mit der anderen reicht sie mir ihr Handy.

»Was denn?«, frage ich.

»Ein Paul Elias für dich, er will sein Schäufelchen wiederhaben.«

»Nicht lustig!«, antworte ich und schaue weg raus aufs Meer.

»Aber ich hab 'n süßes Foto von dir gemacht, willste mal sehen?«

»Nein!«

»Siehst aber echt niedlich aus mit deinem Käppchen, dem Schäufelchen und dem Eimerchen und mit deiner Mama daneben ...«

»Lösch es bitte!«

»Erst anschauen.«

»Mann!«

Meine Mutter zupft an meiner Badehose. »Wenn das Foto wirklich so süß ist, wie sie sagt, kann sie's mir ausdrucken?«

»Ich glaub nicht, dass Nadine einen Drucker dabei hat, Mama.«

»Komisch, sie wirkt so modern!«

Ich lasse meinen Blick über den Strand schweifen. Wenn Hitlers Leibarzt schon nicht kommt, dann wenigstens irgendein Dealer? Mit irgendwas, was mich selig wegballert bis zum Rückflug mit einem Puls von exakt 59?

Meine Mutter hat sich schon wieder zur Seite gelegt und blättert in ihrem Rasenbuch. Und ich beschließe, Nadine zu fragen. Sie verarscht mich, aber sie ist tough. Und wenn ich sie ernsthaft was frage, dann krieg ich bestimmt auch eine richtige Antwort. Also trotte ich rüber und tippe auf ihren nackten Rücken. Sie dreht sich um und nimmt den Kopfhörer ab.

»Ja, bitte?«

»Ich hab da mal ...«

»Erst das Foto anschauen!«

Sie kramt ihr Handy raus Das Foto ist eine Katastrophe. Ich

seh aus wie ein speckiges Baby, mit meinem Schäufelchen und Eimerchen direkt neben der Mama.

Horst schaut es ebenfalls amüsiert an.

»Also, ich find's süß«, grinst Nadine.

»Löschen!«, wiederhole ich.

»Na gut …«

»Und können wir ein anderes Foto für meine Frau machen?«

Nadine rafft es sofort. »Willst du sie eifersüchtig machen?«

»Ja!«

»Warum?«

»Sie wollte nicht mit in Urlaub, weil sie auf Fortbildung ist mit einem Kollegen in Hamburg, und schickt mir noch blöde Nachrichten.«

Ich gebe Nadine mein Handy mit Mias Nachricht.

»Okay. Das ist schon 'ne Ansage irgendwie.«

»Und was würdest du machen?«, frage ich.

»Auch 'n Foto. Komm einfach mal in mein Gehege.«

Ich darf mich auf ihre Liege zwängen und an sie schmiegen. Nadine hat spürbar Spaß an der Aktion. Ihre Beine fest um mich geschlungen, lässt sie ihre Zunge an meinem Ohrläppchen entlanggleiten und schaut lasziv in meine Handykamera.

Nadine drückt meinen Ellenbogen mit dem Handy nach oben.

»Höher halten!«

»Warum?«

»Doppelkinn. Und nimm deine komische Kindermütze ab.«

»Yap!«

»Und enger ran an mich!«

»Okay!«

»Und Porno-Blick!«

»Porno-Blick? Ich weiß nicht, ob ich so cool aussehe, wenn ich Pornos gucke!«

»Du sollst kucken wie ein Typ, der mich gerade gevögelt hat!«

»JETZT bin ich bei dir!«, schmunzle ich, schmiege mich an ihre Wange und lächle überlegen in die Kamera.

Das Foto ist der Hammer.

»Danke«, sage ich und löse mich aus Nadines Beinschlinge.

»Da nich für«, antwortet Nadine und »dein Rücken ist knallrot, soll ich den mal eincremen?«

»Gerne!«, sage ich und setze mich wieder auf die Liege. Es macht ›klick‹ und ›pffff‹, und dann gleiten Nadines Hände über meinen Rücken.

»Was machst du eigentlich beruflich?«, frage ich sie.

»So Animationen. Und du?«

»Ich bin bei Toyota. Was animierst du so?«

»Hentais, das sind so pornographische Mangas. Und was machst du bei Toyota?«

»Ich zähle Autos.«

»Cool. Fertig!« Nadine klopft mir auf den Rücken und verteilt die restliche Creme auf ihren Brüsten.

»Danke«, nuschle ich, atme tief durch und schaue auf mein Handy. Das ist kein Foto, das ist die erste Minute eines Pornos. Umso besser – und als ich das Foto dann an Mia schicke, fühlt es sich an wie ein kleiner Triumph:

Machen's uns auch schön. Das Universum erlaubt es. Besos, N.

202

21

Gundi ist immer noch nicht gekommen, um die Schlüssel zu holen. Und das, wo meine Mutter mit ihr gestern extra noch einmal alles durchgegangen ist.

»Also, dass die Gundi mich jetzt so im Stich lässt, da bin ich aber wirklich baff!«, hadert sie verzweifelt und sieht irgendwie ganz klein aus neben dem riesigen Koffer, den sie natürlich schon vor drei Tagen gepackt hat.

Mia und ich stehen angespannt daneben in der rustikalen Essecke meines Elternhauses und wissen auch nicht so recht, was wir da jetzt machen sollen, wenn die Gundi nicht kommt, vor allem, weil in genau zwei Stunden der Flieger auf die Kanaren geht und sich dann die Wege von Mia und mir trennen nach all den anstrengenden und fruchtlosen Diskussionen der letzten Tage. In denen es immer wieder um den Urlaub ging. Um Theo. Und um die Frau mit dem modischen Kurzhaarschnitt, an den ich mich erst mal gewöhnen muss: meine Mutter.

»Das ist ein Pixie-Cut. Den hat die Gundi jetzt auch!«

Um es kurz zu machen: Mia hat mir vom Urlaub mit der Mutter abgeraten. Obwohl sie ja der Grund ist, warum ich mit der Mutter fliege, wegen dieser verdammten Fortbildung. Aber so ist es jetzt halt, da müssen wir durch, alle miteinander. Am aufgeregtesten von allen ist meine Mutter, denn zum ersten Mal seit einem Jahr geht's hinaus in die Welt, und zum ersten Mal ist es ohne ihren Mann.

»Was habt ihr denn ausgemacht?«, fragt Mia vorsichtig nach.

»Na, dass sie vorbeikommt, bevor wir weg sind, und ich ihr dann die Schlüssel gebe«, erklärt uns meine Mutter, die in ihren Reise-Leggings und der beigen Fleece-Weste vermutlich seit fünf Uhr früh reisefertig ist.

»Na ja«, gebe ich zu bedenken und schaue auf meine Fitnessuhr, »das ist ja 'ne sooo genaue Zeitangabe jetzt nicht.«

Mein Puls liegt bei 91, aber egal. Deutschland zählt schließlich noch nicht.

»Bisher«, murmelt meine Mutter, »hat das immer geklappt mit der Gundi …«

Betrübt setzt sie sich auf die Ess-Bank und legt die Schlüssel kopfschüttelnd auf den Tisch. Mia und ich schauen uns ratlos an. Dann atmet Mia einmal tief durch und fragt: »Was hätte die Gundi denn machen sollen?«

»Die Blumen und den Briefkasten halt. Wir sind ja nur eine Woche lang weg.«

»Wie?«, hake ich beleidigt nach, »NUR eine Woche? Ist doch besser als nichts!«

»Sie meint das doch nicht so«, schlichtet Mia und tappt dann endgültig in die Falle:

»Na ja, Rosi, also das schaffe ich ja wohl auch gerade noch.«

Meine Mutter schaut so überrascht auf, als hätte Angela Merkel ihr gerade persönlich ihren Lieblingsblazer angeboten.

»DU würdest die Schlüssel nehmen, Mia?«

»Klar«, wiederholt meine Frau und gibt sich große Mühe, nicht beleidigt zu wirken, »ich bin ja nur zwei Tage mal nicht da, wenn du das verschmerzen kannst …«

Meine Mutter überlegt. Dann sagt sie: »Na ja … also … ich hoffe, du kriegst das jetzt nicht in den falschen Hals, aber … du hast ja eine ganz andere Vorstellung von Haushalt und …«

»Ich weiß, Rosi, aber Blumen und Briefkasten, die Zeit nehme ich mir.«

»Und der Grünschnitt! Ab nächste Woche kann man den nämlich wieder abladen bei der Stadt.«

»Blumen, Briefkasten und Grünschnitt. Das krieg ich doch hin!«

Erfreut steht meine Mutter auf und eilt vor den ratlosen Augen meiner Frau in die Küche. »Und den Rest sicher auch. Lass uns die Liste einfach mal durchgehen!«

Ich hätte Mia zurückhalten können. Aber warum? Wenn sie schon nicht mit mir in den Urlaub fliegt, ist mir doch jede Stunde recht, in der sie keinen Unsinn treiben kann.

»Fangen wir einfach mal mit den Tonnen an und wann die vorne stehen müssen!«, höre ich noch aus der Küche.

Ich gehe um die Ecke und betrachte unser altes Wohnzimmer. Den rollbaren Glascouchtisch mit Papas dicken Weinbüchern drauf, die in die Jahre gekommene Holzdecke und die beiden braunroten gemusterten Stoffcouchen, auf denen man nicht mal dann einen Fleck sieht, wenn man einen Teller Spaghetti Bolognese draufkippt. Daneben das Alu-Regal meines Vaters mit seiner LP-Sammlung und der Stereoanlage, die er so geliebt hat. Telefunken. Gibt's die Firma noch, eigentlich? Müsste ich mal googeln. Ich ziehe eine der Schallplatten raus. James Last. Den gibt's nicht mehr, glaub ich. Und was ist das? Julio Iglesias. Daliah Lavi? Und natürlich Brings mit *Dat wor geil – 20 Jahre Brings*. Na ja. Ob dat so geil wor, da scheiden sich ja die Geister. Ich schiebe das Album wieder zwischen Julio Iglesias und Daliah Lavi.

Neben dem Regal hängt noch immer das große Foto von unserer kleinen Familie. Typisch Siebziger. Ich im selbstgestrickten gelbschwarzen Pulli mit breitem Grinsen, aber ohne den Ansatz einer Frisur, mein bemüht lächelnder Vater frisch rasiert im korrekten Anzug samt Krawatte und meine Mutter mit hochgesteckten blonden Haaren und bunter Bluse. Wie wir aussahen!

Vom Blick her wirkt meine Mutter am aufgeräumtesten, ich am verschüsselsten und mein Vater … irgendwie abwesend. Warum lächelt er so steif? Er hatte doch alles! Gut, sein Sohn hatte keine Frisur und dafür den von Mama gestrickten Gruselpulli, aber seine Rosi sah doch toll aus. Und er war ja schon Abteilungsleiter im Möbelhaus und konnte sich ein Haus leisten und … eine Schallplatte pro Monat, die er dann nach Feierabend immer in seinem Stereo-Sessel genossen hat, wie er ihn nannte. Ich stutze. Der Stereo-Sessel ist weg.

»Schatz?«, schallt es schrill aus der Küche.

»Ja?«

»Brauch ich einen Reisepass, oder reicht der Personalausweis?«

Ich eile in die kleine Küche, wo eine blasse Mia mit einem Packen Zettel in der Hand exakt so schaut, als hätte sie gerade die goldene Himbeere überreicht bekommen.

»Personalausweis reicht!«, antworte ich, »aber wo ist Papas Stereo-Sessel?«

»Beim Tierschutzbund.«

»Und warum?«, frage ich verstört.

»Na, weil die die Einzigen waren, die ihn abgeholt haben. Wieso, hast du auch was zu entsorgen?«

»Äh … nein«, antworte ich bedrückt, »es ist halt einfach nur seltsam zu sehen, dass Papas Sessel fehlt.«

»Dein Papa hat gefehlt, da hab ich den Sessel nicht mehr sehen können ohne ihn, tut mir leid, wolltest du ihn?«

»Nein, nein, alles gut. Du hast nichts falsch gemacht.« Ich umarme meine Mutter kurz.

»Wir müssen los, Nico!«, erinnert mich meine Frau.

»Na dann …«, sage ich und klatsche in die Hände, doch als ich den apfelgrünen Koffer meiner Mutter hochheben will, biegt sich zwar der Griff, der Koffer selbst bleibt aber am Boden.

»Mein Gott, was hast du da drin? Steine?«

»Unter anderem, ja«, antwortet meine Mutter schnippisch,
»da sind ein paar Heilsteine drin, aber die sind mir wichtig.«

»Heilsteine?«

Kopfschüttelnd hole ich die Waage aus dem Badezimmer
und wuchte den Koffer drauf: 32,8 Kilo!

»Mama, das ist zu schwer, da muss was raus!«

Entschlossen öffne ich den Koffer und ziehe einen glatten
grünen Stein von der Größe einer Handseife heraus und schaue
meine Mutter so fragend an, dass sie von alleine antwortet.

»Das … ist mein Trommelstein!«

»Und was macht der Stein, was bringt er dir?«, frage ich genervt und schaue auf die Uhr.

»Sag ich nicht!«, antwortet meine Mutter trotzig, »du lachst
mich ja eh nur aus.«

»Für was der verdammte Stein gut ist, Mama!«, zische ich.

»Er bringt Ruhe und Gelassenheit.«

»Wem?«

»Allen, die ihn sich auf den Nabel legen.«

Ich schaue hilflos zu Mia, doch die deutet nur auf ihre Arm-
banduhr.

»Ich weiß, dass wir losmüssen, Mia, aber kannst du mir jetzt
vielleicht mal helfen, wir können nicht alle Steine mitnehmen!
Was ist mit dem hier?«

»Das ist ein Bronzit und ja, der wird dem Solarplexus-Chakra
zugeordnet«, erklärt meine Frau.

Ich stöhne. War ja klar. Nur, dass die Condor halt keinen Solar-
plexus-Chakra-Tarif hat. Meine Mutter hingegen blickt Mia
verwundert an.

»Was du alles weißt …!«

»Sie ist in einer Kuschelschreisekte«, erkläre ich.

»Unsinn. Ich meditiere einfach ab und zu!«, antwortet Mia
gereizt.

»Ab und zu?«, lache ich, »jeden Tag! Und … wenn ich mal kurz darf, weil sonst verpassen wir den Flieger …« Ich ziehe den bisher schwersten Stein aus dem Koffer, versteckt zwischen zwei Strickjacken. Er ist pinkschwarz, wiegt mindestens ein Kilo und ist so groß wie ein Germknödel. »Also Mama, das ist jetzt aber echt nicht dein Ernst, oder?«

»Also, den dürfen wir auf keinen Fall hierlassen, das ist mein Reisestein!«, fordert meine Mutter erbittert.

»Dein REISEstein?«

»Ja, und der hat mir sehr geholfen, als der Papa gestorben ist, weil … ach … du willst es ja eh nicht wirklich wissen.«

»Doch. Weil wenn du einen Stein mitnehmen willst, der ein Kilo wiegt, und wir dann Extra-Formulare ausfüllen müssen und bezahlen wegen Übergepäck, falls wir das vorm Boarding überhaupt noch schaffen, dann will ich halt einfach wissen, wozu genau du diesen riesigen Klumpen da brauchst!«

»Er hilft bei Ängsten und traumatischen Ereignissen!«

»Traumatische Ereignisse? Wir ziehen doch nicht in den Krieg! Wir fliegen in den Urlaub. Und wir müssen unter fünfundzwanzig Kilo kommen!«

»Und halt zum Flughafen«, mahnt Mia.

»Du siehst deinen Theo schon noch früh genug!«, keife ich, doch nun wird auch Mia sauer.

»Nico. Irgendwann reicht es mal. Ich hab auch nix gesagt, als Corinna bei uns übernachtet hat!«

»Ja, aber die kenne ich ja auch seit Jahren!«

»Also, ohne meine Heilsteine schaffe ich das nicht …!«, jammert meine Mutter und setzt sich neben dem Koffer auf die Fliesen. Ich bin ratlos. Was soll ich tun. Tim anrufen und gleich kündigen? Und dann zum Phantasialand fahren und fragen, ob sie noch einen Karussellbremser mit einem 100-er Ruhepuls brauchen?

Ich gebe auf.

»Weißt du was, Mama. Zahlen wir halt das Übergepäck. Wir nehmen die Steine mit!«

»Ja?«

»Ja!«

»Alle?«

»Alle!«

»Danke!«, stößt meine Mutter erleichtert aus, »du bist ein Schatz.«

Es klingelt an der Tür. Es ist die hektische Gundi mit modischem Kurzhaarschnitt. Sie habe schnell noch die Grablichter besorgt für Georg, aber jetzt ist sie froh, dass sie uns noch erwischt hat.

»Da bist du zu spät, wir haben nämlich umdisponiert«, verkündet meine Mutter und übergibt Mia feierlich den Schlüssel. »Um das Haus kümmert sich jetzt meine Schwiegertochter aus Köln.«

22

Die Sauna war eine Idee von Tim, dem meine Werte nicht gefielen. Schon 3 Tage auf Fuerte und immer noch einen viel zu hohen Ruhepuls, den könnten ein oder zwei Saunagänge senken, schließlich müsse er der Zentrale endlich Beweise liefern, dass ich runterkomme und kein Risiko mehr sei für die Firma.

Also Sauna. Ein Riesenfehler von Tim, denn natürlich ist mein Tracker für solche Temperaturen gar nicht ausgelegt und wird sich schmelzend verabschieden, zumindest werde ich es so aussehen lassen. Und wenn mein Chef mich schon selbst in die Sauna geschickt hat, kann er mich danach ja wohl schlecht entlassen – ich schwitze mich also sozusagen in die Freiheit. Mit der Mutter natürlich, die nach dem windigen Strandtag eine schwere Erkältung fürchtet.

»Da muss man ganz schnell handeln und den Körper wieder aufwärmen!«, sagt sie das dritte Mal, als wir uns im Außenbereich vor der Sauna nackig machen.

»Absolut …«, nuschle ich abwesend und schaue ein letztes Mal auf mein Handy, das natürlich auch nicht mit in die Sauna darf: immer noch nichts von Mia nach meinem Strandfoto mit Nadine. War das too much? Aber irgendwas musste ich ja zurückschreiben, ihre Nachricht war schließlich auch nicht ohne, denke ich gerade, da kommt mein Porno-Strandfoto selbst herbeigeschwebt im offenen Clubbademantel, den sie dann auch noch ablegt. Ich halte den Atem an ob ihres perfekten Körpers.

»Na, du Schaufelheld? Bisschen aufwärmen nach dem Tauchgang?«

»Absolut …«, stammle ich, denn natürlich bemerke ich Nadines Flammen-Tattoo, da wo bei anderen Frauen ein Schamhaarstreifen ist, ein Dreieck oder eben auch nichts. Bei Nadine sind es Flammen. Ist das noch Kunst oder schon Brandstiftung und vor allem: Will das Feuer gelöscht werden?

»Setzt du dich neben mich, bitte?«, fragt meine Mutter, die nun auch nackt ist und optisch ganz andere Akzente setzt, »ich mag nicht von fremden, alten Männern angeschwitzt werden!«

»Absolut!«

Jetzt kauere ich bei 80 Grad zwischen dem Flammenluder und meiner Mutter, die ein wenig so aussieht wie ein überreifer Weichkäse auf einem Holzbrett, nachdem die Party vorbei ist. Aber sicher sehe nur ich das so, denn meine Brille musste natürlich auch draußen bleiben.

Meine Mutter hingegen sieht immer noch wie ein Adler und hadert: »Ich fühl mich schrecklich, Nico, also, das Alter is nix!«

»Aber Mama, du bist halt mal vierundsiebzig, und dafür siehst du doch super aus!«, tröste ich sie.

»Ja, ohne deine Brille sagst du das!«

»Aber du siehst wirklich gut aus für vierundsiebzig«, bestätigt die perfekt gebaute Nadine neben mir, und zum ersten Mal lächelt meine Mutter sie an. Ich schaue lieber auf meine Füße. Der kleine Raum mit dem hodentiefen Panoramafenster füllt sich mit weiteren Gästen und … sagen wir so: Zum Love Island-Casting würde hier keiner eingeladen.

»So wie man uns erschaffen hat!«, scherzt dann auch ein beleibter Herr, den man am besten mit ›kurz vor Calmund‹ beschreiben kann, und ich denk mir, nein, soooo hat man dich nicht erschaffen, das hast du dir schön selber angefressen!

Gut, ich bin jetzt auch keine glatte Eins, aber eine Bier-wampe ist das noch nicht. Vielmehr teilt sich mein Bauch in drei gleichgroße Ringe. Aber nur im Sitzen. Im Liegen und ohne Brille bin ich schlank! Leichter Brustansatz, aber geht noch. Hätte ich allerdings geahnt, dass ich heute noch meine primären Geschlechtsorgane präsentieren muss, ich hätte mich kurz um mein Schamhaar gekümmert. Den Langhaarschneider mit den verschiedenen Aufsätzen hätte ich mitnehmen sollen, den Mia mir zu Weihnachten geschenkt hat, mit dem ich so gar nichts anfangen konnte. Alles über 15 Millimeter sei Salafismus, hab ich da noch getönt. Und jetzt? Sieht mein Schniepi aus wie ein Schlagersänger aus den 70ern. Peinlich.

Noch schlimmer ist allerdings, dass meine Mutter seit Nadines Kompliment munter mit ihr über mich hinwegplaudert. Im Flüsterton, aber trotzdem hörbar, weil ich dazwischensitze.

»Wir haben uns damals richtig Sorgen gemacht, weil der Nico so lange gar kein Interesse hatte an Mädchen.«

Erste Schweißtropfen rinnen mir vom Bein. Ich schaue auf die Sanduhr, gut ein Viertel ist durchgelaufen.

»Hattet ihr denn Angst, dass er schwul ist?«, fragt Nadine.

»Eine Weile dachten wir das.«

What? Ich hebe die Hand und räuspere mich. »Ihr Lieben. Ich sitze zwischen euch!«

»Ja, und? Es geht doch auch um dich!«, verteidigt sich meine Mutter.

»Aber es sind ja auch noch andere Leute hier.«

»Nadine hat doch beim Abendessen auch von der Umkleide erzählt.«

»Ja. SIE hat es erzählt. Nicht ihr Vater. Und auch nicht nackt in der Sauna!« Ich zupfe verärgert an meinem Handtuch.

»Also, mich stört das gar nicht«, sagt eine Frau hinter uns, was die anderen Saunagäste grummelnd bestätigen.

»Na dann …«, stöhne ich und starre durch das Fenster nach draußen auf den Strand in der späten Nachmittagssonne, »tut einfach so, als wäre ich gar nicht da!«

Meine Mutter gehorcht aufs Wort und setzt nahtlos dort an, wo ich sie unterbrochen habe: »Sein erster Kuss war jedenfalls erst mit sechzehn oder so, stimmt's, Schatz?«

»Kann sein«, nuschle ich.

Nadine blickt mich mitleidig an: »Wow! Warum denn so spät?«

»Wegen der selbstgestrickten Pullunder von meiner Mutter natürlich«, sage ich laut.

»Die waren modern damals!«, erwidert meine Mutter.

»Schwarz-gelb gestreifte aber nicht!«, protestiere ich, »du hast mich ja zugerichtet wie den Willi aus *Biene Maja*!«

Hinter mir glucksen einige Saunagäste. Ich drehe mich um und schaue dabei auch auf die Sanduhr. Die Hälfte ist durch.

»Ich hab dich doch nicht zugerichtet!«, entrüstet sich meine Mutter.

»Dann schau dir einfach mal die alten Fotos an!«

»Die rote Brille hast du dir selbst ausgesucht.«

»Die Pickel aber nicht!«, zische ich.

»Ja, wer nur Nutella isst, kriegt eben Pickel!«

»Sekunde mal, Rosi«, flüstert Nadine über mich hinweg und macht ein Time-Out-Zeichen mit den Händen wie beim Basketball, »Nico hatte schwarz-gelb gestreifte Strick-Pullunder an, eine rote Brille UND Pickel?«

»Ja«, bestätigt meine Mutter, »eine ganz schlimme Akne war das. Da hat er eigentlich noch mehr drunter gelitten als unter der Zahnspange.«

Nadine steht der Mund offen. »Eine Zahnspange AUCH NOCH?«

»Ja«, nickt meine Mutter, »und zwar so eine mit einem Band um den Kopf.«

»Mein Gott, der arme Kerl …«, sagt jemand in der letzten Reihe. Ich hab inzwischen den Blick gesenkt und will nur noch raus. Einziger Trost: Mein Tracker ist in der Zwischenzeit offiziell dahingeschmolzen wie ein Stück Ritter Sport Joghurt in der Sonne. So richtig genießen kann ich es aber gerade nicht. Vorsichtig hebe ich meinen Kopf, mein Blick streift Nadines Schoß und ihre Brüste, und schließlich sage ich kleinlaut: »Jetzt weißt du, warum ich meinen ersten Kuss mit sechzehn bekommen hab. Oder hättest DU mich geküsst?«

Nadine starrt mich an. »Ich hätte dich verdroschen!«

Der bisher größte Lacher des Saunagangs, offenbar ist es ja auch keine Sauna, sondern eine Art Offene Stand-up-Bühne mit mir als Haupt-Act. Und leider scheint meine Mutter den Vorwurf, sie hätte mich als Kind »zugerichtet«, auch nicht wirklich auf sich sitzen lassen zu wollen.

»Wir haben auch mal Hefte gefunden unter seinem Bett, das war für Georg und mich schon ein Schock, was da alles zu sehen war!«

Wütend schlage ich mit der Faust auf die hölzerne Sitzbank. »Mama! Kannst du jetzt vielleicht mal damit aufhören? Muss ja echt nicht sein, vor all den Leuten!«

»Ach, Nico …«

Ich werfe meiner Mutter einen bösen Blick zu. »Mama, im Ernst: Warum erzählst du das alles?«

»Ich bin einfach froh, wenn mir mal einer zuhört.«

»Also bin ich wieder schuld?«

»Nein, mein Schatz. Ich frag ich mich halt gerade, warum du so geworden bist.«

»Hallo???«, entfährt es mir, »warum ich so geworden bin? Jetzt geht's aber los!«

»Das verstehst du jetzt wieder total falsch, aber du musst doch zugeben, dass du anders bist als die anderen.«

Und wieder Gelächter.

»Ja, Mama. Und da bin ich auch ganz froh drüber. Und können wir jetzt bitte einfach mal nur hier sitzen, schwitzen und die anderen Gäste in Ruhe lassen? Danke!«

Hinter mir räuspert sich ein älterer Herr: »Also, ich fand ihn auch komisch eben, wie er sich vorgedrängelt hat bei den Handtüchern.«

Ich reiße meinen Kopf nach hinten, um zu sehen, wer das gesagt hat, aber alles ist dunkel und unscharf.

»Er läuft auch irgendwie krumm, so als wäre sein linker Arm schwerer«, ergänzt eine Frauenstimme von links. Es ist die Dame neben meiner Mutter. Sie ist doppelt so dick wie ich, hat fast keine Brüste, dafür aber eine Knollennase.

»Ich lauf bitte WIE rum?«, bölke ich zurück.

»Man haut auch in der Sauna nicht einfach so auf die Holzbank, ich hab mich richtig erschrocken eben. Sehr unhöflich …«, grummelt eine mir unbekannte Männerstimme von ganz hinten. Der Rest der Sauna stimmt brummend zu.

»Moment mal, ich hab ihn nicht so erzogen, bei uns waren Manieren immer wichtig!«, rechtfertigt sich meine Mutter.

»Danke! Vielen Dank!«, sage ich angepisst. »Hat vielleicht noch jemand eine Bemerkung zu meiner Körperhaltung, meinem Sozialverhalten oder meiner sexuellen Entwicklung? Weil, wenn nicht, dann würde das unhöfliche Arschloch mit dem Buckel und dem Schlackerarm einfach mal unter die kalte Dusche!«

Schweigen. Nur Nadine muss kichern. Und dann drückt sie mir sogar einen Schmatz auf die Wange: »Ich find dich gut. Und ich sah auch scheiße aus als Kind!«

»Danke, aber glaub ich nicht«, sage ich ebenso überrascht wie geschmeichelt.

»Wirklich! Ich zeig dir mal Fotos«, lacht sie und legt ihren

Kopf auf meine schweißnasse Schulter. Ich rühre mich nicht, ich spüre sie nur und genieße sogar ein bisschen. Denn wer weiß schon, was gerade in Hamburg los ist? Und dann fliegt die Tür auf und ein krachschwuler Animateur springt mit Handtuch, Holzeimer und Lautsprecher in die Sauna wie ein Karnevalsprinz in die Bütt.

»Auuuuufgussss!«

Die Gäste klatschen, und ein bekannter Schlagertitel ertönt. Andreas Martin, glaube ich, mit *Ich fang dir den Mond*. Der Animateur kippt eine Flüssigkeit auf den Ofen, dirigiert mit seinem Handtuch, und die Gäste singen tatsächlich mit: »Ich fang dir den Mond mit einem gold'nen Lasso ein …«

Von mir aus. Fangt ihr mal. Hauptsache, keiner hackt mehr auf mir rum. Binnen Sekunden verschwinden wir alle in einer heißen Schlagerdampfwolke, und mit ihr verschwindet auch der unerklärliche Drang meiner Mutter, sämtliche Saunagäste über meine offensichtlich komplett verunglückte Kindheit zu informieren. Das Universum ist mit mir. Mehr noch – als ich inmitten des Dunstes verschwinde und alle Menschen um mich herum mit dazu, erkenne ich plötzlich die Tragik meiner Kindheit – es lag nicht an mir, dass ich so spät an meinen ersten Kuss kam, meine Mutter war schuld! Und vielleicht ist sie es ja immer noch! Rosi Schnös duldet einfach keine Göttinnen neben sich.

Eine Göttin ist halt aber immer noch da. Im Schutz des Saunanebels schiebt sich deren Hand sanft und liebevoll unter mein Handtuch. Mir stockt der Atem. Sie wird doch nicht ernsthaft …? Neben meiner Mutter …?

Es sind nur noch wenige Zentimeter bis zu meinem 70er-Jahre Schlagersänger, doch als der sich neugierig erhebt, endet der Lasso-Aufguss, die Tür fliegt auf, und alle rufen »Meergang!«

»Meergang?«, frage ich erschrocken, und Nadine zieht ihre Hand zurück.

»Ganz genau, wir springen ins Meer!« Nadine greift sich ihr Handtuch und steht auf.

»Das wollte ich immer schon mal machen!«, strahlt meine Mutter und nimmt meine Hand. Nadine wirft mir ein Handtuch zu. »Nimm das mal. Muss ja nicht jeder sehen, dass wir gefummelt haben.«

Mit Handtuch, Mutter und Flammenluder geht es über eine Wendeltreppe hinunter an den Tennisplätzen vorbei zur Drehtür, die uns direkt zum Strand führt. Ich muss den Bauch aufblähen, damit das Handtuch nicht fällt. An den verbliebenen Strandgästen vorbei renne ich durch den warmen Sand, und dann endlich lässt meine Mutter meine Hand los, wirft ihr Handtuch auf eine der verwaisten Kunststoff-Sonnenliegen und stolpert mit vielen »Uuuhhhs« und »Aaahhhhs« in den Atlantik wie ein kleines Kind. Direkt vor mir joggt Nadine in Slow Mo durch den Sand wie das Almased-Model mit dem gelben Bikini und dem Mops. Da hält sogar der Atlantik inne.

»Der helle Wahnsinn!«, ruft meine Mutter, die sich bereits mutig in die Fluten gestürzt hat und hektisch im Kreis schwimmt

»Des isch der Hammr!«, krakeelt eine Schwäbin.

Mit Handtuch um die Hüfte und Füßen im Wasser stehe ich da, wie damals als Kind auf dem Sprungbrett im Schwimmbad. Nadine winkt mir von einer Sandbank, sie ist nur bis zur Hüfte im Wasser.

»Ich komm nicht mit rein!«, rufe ich.

»Nicht büllen, schwimmen!«

Das Handtuch werfen. In diesem Augenblick wird mir klar, woher die Redewendung kommt. Vielleicht muss man sich ja dann und wann einfach mal einen Ruck geben, um vom Leben zu kosten, so wie meine Frau in Hamburg. Jetzt zum Beispiel. Ich atme alle Luft aus, werfe mein Handtuch zu den anderen und renne los. Kämpfe mich mit rudernden Armen durch die ersten, noch warmen Meter des Atlantiks und tauche schließlich unter. Es ist herrlich. Ich drehe mich auf den Rücken und strample nur so viel mit den Beinen, um nicht unterzugehen. Genieße die Frische, bestaune das Abendrot der untergegangenen Sonne und den blassen Mond am Firmament. Der Tag noch nicht gegangen, die Nacht noch nicht da, nur ich und das Meer.

Der Club wird kleiner, die Stimmen der anderen leiser, und als ich meine Mutter aus der Ferne rufen höre, dass sie jetzt wieder reingeht, weil es Sekt gibt am Pool, da muss ich sogar schmunzeln. Der Tracker geschmolzen, die Mutter froh, ich fühle mich plötzlich frei, als ob ich der Welt und all dem Gedankengedöns davonschwimme, um mich endlich ein wenig auszuruhen im wohligen Schoß des Atlantiks.

Und dann steht Nadine vor mir in all ihrer Pracht mit ihren Brüsten nur knapp über der Wasserlinie und streckt ihre Hände aus. Ich schwimme zu ihr wie ein Fisch zum Köder und greife ihre Hände. Richte mich auf und lasse mich an sie heranziehen. Ich genieße ihre Wärme und ihren Herzschlag. Es ist einer der seltenen Augenblicke, in denen ich nicht das Produkt meiner wirren Gedanken bin, sondern einfach nur ich selbst.

Denn hätte ich auch nur eine Sekunde nachgedacht, wir hätten uns niemals geküsst.

23

Irgendwie hatte ich plötzlich das Gefühl, ich sollte Zeit mit meinem Vater verbringen. Alleine. Bevor es zu spät ist.

Das Gefühl kam an einem verregneten Freitagnachmittag vor dem ›Institut für Achtsamkeit‹, wo ich auf meine Frau wartete, und schuld daran war so eine banale Weisheiten-Postkarte, die in einem dieser Drehständer verkauft wurden. ›The trouble is you think you have time‹, stand da. Eine Weisheit von Buddha. Dessen These, man solle bloß nicht glauben, dass man Zeit hätte im Leben, war so ziemlich das exakte Gegenteil dessen, was mein gemütlicher Vater stets zu sagen pflegte. Sein Leitspruch war:»Wir haben alle Zeit der Welt.«
Ja, und wer hatte nun recht? Buddha oder Georg Schnös?
»Buddha natürlich«, sagte Mia, als sie endlich von ihrer Meditation kam und recht verwundert war, mich plötzlich so nachdenklich zu sehen,»oder glaubst du, wir leben ewig?«

Diese blöde Postkarte – sie hat mich getroffen. Einen Tag später hatte ich zwei Tickets für das Top-Spiel 1. FC Köln gegen Bayern München. Ich wollte meinem Vater was bieten, einen perfekten Tag mit ihm verbringen und ganz nebenbei meine Mutter entlasten, an der er seit seiner Pensionierung klebte wie ein Bär am Honigtopf. Meine Mutter war begeistert:»Das ist super, dann kann ich das ganze Haus durchsaugen und Pflanzen kaufen!«
Mein Vater hingegen meinte nur:»Eine schöne Idee, Nico,

da komme ich mit!«, und ich war richtig froh, denn wie sagte Buddha auf seiner Karte um die Ecke: Man weiß ja nie …
Seltsamerweise machte ich mir um meine Mutter gar keine Sorgen. Sie schien mir viel zu beschäftigt, um einfach so sterben zu können, und hätte irgendwann der finstere Sensenmann an die Tür unseres Pulheimer Reihenhauses geklopft, um sie mitzunehmen, hätte sie garantiert gesagt:»Ist gerade ganz schlecht, ich muss den Grünschnitt wegbringen.«
Je aktiver meine Mutter wurde, desto mehr schien sich mein Vater zurückzuziehen. Ein ruhiger Zeitgenosse war er aber nicht erst seit seiner Pensionierung. Er war Möbelverkäufer in einem der größten Häuser der Region, aber war er auch glücklich mit seinem Leben? Ich hab nie danach gefragt, und irgendwie schämte ich mich jetzt dafür. Auf der anderen Seite, wann hätte ich ihn fragen sollen?! Wenn ich einmal im Monat zu einem Mittagessen aufschlug, dann saß ja stets die Mama daneben, und irgendwie glaubte ich alles, was sie erzählten, also dass alles fein sei und in bester Ordnung, und ich wollte es auch glauben. Die Eltern als kleinste Kirche der Welt. Als Institution, die uns schützen will und nicht beunruhigen. Uns geht's gut. Amen. Noch ein Eis, vielleicht?
Dass es die beiden Kirchenteile nie wirklich einzeln gab, war aber schon ein Problem. Die Augenblicke jedenfalls, in denen ich mit meinem Vater wirklich alleine war, konnte ich an einer Hand abzählen. Stets wollte er seine geliebte Rosi dabeihaben. Er liebte meine Mutter über alles. Da war Fußball natürlich meine Chance. Das war nun wirklich nichts für sie. Vermutlich hab ich dann einfach zu viel von diesem Ereignis erwartet. Im Nachhinein muss ich nämlich sagen: Von allen Tagen, die ich mit meinem Vater verbracht habe, war dieser der schlimmste.

Dabei hatte ich alles ganz genau geplant. Meine Mutter würde den Papa bei Mia und mir absetzen und sich danach ganz der nachhaltigen Bodenpflege widmen und zum Gartencenter fahren. Und da Mia und ich so nah am Stadion wohnen, würde ich in jedem Fall schon zu Hause ein Kölsch mit meinem Vater zischen, und dann würden wir gemeinsam durch den Stadtwald spazieren bis zum Landhaus Kuckuck, einem rustikalen Restaurantbetrieb mit Biergarten, wo es vor den Heimspielen leckere Bratwürste und Kölsch vom Fass gibt. Wir würden ein frisch Gezapftes trinken und eine Wurst essen, und anschließend würde ich meinem Daddy endlich mal einen Fan-Schal kaufen. Und wenn dann die FC-Hymne ertönte im Stadion, dann würde ich ihn in den Arm nehmen und ein Foto von uns beiden machen. Wie wir die Hymne schmettern. Vater und Sohn.

Ich weiß, es klingt verrückt, aber ich wollte einfach dieses Foto. Ich wollte es als Balsam gegen mein schlechtes Gewissen für das Loch zwischen Abi und Bayern-Spiel und als Beweis für mich selbst, dass ich noch was Tolles mit meinem Vater unternommen habe, solange er da war. Das Spielergebnis war mir egal, Hauptsache, der FC schoss überhaupt ein Tor, denn dann könnten wir von den Sitzen springen, uns umarmen und gemeinsam mit 50 000 anderen »Kölle alaaf!« singen bei vorausgesagten 26 Grad. Was also konnte schiefgehen? Nun – alles.

Mein Vater kam zu spät und im bewährten Zwiebellook: Unterhemd, T-Shirt, grünes, langes Hemd, karierter Pullunder, beige Strickjacke und weiße Winterjacke. Und das bei der Frühlingshitze. »Wo kommst du denn her?«, veräppelte ich ihn schon an der Tür, dabei hatte ich mir so fest vorgenommen, nett zu ihm zu sein an diesem Tag.

»Aus Sibirien«, antwortete er trocken und ein wenig atemlos und ergänzte, »ich bitte die Verspätung zu entschuldigen! Und liebe Grüße von der Mama an euch beide!«

Dann umarmte er mich steif und drückte seiner geliebten Schwiegertochter Mia ein Küsschen auf die Wange, um sogleich in unserem gelben Flurkorbstuhl zu versinken. Er wirkte angespannt irgendwie, fast als müsste er gleich selbst aufs Feld gegen die Bayern. Die Jacke ausziehen wollte er dann ebenso wenig wie ein kühles Kölsch zischen. Seine Begründung:»Man muss aufpassen!«

Das war so ein Standard-Spruch von ihm, der mich in den Wahnsinn trieb, und in der Regel antwortete ich mit ›Auf was bitte muss MAN denn aufpassen?‹

Mia erkannte, dass er nicht wirklich ein Kölsch wollte, nahm ihm das Glas wieder ab und reichte eine Fassbrause. Von der er allerdings nur einen Schluck trinken konnte, weil wir los mussten.

»Ja? Wann ist denn Anstoß?«

»Halb vier, Papa!«

»Aber da haben wir doch alle Zeit der Welt.«

»Ja, eben nicht«, konterte ich nervös,»ein bisschen beeilen müssen wir uns schon!«

Ich wollte halt nicht zu spät kommen, ich wollte die Wurst, die Hymne und das Foto. Und einen Sieg gegen die Bayern natürlich. Köln war eh schon abgestiegen und die Bayern längst Meister, da konnte was gehen zu Hause. Fand mein Vater nicht.

»Am Ende kriegen sie ja doch wieder auf die Mütze.«

»Glaub ich nicht. Wir haben doch den Horn!«

»Und die Bayern Lewandowski. Eins zu drei geht's aus!«

»Bist du Bayern-Fan oder Pessimist, Papa?«

»Ich bin Realist.«

Mia umarmte uns beide und sagte:»Ich glaube, ihr geht jetzt besser mal. Viel Spaß und bis später!«

Und das machten wir dann auch. Ich in Jeans und FC-Trikot, mein Vater in seinen sechs Schichten mit der dicksten zum Schluss und viel zu großen Schuhen. Er sah aus wie ein Astronaut ohne Helm.

»Schwitzt du nicht?«

»Ich kann jederzeit was ausziehen.«

Und so richtig schnell war er auch nicht.

»Papa, wenn du noch langsamer gehst, stehst du!«

»Nico, gerade wenn du es eilig hast, dann gehe langsam.«

»Ja, aber doch nicht zum Bayern-Spiel!«

Eine gute halbe Stunde hatte ich eingerechnet für den Weg zum Stadion, doch so recht kamen wir nicht voran. Alle paar Meter blieb er stehen, um entweder einer Entenfamilie zum Nachwuchs zu gratulieren oder den urigen Stamm einer alten Eiche zu bewundern.

»Weißt du, wie man das Alter von so einem wunderbaren Baum herausfindet?«

Ich stöhnte, denn in weniger als einer Stunde war Anstoß, und wir hatten noch nicht mal die halbe Strecke hinter uns. Außerdem wollte ich ins Stadion mit meinem Papa und keinen Biologie-Unterricht.

»Ich weiß es nicht, sag es mir!«, seufzte ich, denn natürlich wusste ich – wenn man ihn hetzte, dann wurde er noch langsamer.

»Man schaut auf das Schild vom Grünflächenamt.«

Was ich dann auch tat. Die Eiche war 430 Jahre alt. Und mein Vater lachte.

Irgendwie trieb ich meinen Papa dann doch bis zum Landhaus Kuckuck, in dem Karnevalsmusik lief und das bereits überquoll mit Kölner Fußballfans. Doch mein Vater wollte keine Wurst, zu viele Leute, das Geschubse täte er sich nicht mehr an.

Ich merkte, wie ich immer angespannter wurde. Wo war die

Freude über den schönen Tag, wo die Leichtigkeit und überhaupt – wo zum Teufel war mein Vater? Der witzereißende Astronaut ohne Helm war es jedenfalls nicht. Und rauszukriegen war auch nichts aus ihm. Wie's mit der Mama läuft so als frischgebackener Pensionär? Wunderbar, und wenn einer von ihnen mal nicht mehr da ist, dann gehe er auf jeden Fall nach Italien. Ob er gesund sei? Alles bestens, das Praxisteam habe ihm applaudiert. Ob er den teuren Wein endlich mal aufgemacht habe, den ich ihm zu Weihnachten geschenkt hatte: Nein, aber den könne man ja auch bis 2040 lagern, hätte ich ihm gesagt.

»Ich werde hundertzehn.«

»Na dann!«

Und dann verschwand mein Vater so lange auf der Toilette vom Landhaus Kuckuck, dass ich sieben Paar Bratwürste hätte holen können in der Zeit. Als er schließlich erleichtert aus der Tür trat, waren es noch wenige Minuten bis zum Anpfiff.

Die FC-Hymne hörten wir nicht auf der Tribüne, sondern in der Menschentraube vor dem Einlass. Ich hätte heulen können. Und als wir unsere Plätze erreichten, war die Partie bereits in der siebten Minute. Außerdem sah ich, dass ich einen Fehler gemacht hatte bei der Online-Buchung: Mit dem Block W5 hatten wir zwar tolle Karten, aber wir saßen hintereinander, nicht nebeneinander. Wie blöd von mir! Und den Fan-Schal zu kaufen hatte ich auch vergessen in der Hektik. Was mein Vater überhaupt nicht schlimm fand, da gäbe es Schlimmeres, in Österreich hungerten die Kinder. Wie oft hat er den erzählt? Ich weiß es nicht.

Ich ließ meinen Vater vor mir sitzen und versuchte, mich zu entspannen. Vielleicht hatten wir ja nur einen schlechten Start und ab jetzt würde es bergauf gehen. Die Zeichen standen gut: das Wetter phantastisch, das Rheinenergiestadion trotz des sicheren Abstiegs in die Zweite Liga ausverkauft, und dann gab es sogar gleich noch die erste Topchance für den FC – nur knapp flog der Kopfball des Kölners über das Bayern-Tor. Alle um uns herum sprangen auf. Ich auch. Nur mein Vater nicht. Ich tippte ihn von hinten an:

»Haste gesehen? Das war total knapp!«

»Ach, mindestens drei Meter drüber!«

Kurz darauf stand ein Kölner Stürmer sogar alleine vor dem Münchner Keeper, doch blöderweise semmelte er das Leder haarscharf am rechten Pfosten vorbei. Ein Raunen ging durchs Stadion.

»Nicht schlimm!«, merkte mein Vater an und stand auf.

»Was hast du vor?«, fragte ich ihn verdutzt.

»Ich geh aufs Klo.«

»Aber doch nicht während des Spiels!«, protestierte ich.

»Gerade dann«, klärte mich mein Vater auf und hob den Zeigefinger, »dann ist nicht so viel los!«, und damit quetschte er sich an den anderen Zuschauern seiner Reihe vorbei Richtung Treppe.

Es kam, wie es kommen musste. Als Süle den Pass eines Kölner Spielers ins eigene Tor abfälschte zum Eins zu Null für unseren FC, war der Sitzplatz vor mir leer. Das Stadion explodierte vor Freude, Köln war doch tatsächlich in Führung gegangen. Gegen die Bayern! Doch statt mit meinem Vater klatschte ich mit meinem unbekannten Sitznachbarn ab. Der Sprecher feierte das Tor, das »Trömmelche« wurde eingespielt und aus Zehntausenden Kehlen schallte das berühmte »Kölle alaaf!« Ich blieb stumm, so traurig war ich. Ich sah nur die leere rote Sitzschale vor mir und dachte: was für ein verpasster Moment!

Als mein Vater zurückkam, wirkte er ganz und gar nicht zerknirscht, im Gegenteil, er lachte über das ganze Gesicht:

»Eins zu null! Wahnsinn!«

»Aber DU hast das Tor gar nicht gesehen …«, raunte ich vorwurfsvoll.

»Doch! Auf dem Fernseher vor dem Klo.«

»Na dann …«

Meine Stimmung blieb auf Zweitliganiveau, doch ich gab nicht auf. Als ich in der Pause Bier holen wollte, lehnte mein Vater ab, er sei zufrieden. Also ließ ich ihn, holte mir selbst ein Bier und fing fast einen Streit mit einem Bayern-Fan an, der direkt neben mir »Zweitligaplörre« orderte statt »Kölsch«.

Die zweite Halbzweit wurde angepfiffen, und während ich noch darüber sinnierte, warum der Nachmittag so war, wie er war, schossen die Bayern mal eben drei Tore.

»Eins zu drei, was hab ich gesagt?!«, freute sich mein Vater.

»Wir haben ja noch sieben Minuten!«, entgegnete ich und nahm die Augen nicht vom Spielfeld, denn beim FC, da wusste man nie …

»Dann lass uns lieber gehen, sonst kommt unsere Mia noch in den Stau!«

»Aber das ist doch jetzt scheiße!«, brach es aus mir heraus, und ich klatschte mit der Hand auf die Rücklehne meines Vaters, »wir sind zu spät, du trinkst kein Bier, du verpasst das Tor und dann willst du noch früher gehen, da kann ich auch alleine ins Stadion!«

Mein Vater überhörte es. Ich sagte nichts mehr, ich war stocksauer. Schweigend quetschten wir uns an den anderen Fans vorbei, stiegen gemächlich die Treppen herab und liefen über die Vorwiesen bis zur Aachener Straße und dann noch eine Bahnstation hoch bis zum Beauty Spa, wo Mia auf uns wartete.

»Gott sei Dank, ihr seid heil zurück! Und? Wie war's?«, fragte sie neugierig.

»Toll«, sagte mein Vater, »ein echtes Erlebnis! Ich hab sogar richtig getippt.«

»Papa? Der FC hat verloren!«

»Ist doch nur ein Spiel.«

Ich sagte nichts, zwang mich zu einem Lächeln, und während wir meinen selig auf der Rückbank sitzenden Vater zurück nach Pulheim fuhren, brachte ich keinen Ton raus. Mein Vater schwieg auch, doch als wir schließlich vor mein Elternhaus rollten, fragte er:

»Wollt ihr noch mit reinkommen auf eine Limo vielleicht? Die Mama kommt sicher auch gleich!«

Ich hätte meine Mutter gerne gesehen, aber an diesem Tag, da ging es einfach nicht.

»Ich hab auch Lasagne gemacht, ihr könnt sogar zum Essen bleiben!«

»Dank dir, Papa, aber wir sind noch bei Freunden eingeladen«, log ich, und das, obwohl ich nichts lieber aß als die Lasagne meines Vaters. Aber heute eben nicht. Mein Vater trug es mit Fassung, umarmte mich und Mia und bedankte sich für alles.

»Das war ein wunderbarer Nachmittag, danke!«

Wir winkten noch, als er in der Tür stand, dann fuhr Mia von der Einfahrt und bog links ab Richtung Köln.

»Was war denn?«, fragte Mia mich vorsichtig.

»Was war?«, zischte ich zornig, »er war einfach unmöglich! Er trinkt nichts, wir kommen zu spät, und dann verpasst er auch noch ein Tor, weil er aufs Klo geht mitten im Spiel. Und am Schluss ärgert er sich nicht mal, dass wir verloren haben! Und so was ärgert mich dann halt.«

»Dann gehst du das nächste Mal vielleicht besser alleine?«, sagte Mia ruhig.

Und das konnte ich dann auch. Weil es das letzte Mal war, dass ich meinen Vater gesehen hatte.

227

24

Ich hab eine fremde Frau geküsst und einen Fitness-Tracker um den Sack, das sind die Tatsachen. Weil weder Tayfun noch meine Mutter das Ding sehen dürfen und das Band nicht um meinen Knöchel passt. In der Sauna geschmolzen ist es jedenfalls nicht, weil Tim den Tracker auf meinem Zimmer orten konnte.

Schlau, den Tracker nicht mit in die Sauna zu nehmen! Cheers, Tim.

Wichser! Was den Kuss angeht, wollen wir die Moschee mal in Ehrenfeld lassen. Es war nur ein Kuss, das passiert eine Million Mal an Karneval, und Mia hat mich auch provoziert mit ihrer Hamburg-Fortbildung. Aber reden müssen wir trotzdem dringend mal.

Noch allerdings stehe ich im Aufzug mit meiner Mutter und starre auf die Etagen-Anzeige. Wir sind bei Horst eingeladen. Meine Mutter trägt ein buntes Sommerkleid und die Silberkette, die mein Vater ihr beim letzten gemeinsamen Weihnachtsfest geschenkt hat, und wenn ich ihre Miene richtig deute, macht sie sich ähnliche Gedanken wie ich.

»Mama, wir nehmen doch nur einen Aperitif zusammen!«

»Und trotzdem ist es ein anderer Mann!«

Wir sind auf der 11, und die Lifttür öffnet sich. Doch keiner von uns tritt heraus. Stattdessen schaut meine Mutter mich fragend an. »Will diese schreckliche Nadine denn was von dir?«

»Keine Ahnung, ich … glaub nicht«, antworte ich stockend und hoffe, dass meine Mutter den Atlantikkuss nicht beobachtet hat.

»Aber sie hat dir ein Bussi gegeben in der Sauna!«

»Ja, aber aus Mitleid, weil du mich als Kind so zugerichtet hast!«

Beleidigt tritt meine Mutter auf den orangenen Teppich des Hotelflurs. Ich folge ihr und stelle fest: alles neu hier, alles anders als bei uns unten in den alten Zimmern, wo wir keine coolen Betonwände haben, kein gedämpftes Licht und auch keinen Früchteduft. Ich entdecke einen Wegweiser für die Zimmer 1101 bis 1111 und biege nach rechts. Meine Mutter folgt mir.

»Wieso denn überhaupt ›schreckliche Nadine‹?«, frage ich, »magst du sie nicht?«

Wir passieren die Zimmer 1103 und 1105.

»Warum sollte ich Nadine nicht mögen?«, entgegnet meine Mama.

»Mia magst du ja auch nicht.«

»Wie bitte?«, prustet sie noch, da öffnet sich auch schon die weiße Designtür mit dem 1111-Schild, und ein strahlender Horst steht im Türrahmen wie in seinem eigenen Ölgemälde. Er trägt ein petrolfarbenes Poloshirt und eine Khakihose mit Flip Flops, am Armgelenk baumelt die Rolex, die er im Transferbus anhatte. Die Mama ist so verwirrt, dass sie reflexartig die Hand reicht. Horst umarmt sie einfach lächelnd.

»Rosi, da waren wir doch schon weiter, oder?«

»Ich weiß nicht …«

»Du siehst phantastisch aus!«

»Danke.«

»Und du wie immer, Nico.«

Ich werde auch umarmt, wenngleich ein wenig väterlicher. Komm rein, mein Junge!«

Mein Junge? Das wüsste ich aber! Doch noch bevor ich groß darüber nachdenken kann, ob ich mir den Horst als Ersatzvater vorstellen könnte, stehen wir inmitten eines spektakulären Penthouses mit offener Küche und fluffiger Sitzecke und blicken durch Panoramascheiben hinunter auf den tiefblauen Atlantik.

»Ja, das ist Chef!«, rutscht es mir raus.

»Der helle Wahnsinn!«, entfährt es meiner Mutter. Horst holt eine weiße Moët-Ice-Flasche aus einem Glaskühlschrank, öffnet sie und gießt sie in edle Cognac-Gläser mit bunten Früchten und gecrushtem Eis.

»Schön, dass ihr hier seid. Ich find's immer ganz entspannend, noch in Ruhe einen zu trinken vor dem ganzen Wahnsinn da unten.«

»Absolut«, sage ich, und meine Mutter: »Was denn für ein Wahnsinn?«

Horst reicht uns die Gläser. »Na ja, halt den Achtertisch-Wahnsinn. Hab schon überlegt, ob wir mal Wine-Dining machen in Ruhe heute. Nadine??«

»Was denn?«, tönt es genervt aus einem Zimmer nebenan. »Frühstück!«

Ich erstarre augenblicklich. Dass die Flammenfrau bei ihrem Vater wohnen könnte, ist mir keine Sekunde in den Sinn gekommen. Meine Mutter blickt auf ihre Uhr und schaut mich fragend an. Ich sage nichts und folge Horst auf die mit edlem Holz belegte Dachterrasse. Mit offenem Mund lasse ich den Blick vom Leuchtturm links über den Strand bis hin zum benachbarten Fischerdorf schweifen.

»Blitzt euch der Leuchtturm hier oben auch ins Zimmer?«, fragt meine Mutter ein wenig entspannter.

»Noch nicht drauf geachtet«, antwortet Horst, »warum?«

»Das hat meinen Georg immer ganz rappelig gemacht in der Nacht.«

Man braucht keinen Experten für Mimik, um zu sehen, dass Horst kurz irritiert ist. Ich helfe ihm aus der Patsche, indem ich frage, wie zum Teufel er an so ein Zimmer gekommen ist und was es kostet. Horst gibt sich verwundert:»Hat dir die Mama nichts erzählt?«

›Die Mama‹? Also irgendwas läuft da in die falsche Richtung. »Die ... Rosi?«, korrigiere ich ihn sanft und schüttle mit dem Kopf.

»Okay«, sagt Horst sanft, »hat sie nicht«, und dann lauter: »Naddi, verdammt nochmal, wir haben Gäste!«

»Komme!«

Meine Mutter zuckt zusammen und gesellt sich wieder zu uns.

»Kennst du ferientotal.de?«, fragt mich Horst und schaut ungeduldig nach drinnen.

»Ja, klar«, sage ich, »die Spots laufen ja rauf und runter im Fernsehen.«

»Das bin ich.«

»Jetzt echt?«, frage ich beeindruckt, doch statt Horst antwortet meine Mutter:

»Der Horst verkauft die Hälfte aller Zimmer hier«, und fast höre ich ein wenig Bewunderung raus. Ich bin irritiert. So kenne ich meine Mutter gar nicht.

»Die Einheit hier hat fünfundneunzig Quadratmeter und zwei Schlafzimmer«, verrät uns unser Gastgeber, »ist auch eigentlich nur ein Konzeptraum für die neuen Penthäuser, Mattes und ich testen da noch, aber so wie's aussieht, werden bald alle neuen Zimmer so.«

»Oh«, sage ich, »dann kennst du den Clubdirektor?«

»Mattes? Seit über zwanzig Jahren! Warum?«

»Weil ich ja morgen die Toyota-Promo betreue und er nicht wollte, dass wir das am Pool machen ...«

»Ich sprech mal mit ihm.« Horst blinzelt mir zu und füllt meiner Mutter Champagner nach. »Aber warum wird denn überhaupt renoviert?«, fragt meine Mutter, »ist doch noch gut alles!«

»Ja, aber seien wir mal ehrlich: Ohne den Strand, das Wetter und die Tennisabteilung ist die Hütte hier ja eine bessere Kantine.«

Was für ein Großkotz, schießt es mir durch den Kopf, und auch meine Mutter wirkt ein wenig verwundert. »Also für meinen Georg und mich war der Club hier das Luxuriöseste, was wir uns je geleistet haben.«

»Klar, aber ich sag mal so: Wenn du einmal Business geflogen bist, willst du auch nicht wieder in die Holzklasse.«

»Wir sind sogar Premium geflogen«, sagt meine Mutter stolz, »mit einem freien Mittelsitz!« Jetzt muss er vorsichtig sein, der Horst, weil ich nämlich noch genau weiß, wie stolz mein Vater war, dass er meiner Mutter als Jahresurlaub so einen Ferienclub bieten konnte bei seinem Gehalt als Möbelverkäufer.

Und dann kommt Nadine, mit Glas in der Hand natürlich. Sie trägt enganliegende, rote Filz-Turnshorts im 80er-Jahre-Stil und ein bauchfreies Kapuzenshirt mit dem Spruch ›Ich bin nicht versaut, ich werd nur leicht wuschig!‹.

Ist bekannt, denke ich mir, und dass es zwar schön war, aber eben auch schon wieder vorbei. Weil ich halt einfach mit Mia verheiratet bin.

»Hi Rosi!«, sagt sie zu meiner Mutter und »Na du?« zu mir.

»Alles gut!«, sage ich und lächle kurz.

»Wir stoßen an!«, sagt Horst und hebt sein Glas.

»Was ist das denn? Champagner?«, fragt meine Mutter neugierig.

»Moët Ice mit frischen Früchten«, erklärt Horst.

»Och …«, sagt meine Mutter ein wenig enttäuscht, »ich dachte, das wäre Champagner.«

Horst nimmt meine Mutter amüsiert in den Arm.»Rosi,
Moët Ice ist Champagner.«
»Ich kann doch kein Englisch!«, rechtfertigt sich meine Mut-
ter ein wenig beleidigt, und dann sehe ich, wie Horst seiner
Tochter zuzwinkert.
»Ich will eine rauchen, oben auf dem Dach, willst du mit?«,
fragt sie mich und zieht den Reißverschluss ihres Kapuzenshirts
hoch. Will ich mit? Ich weiß es nicht. Ich schaue zu meiner
Mutter, der ihr Luxus-Getränk zu schmecken scheint und die
sich unerwartet großzügig gibt:
»Aber nur, wenn ihr wiederkommt! Ich will nicht so spät
essen, dann kann ich am nächsten Morgen nicht aufs Klo.«

Nadine hat den Schlüssel fürs Hoteldach, jetzt weiß ich ja
auch, warum: Wer die Hälfte aller Zimmer verkauft, der kriegt
hier so ziemlich alles. Und so lehnen Nadine und ich kurz
darauf an einem der Edelstahlkamine zwischen Satelliten-
schüssel, Lüftungsgeräten und Abluftrohren und blicken aufs
Meer.

Am Strand eilen die letzten Abendspaziergänger zu ihren
Hotels. So romantisch es ist – ich fühle mich gar nicht wohl auf
der kanarischen Dachpappe mit meinem High-Tech-Keusch-
heitsgürtel und dem wuschigen Flammenluder neben mir. Und
irgendwie sieht es auch nicht so aus, als wäre unsere Sandbank-
zweisamkeit beendet. Entspannt dreht Nadine sich einen Joint
und stellt sich recht geschickt an dabei.

»Hat sich deine Frau noch mal gemeldet auf unser Foto?«,
fragt sie schelmisch.

»Nee! Ich glaube, die ist sauer!«, sage ich, und Nadine:
»Gut. Dann haste alles richtig gemacht!«

»Weiß nicht …«, sage ich, rücke ein wenig weg, denn egal,
was gerade in Hamburg so läuft: Ich werde meine Frau auf keinen Fall betrügen. Soll sie es tun. Dann kann ich immer noch

in den Spiegel schauen und sagen:»Ich hab dich nie betrogen. Und ich hatte auch Gelegenheiten!«

Gerade jetzt zum Beispiel. Diese verdammte, rote Filzshorts. Geht es noch enger? Man sieht ja einfach alles! Und dazu auch noch der nackte Bauch.

»Du kiffst doch, Nico, oder? Hab dich gar nicht gefragt, sorry.« Ich räuspere mich, was ja eigentlich schon die Antwort ist, wenn ich nach Nadines Augenbrauen gehe und sage:»Ich hab einmal in Amsterdam.«

»Und?«

»Bin umgekippt.«

»Oh!«

»Und du? Kiffst du oft?«

»Nee. Nur am Abend. Mich entspannt das einfach.«

Dann wäre das ja auch was für mich. Besser jedenfalls als Sport, bei dem ich mich zum Affen mache, bevor ich dann ebenfalls umkippe.

Während Nadine ihren Joint zu Ende baut, lasse ich meinen Blick über das Hoteldach schweifen. Am Rand gibt es keinerlei Mauer oder Absperrung, für Hotelgäste ist das hier jedenfalls nicht vorgesehen.

»Dürfen wir denn überhaupt hier sein?«, frage ich.

»Dürfen? Die drehen durch, wenn sie uns hier oben erwischen!«

»Wieso? Was passiert dann?«, frage ich.

Nadine präsentiert mir ihren Joint. Wie von Bob Marley persönlich gedreht.»Dann werden wir verhaftet! Willst du anzünden?«

»Jetzt echt?«

»Und gefoltert!«

»Ja, nee. Is okay! Zünde du an.«

»Aber nicht wieder umkippen!«

Ich stöhne, weil ich so dumm bin. Dumm und spießig. Nadine zündet das dicke Ende an, kratzt das Papier ab und hält es noch einmal in die Flamme. Dann schließt sie die Augen und nimmt genüsslich einen ersten Zug. Ich spüre das Band meiner Fitnessuhr. Wo mein Puls wohl jetzt ist? Also wenn ich vom Dach springe, bei 0. Dann reicht Nadine mir ihr jamaikanisches Prachtstück. ›Fuck it!‹, denke ich mir und nehme einen vorsichtigen Zug. Immerhin – der obligatorische Greenhorn-Kiff-Huster bleibt mir erspart. Ich gebe die Tüte zurück an Nadine.

»Ich bin verheiratet übrigens!«

»Ich weiß. Und ich hab 'nen Freund. Ist aber gerade nicht da.«

»Meine Frau ja auch nicht, aber ...«

»Da siehste mal!«, grinst Nadine und reicht mir den Joint ein zweites Mal. Dann zieht sie ihr Smartphone und drückt darauf herum. Ich nehme einen weiteren, vorsichtigen Zug.

»Schau.«

»Ich muss deinen Freund nicht sehen, ich zeig dir ja auch nicht meine Frau!«

»Du sollst schauen!«

Ich nehme das Handy und sehe einen siebenjährigen, mopsigen Jungen mit Topfschnitt und karierter Latzhose über dem T-Shirt.

»Und? Was sagste?«, fragt Nadine.

»Na ja«, grinse ich, »ganz schön jung, dein Freund ...«

»Aber hübsch, oder?«

»Um ehrlich zu sein: nicht wirklich!«

»Warum nicht?«

»Weil ... der Kopf ist viel zu groß irgendwie, der Hals hört gar nicht auf, und die Lippen sind so dick irgendwie.«

Ich kapier's erst, als ich Nadine das Handy zurückgebe und

sie mich anlächelt mit ihrem großen Mund und ihre langen, schwarzen Haare von ihrem wunderbaren Hals wegstreicht.

»Nee, oder?«, staune ich.

»Doch! Da siehste mal. Ich war auch kein Knaller als Kind! Oder hättest du mich geküsst?«

»Ich hätte dich verprügelt!«, lache ich und während ich für einen Augenblick nicht aufpasse und einfach nur entspannt bin, setzt sich Nadine einfach so auf meinen Schoß. Und jetzt? Das geht doch ganz klar in eine Richtung? Aufstehen und wegrennen wie damals im Zoo oder irgendwie anders aus der Nummer rauskommen?

»Auf dem Foto war dein Kopf so groß!«, stammle ich, da beginnt Nadine bereits, sich zärtlich auf mir zu bewegen.

»Ja?«, fragt sie mit einem Blick, der keine Fragen mehr offen lässt.

»Komisch, das wirkt jetzt gar nicht mehr so …«, fiepe ich, und Nadine zieht ihr Kapuzenshirt aus und präsentiert mir ihre nackten Brüste.

»Vielleicht, weil andere Dinge gewachsen sind!«

»Stimmt …«, sage ich, und als sie meine Hände nimmt und zu ihren wunderprallen Brüsten führt, ist das zwar irgendwie ganz phantastisch, aber überfordert bin ich auch, und natürlich klimmt mein Puls immer weiter in die Höhe. Aber was soll ich machen?

»Kannst ruhig feste zupacken, ich mag das!«

Ja, ich mag das auch, aber ich kann doch jetzt nicht …

Meine Fitnessuhr nimmt mir jede moralische Entscheidung ab, denn offensichtlich habe ich mein tägliches Aktivitätsziel erreicht, und das wird nun mal mit der Titelmelodie von *Kimba, der weiße Löwe* belohnt.

»Kimba! Kimba!«, tönt es keine Handbreit unter Nadines Filzflammenmuschi aus meiner Hose.

Nadine erstarrt und lauscht.

»Kleiner, weißer Löwe, wir sind stolz auf dich. Alle Tiere
schenken dir Vertrauen!«

»Du hast deinen Fitnesstracker um den Sack?«, fragt Nadine
perplex.

»Ja, aber nicht freiwillig!«

Panisch greife ich in meine Hose, doch wie soll ich an meiner Erektion vorbei den rechten oberen Knopf finden, um die
peinliche Hymne zu stoppen?

Wenn den Tieren tief im Dschungel Unheil droht. Kimba ist
der Kämpfer, der sich stellt!

»Ich muss den tragen!«, jammere ich.

Nadine steigt ab, und während ich noch immer nach der Aus-
Taste suche, streift sie sich ihren Kapuzenpulli über. »Verstehe.
Sorry, aber auf so SM-Nummern zwischen dir und deiner Frau
hab ich keinen Bock!«

»Nee, nee, zwischen mir und meinem Chef!«, verteidige ich
mich und erreiche endlich den Knopf. Eine peinliche Stille liegt
über dem Hoteldach, als Nadine sich ihren Joint wieder anzündet.

»Also, ich hab ja echt ein paar Typen durch, aber du bist mir
jetzt doch 'ne Nummer zu krank! Und ist das nicht Tayfuns
Tracker?«

»Ja, aber ich bin nicht krank!«, widerspreche ich, und dann
sagen wir eine ganze Weile nichts, und plötzlich bin ich mir
auch gar nicht mehr so sicher, dass ich nicht krank bin.

Schließlich sagt Nadine: »Willst du und dein kleiner weißer
Kämpfer vielleicht wieder runter zur Mama?«

»Ja«, nicke ich und stehe auf, »is vielleicht besser.«

Nadine bleibt sitzen.

»Und was ist mit dir?«

»Ich mach's mir gerade noch selber, mag nicht so angevögelt zum Essen!«

»Klar, cool«, sage ich leise, stehe auf und schleiche zur Stahltür, die zum Treppenhaus führt. Kimba, der weiße Löwe, hat soeben meine Ehe gerettet.

Als ich an der 1111 klopfen will, wartet meine Mutter schon aufgeregt am Aufzug.

»Da bist du ja …!«, seufzt sie vorwurfsvoll und greift gleich nach meiner Hand.

»Was ist denn passiert?«, frage ich irritiert.

»Stell dir vor, er hat versucht, mich zu küssen!«, erklärt sie mit zitternder Stimme.

»Und, was hast du gemacht?«

»Was denkst du denn? Ich hab ihm natürlich eine Ohrfeige gegeben!«

»Bist du da nicht etwas streng?«

»Nein! Das gehört sich nicht. Weil ich dem Horst ja erzählt habe, dass übermorgen der Todestag ist vom Papa.«

Stimmt. Da war doch was. Es macht Bing, der Aufzug ist da. Stotternd öffnen sich die Stahltüren, und ich sehe mein erschrockenes Gesicht im Spiegel. Wir treten ein, und ich drehe mich zu meiner Mutter.

»Wir machen was Tolles, ich denk mir was aus!«

»Das wäre schön. Aber weißt du, was mir mindestens genauso wichtig ist?«

»Nein, was?«, frage ich.

»Dass bald alle Georgs Foto sehen in der Zeitung mit deinem schönen Text dazu und sich an ihn erinnern!«

Ich schlucke und drehe mich zu meiner Mutter. »Hilf mir kurz …?«

»Die Erinnerungsanzeige im *Stadtanzeiger*? Mit Papas Foto auf der Bank? Das hat doch geklappt alles, oder?«

Ich tue so, als fiele es mir wie Schuppen von den Augen, und drücke die Taste 0.

»Aber klar, Mama, das hab ich doch längst gemacht!«

»Gut!«, seufzt meine Mutter, während der Lift uns langsam in die Tiefe ruckelt, »weil wenn die Leute denken, dass wir ihn nach einem Jahr schon vergessen haben, das wäre wirklich eine Katastrophe!«

25

**Deine Reise begann vor einem Jahr. Die Zeit verfliegt, doch
Du bist mir nah.**

Der Tod macht mir gerade echt das Leben schwer. Hätte ich
mich gestern Abend mal lieber selbst an die verdammte Erinnerungsanzeige gesetzt, statt Bestatter Uli eine WhatsApp
zu schicken, damit er das übernimmt. Keine Antwort. Und ans
Telefon ist er auch nicht.

Also doch selber machen. In unserem brandneuen Toyota
Camry mit Laptop auf dem Schoß, starre ich auf das Google-
Suchergebnis zu »Erinnerungsanzeige«. In einer Stunde ist
Anzeigen-Annahmeschluss beim *Kölner Stadtanzeiger.* Aber
halt auch unsere Auto-Promo-Aktion, welch vorzügliche Back-
pfeifen-Doublette!

Um mehr Ruhe zu haben, habe ich den Wagen hinter der
Tauchbasis versteckt, von wo aus ich ihn nachher zur Präsen-
tationsmucke an den Pool fahre. Ging dann ja irgendwie doch
ganz plötzlich dank Super-Horst. Trotzdem sinnlos das Ganze,
denke ich mir, als würden wir in Deutschland auch nur ein
Auto mehr verkaufen, weil wir in Spanien ein paar Gläser Sekt
ausgeben.

Viel wichtiger ist die Anzeige für meinen Papa. Also eigentlich für meine Mutter und den Rest von Pulheim, weil mein
Papa liest sie ja nicht mehr. Aber wie soll ich was entwerfen,
wenn trotz meines Verstecks alle naselang irgendein Hans-

wurst ankommt und meint, mich irgendwas zum Auto fragen zu müssen. Der zerzauste Rentner in der grauen Radhose zum Beispiel:

»Ist der vollelektrisch?«

»Nein, Voll-Hybrid.«

»Wo ist denn da der Unterschied?«

»Sag ich nicht!«

Oder der übellaunige Heavy-Metal-Typ vom ersten Abend:

»Wie weit fährt der denn?«

»Bis zum Pool!«

Und natürlich Tayfun, der immer noch untröstlich ist, dass er sich seine Uhr hat klauen lassen, die ich inzwischen unterm T-Shirt trage, mit Tennis-Griffband an die Brust geklebt.

»Sag mal, Nico, heißt das bei Toyota immer noch ›Nichts ist unmöglich‹?«

»Nein, jetzt heißt es ›Start Your Impossible‹.«

»Echt? Und was soll das heißen? Dass man ihn unmöglich starten kann?«

»Genau. Ist eben nichts unmöglich!«

»Aber Tennisstunde machen wir noch, oder?«

»Klar!«

Das war der Punkt, an dem ich Tayfun gebeten habe, die Abdeckhaube wieder über den Wagen zu ziehen, und zwar mit mir drunter. Damit ich in Ruhe die Anzeige schreiben kann.

»Und das musst du jetzt machen? Ist ja voll der Stress!«

»Eben. Deswegen ja die Haube. Dann sieht mich keiner, und ich kann in Ruhe formulieren. Machste das für mich?«

»Ich mach alles für dich! Schenkst mir deinen Tracker, und ich lass ihn mir klauen. Warum muss ich das Ding auch an der Bar laden?«

»Vielleicht taucht er ja wieder auf.«

»Trotzdem peinlich! Und du willst echt unter die Haube?«

»Ja, bitte!«

Trotz der Haubenruhe geht es nicht voran. Ich hab einfach Kirmes im Kopf. Außerdem sind die Erinnerungsanzeigen der anderen auch keine wirkliche Inspiration. Meist sind es klägliche Reimversuche wie

Wohin ich auch sehe, Du fehlst mir so sehr, wohin ich auch gehe, es schmerzt immer mehr.

»Nico, alles klar?«, quäkt der Entertainment-Manager aus dem Funkgerät auf dem Beifahrersitz.

»Ja«, funke ich zurück, »alles gut. Aber ich hab doch noch, oder?

»So zwanzig Minuten, würde ich mal sagen.«

»Super!«, schnaufe ich ins Funkgerät und lege es wieder auf den Beifahrersitz.

Okay.

Los geht's.

Kann ja so schwer nicht sein, ich brauch ja nur noch den Text. Was ist denn jetzt das? An der Beifahrerseite fummelt jemand an der Abdeckung. Och nee ... ausgerechnet Tui Buh, das Clubgespenst! Genervt fahre ich die Scheibe runter. Wir sprechen durch die butterbrotpapierähnliche Haube, die zumindest Silhouetten erkennen lässt.

»Ja?«

»Der türkische Tennistrainer hat mir erzählt, dass du absolute Ruhe brauchst wegen einer Anzeige zum Todestag?!«

»Genau. Für meinen Papa.«

»Ja, da braucht man echt Ruhe! Hast du schon was oder kann ich dir helfen irgendwie? Weil ... mein bester Freund von mir hat sich vor drei Jahren umgebracht, deswegen bin ich da recht nah dran am Thema ...«

»Danke, aber mein Vater ist ja nicht freiwillig gestorben.«
»Verstehe, sorry, bin schon weg. Sind übrigens schon gut hundert Leute am Pool, wollte ich dir sagen.«
»Prima. Aber wie gesagt: ein bisschen Ruhe ...?«
»Klar, da bin ich voll bei dir. Möchte jetzt aber auch echt nicht in deiner Haut stecken, das ist ein ganz schöner Druck, oder?«
»Ja!«

Kopfschüttelnd fahre ich das Fenster wieder hoch. Es ist ziemlich heiß im so windstillen wie sonnigen Hof der Tauchstation, und vielleicht hätte ich Tui Buh bitten sollen, die Ansaugöffnungen für die Klimaanlage freizulegen, aber zu spät, isses halt heiß. Ich schaue wieder auf das Ergebnis der Google-Bildersuche:

Seid nicht traurig, dass ich gegangen bin, sondern freut euch, dass ich da war.

Schöne Idee. Passt halt nur nicht bei jedem, weil bei einigen wäre man ja nicht so wirklich traurig. Hitler zum Beispiel, Stalin, Trump.

Wenn die Sonne des Lebens untergeht, leuchten die Sterne der Erinnerung.

Wie bitte? Geht's noch blöder? Das Leben ist doch keine Sonne Und einen Erinnerungsstern hab ich auch noch nie gesehen. Ich muss es glatt noch einmal lesen:

Wenn die Sonne des Lebens untergeht, leuchten die Sterne der Erinnerung.

Also wenn ich Zeit hätte, würde ich den Angehörigen mal schreiben, dass sie so einen Unsinn unterlassen sollen aus Respekt vor dem Toten. Hab ich aber nicht.

Eieiei ... der ist ja schlau:

Ich bin tot. Du nicht. Mach was draus!

Erst mir nix dir nix wegsterben und dann noch die Hinterbliebenen unter Druck setzen! Ich reibe mir die Augen, wische mir den Schweiß von der Stirn und öffne mein Fenster. Luft kommt trotzdem keine rein ins Auto durch die Haube. Mein Handy vibriert, es ist eine Nachricht von Tim, er will mich beruhigen, weil mein Puls so hoch ist, und schreibt, ich solle es einfach nicht versemmeln, mehr erwarte er schon gar nicht mehr. Wie nett! Mein Herz schlägt trotzdem schneller und schneller.

»Noch sechs!«, knarzt es aus dem Funkgerät.

»Yap!«, sage ich und merke, dass mir ein wenig schwindelig wird. Aber da muss ich jetzt durch, mein Papa hat eine ordentliche Anzeige verdient. Was Persönliches am besten, irgendwas mit Fußball, auch wenn's weh tut ...

Ob beim FC oder beim Essen, bleibst uns beiden unvergessen?

Meine Güte. Nein!

»Noch fünf!«, quäkt es aus dem Funkgerät, »sind auch schon gut hundert Gäste hier und zwanzig Flaschen Cava weg!«

»Krieg ich noch zehn Minuten?«, frage ich.

»Ganz schlecht, direkt im Anschluss ist ja schon das Schnuppertauchen!«

»Okay!«, sage ich und starre auf den Bildschirm mit dem Nachttisch-Foto von meinem Vater, das meine Mutter mir gemailt hat. Es ist typisch für meinen Papa, denn er sitzt an einem Holztisch und schaut zufrieden raus aufs Meer mit seiner weißen Basecap auf dem Kopf. Irgendwo außerhalb des Clubs war das wohl im letzten Urlaub mit ihm. Da habe er oft gesessen, hat meine Mama gesagt, warum, wüsste sie nicht, ihr war das zu langweilig.

»Wenn man rumsitzt, kommt der Tod«, sagt sie ja immer. So wie bei meinem Vater, der hat ja auch im Auto gesessen. Und wie bei mir. Aber ich darf ja nicht vor meiner Mutter sterben, das hab ich ihr versprochen.

Ist die Sitzheizung an? Ist sie nicht. Ich schaue auf das Thermometer für den Innenraum. 47 Grad? Ich wische mir den Schweiß ab. Wie viel Zeit hab ich denn noch? Eine Minute? Zwei? Immer schneller scrolle ich mich durch die Google-Anzeigen, sie rasen vorbei wie eine Landschaft am Zugfenster. Mein Handy klingelt, ich werd noch verrückt. Es ist meine Mutter. Und ich Idiot geh auch noch dran.

»Eine Sekunde bitte, hab den Mund voll mit Honigmelone!«

»WAS?«

»Ich bin fertig mit Pilates. Und ich war richtig gut für mein Alter, hat die Trainerin gesagt!«

»Super! Aber wir sind kurz vor der Promo ...«

»Dann reden wir später. Ich wollte nur sagen, dass ich mich bei Horst entschuldigt habe wegen der Ohrfeige und –«

»Später, Mama!«

Ich schalte das Handy aus. Merke, wie ich nun doch langsam Panik bekomme. Vielleicht sollte ich diesen Google-Rotz ja auch einfach mal schließen und mir selbst was ausdenken in –

»Bist du so weit?«, tönt es aus dem Funkgerät, »die ersten Gäste gehen schon wieder!«

»Gib mir noch zwei Minuten!«

»Eine!«

Okay, Nico, jetzt gilt es, konzentrier dich! Es muss ja nicht viel sein, ein Satz reicht. Zittere ich? Ich halte meine Hand hoch und tatsächlich, ich zittere! Die Nerven! Ich muss echt aufpassen. Hat Tim gesagt. Und alle drei Psychiater. Mia. Meine Mutter. Eigentlich alle. Und ihr habt ja auch alle recht, aber das bringt mir jetzt halt trotzdem einen Scheiß. Denk nach, Nico! Was hat denn der Papa geliebt? Lasagne backen für die Familie! Genau! Und Papas Lasagne war einfach die beste der ganzen Welt.

»Nico? Bitte!«

»Sekunde nur noch!«

Okay, Lasagne ist gut, aber was schreib ich denn da?

Auch wenn der Ofen aus ist, leuchtet noch immer die Käsekruste der Erinnerung?

Auf jeden Fall! Mit letzter Kraft tippe ich den Käsekrustensatz in den Rechner, lese ihn mir noch einmal durch – und schüttle mit dem Kopf. Lieber keine Erinnerungsanzeige statt so einen Schmarrn. Zur Sicherheit klicke ich auf »Löschen«. Also – denke ich, denn vielleicht war mein Zittern doch schon zu stark. Es erscheint folgende Meldung:

VIELEN DANK FÜR IHREN AUFTRAG. IHR KÖLNER STADT-ANZEIGER

Ich hacke mit dem Cursor auf ›Rückgängig‹, doch der Browser streikt, und dann wird mir ganz schnell schlecht. Und schummrig. Und eng wird es. Das Griffband vom Tracker? Der Gurt? Ich bin gar nicht angegurtet. Das ist mein Herz! Es rast und sticht auf mich ein wie ein amoklaufender Einzeltäter. Es ist das Herz – so wie bei meinem Vater, schießt es mir durch den Kopf, und dass ich auch im Auto sterbe so wie er, und dann noch vor meiner Mutter! Alles dreht sich kreuz und quer und pocht und sticht, das Lenkrad wirkt ganz weich, Farben schwimmen, Stimmen hallen ...

»Nico? Eure Werbemucke läuft, jetzt musst du wirklich!«, droht das Funkgerät.

Losfahren. Natürlich. Losfahren muss ich.

Ich starte den Motor und trete aufs Gas.

Mit Haube. Und ohne Kreislauf.

26

Ich sitze in Unterhose auf einer mit dünnem Papier ausgelegten Behandlungsliege im Centro Médico gegenüber vom Ferienclub und starre auf einen weißen Monitor, der eine Ultraschall-Aufnahme meines Herzens zeigt. Das Licht ist grell wie im Kontrollraum eines bulgarischen Kernkraftwerkes, es riecht nach Chlor und Diesel, Letzteres vermutlich, weil sich der Untersuchungsraum im Souterrain zur Einkaufsstraße befindet und eines der Kellerfenster gekippt ist. Dr. Westhoff-González reicht mir ein kleines orangenes Handtuch, und ich wische mir das Gel vom Oberkörper ab. Der Arzt sieht aus wie ein Wissenschaftler, er ist klein, ernst und schon recht alt, er trägt einen grauen Vollbart und eine runde Alubrille. Seine Diagnose nuschelt er trotz seines seltsamen Doppelnamens akzentfrei gegen den Bildschirm des nicht mehr ganz neuen Diagnosegerätes.

»Herzkammern, Vorhöfe und Herzklappen, da ist alles okay. Eine Insuffizienz seh ich auch nicht, die Auswurfleistung ist nicht toll, aber in Ordnung. Aber sicher hat das Ihr toller Tracker auch alles schon gemessen.«

»Na ja, so genau vermutlich nicht«, sage ich kleinlaut und falte das kleine Handtuch.

»Sie können sich wieder anziehen, Herr Schnös.«

»Also kein Herzinfarkt?«, fragt meine Mutter ängstlich, die auf einem grauen Plastikschalenstuhl neben dem Arzt kauert und irgendetwas in ihrer Handtasche sucht.

»Er wäre beinahe ertrunken, aber einen Herzinfarkt hatte er nicht.«

»Gott sei Dank!«, seufzt meine Mutter erleichtert, und weil ich schon wieder nicht ausweichen kann, wuschelt sie mir über den Kopf, »das wäre ja was gewesen, wenn du genauso gestorben wärst wie der Papa!«

Dr. Westhoff-González schaut meine Mutter irritiert an.

»Ihr Mann ist mit einem abgedeckten Voll-Hybrid in einen Hotelpool gefahren?«

»Er hatte einen Herzinfarkt in der Waschstraße«, erklärt meine Mama. »Und ich hab ihn auch noch dorthin geschickt, nur weil ich in Ruhe das Haus saugen wollte!«

»Und das war wann?«, fragt der Arzt interessiert, und meine Mutter antwortet ihrer Handtasche, aus der sie eine Tüte Bonbons zieht, statt dem Arzt.

»Also mein Sohn vermutet, zwischen Aktiv-Schaum und Heißwachs, aber genau weiß man das nicht. Mögen Sie einen Zitrone-Ingwer-Bonbon?«

»Danke«, antwortet der Arzt, und ich stöhne: »Mama! Das war doch nur ein Spaß mit dem Heißwachs!«

»Nico! Ich hab das geglaubt!«

»Vor einem Jahr ist es passiert«, erkläre ich dem Arzt und betrachte noch einmal die Aufnahmen meines Herzens auf dem Bildschirm. Von Kammern, Klappen und Höfen sehe ich nichts, aber ich bin ja auch kein kanarischer Kardiologe, sondern ein Kölner Kamikazepilot.

»Wenn es kein Herzinfarkt war bei mir«, frage ich, »was war es denn dann?«

Dr. Westhoff-González rollt mit seinem kleinen Hocker näher zu mir. »Ich würde sagen, es war eine Art Panikattacke.«

»Eine Panikattacke? Aber wir sind doch im Urlaub!«, protestiert meine Mutter.

»Sie vielleicht. Ihr Sohn offensichtlich nicht.« Dr. Westhoff-González wirft ihr einen mahnenden Blick zu.

»Ach Nico, was lässt du dich auch so einspannen ...«, jammert meine Mutter.

»Mama«, stöhne ich, »hundert Meter Autofahren für eine Woche Urlaub sind nicht wirklich ›einspannen‹!«

»Aber dass du die Haube drauflässt, zeigt doch, wie angespannt du bist und –«

»In welchem Hotel sind Sie denn?«, unterbricht sie der Arzt.

»Wir sind in keinem Hotel, wir sind im Club Candia Playa!«, erklärt meine Mutter stolz, »so ein normales Hotel wäre nämlich auch gar nichts für uns, da sitzt man ja nur rum, und wenn man nur rumsitzt, kommt der Tod.«

»Na ja«, schmunzelt Dr. Westhoff-González amüsiert, »wenn man nur rumrennt, kommt er halt auch.«

»Wer rastet, rostet!«, wirft meine Mutter ein, doch Dr. Westhoff-González lässt sich nicht beirren.

»Stimmt, aber man kann's auch übertreiben. Ich bin seit siebzehn Jahren hier auf der Insel und ... sagen wir so: Wer im Club Urlaub macht, der hat sich was vorgenommen, und wenn das nicht klappt, dann wird es ... na ja ... schwierig.«

»Woher wissen Sie das?«, frage ich.

»Sie sind nicht der Erste, der völlig entkräftet zu mir gebracht wird!«, antwortet der Arzt.

»Aber das ist doch Unsinn!«, erwidert meine Mutter, »wir haben uns doch nichts vorgenommen. Oder? Schatz?«

Ich starre noch immer auf das seltsame Ding, das mein Herz sein soll, und ziehe schließlich mein T-Shirt über. Dr. Westhoff-González dreht sich zu mir.

»Wie sieht es denn bei Ihnen aus? Haben Sie sich für den Urlaub was vorgenommen?«

Ich schlucke und hebe meinen Blick zu den schmalen Kellerfenstern. Ich sehe Touristenbeine, Einkaufstaschen und die untere Hälfte eines schaukelnden Reisebusses. Für eine Weile schweigen wir. Dann erst antworte ich dem bärtigen Mann im weißen Kittel.

»Ja. Ich wollte mich entspannen. Damit mein Chef mich nicht feuert.«

Der Arzt und meine Mutter schauen mich ungläubig an.

»Na ja … ich flippe halt manchmal aus im Büro und … werfe mit Sachen, und da hat mein Chef mich in den Urlaub geschickt und gesagt, wenn du dich nicht entspannst, kannst du deine Sachen packen.«

»Und wie wollte er das kontrollieren?«, fragt der Arzt, und meine Mutter kommentiert: »Ich dachte, wir sind wegen mir hier!«

Ich deute auf den mit Griffband umklebten Fitnesstracker. »Mit dem Ding hier. Mein Chef wollte das Passwort und einen Ruhepuls von unter sechzig.«

Der Arzt schüttelt fassungslos den Kopf. »Ihr Chef ist ja irre! ›Entspann dich oder du wirst entlassen‹. Das ist ja genau das Gleiche wie ›Schlaf ein oder wir erschießen dich‹.«

»Da kann man doch niemals einschlafen!«, gibt meine Mutter ihm recht und verstaut ihre Bonbontüte.

»Eben«, bestätigt mein Arzt, »abgesehen davon, ist der Ruhepuls kein echter Indikator für Entspannung, sondern eher …«

»Und meine Ehe retten muss ich auch«, unterbreche ich ihn, »weil meine Frau auf so einem Eso-Trip unterwegs ist …«

»Und nach Pulheim hoffentlich, nicht dass der Briefkasten überquillt und alle wissen, da kann man einbrechen!«

»Und um meine Mutter kümmern natürlich, weil ich sonst ja so wenig Zeit habe.«

Meine Mutter wedelt mit dem Zeigefinger. »Stopp! Du hast

251

nicht wenig Zeit für mich, du hast gar keine. Und seit der Papa nicht mehr da ist, ist es besonders schlimm!«

Ich bin froh, dass Herr Westhoff-González mit einem lauten Räuspern dazwischengeht: »Giiiibt es denn irgendwelche relevanten Vorerkrankungen in der Familie?«

»Also … ich krieg mein rechtes Bein nicht mehr hinter den Kopf!«, antwortet meine Mutter wie aus der Pistole geschossen.

»Re-le-vante Vorerkrankungen!«, ergänzt Westhoff-González leicht genervt, und meine Mama verteidigt sich: »Für mich ist das relevant, ich mache schließlich seit Jahren Pilates!«

»Und bei Ihrem Mann?«

»Ach so. Der hatte eine Herzschwäche, die hat der Dr. Parisi schon vor gut dreißig Jahren entdeckt. Von da an musste der Georg Medikamente nehmen, das hat ihm gar nicht gefallen, weil er ja noch so jung war.«

»Eine Herzschwäche?«, pruste ich. »Das ist aber neu!«

Ich schaue meine Mutter an, doch sie guckt weg und sagt nichts mehr. Dafür schaut Dr. Westhoff-González uns nun abwechselnd beide an und entscheidet sich schließlich für eine Frage an meine Mutter.

»Und Ihrem Sohn haben Sie nichts gesagt, Frau Schnös?«

»Er war ja voll im Abistress! Da ruf ich ihn doch nicht an und sag: Dein Papa hat nur noch eine Herzleistung von vierzig Prozent, aber mach dir keine Sorgen!«

»Aber irgendwann hatte ich das Abi dann ja, da hättet ihr's mir sagen können!«

»Nach dem Abi hattest du Stress beim Zivildienst und dann im Studium!«

»Aber so was muss ich doch wissen, Mama!«, protestiere ich.

»Dein Vater hat mich gebremst, Nico, ich wollte es dir ja immer sagen!«

Seufzend lehne ich mich gegen die kalte Wand hinter mir, als mein Handy vibriert, es ist eine Nachricht von Tim, offenbar hat sich die Camry-Präsentation bis nach Köln herumgesprochen.

Camrykaze Marketing, oder was? Sorry, aber das war's für dich bei uns. Tim

War ja klar. Ich merke, dass Dr. Westhoff-González mich genervt anschaut, und lege das Handy zur Seite.

»Ich wurde gerade entlassen«, erkläre ich.

»Das ist ja mal wieder typisch«, stöhnt meine Mutter, »da erzähle ich einmal was von mir, und du kommst mit deinem Job!«

»Frau Schnös!«, unterbricht der spanische Arzt, »es ist Ihr Sohn, der gerade ein Problem hat, nicht Sie!«

»Weil er dauernd an seine Arbeit denkt, eine Frau hat, die den Haushalt schleifen lässt, und weil er viel zu viel trinkt, deswegen!«

Entgeistert starre ich auf meine Mutter. »Das meinst du jetzt aber nicht ernst, oder?«

»Doch. Schau doch einfach mal in eure Besteckschublade, da ist alles voller Krümel!«

»Wärste halt mal drüber mit deiner Bürste!«

»Da nimmt man einen feuchten Lappen –«

»Mama! Ich bin gerade gefeuert worden! Und Papa war herzkrank, aber muss man ja dem Sohn nicht sagen. Und wie kommst du drauf, dass ich zu viel trinke, du bist doch gar nicht mehr bei uns gewesen die letzte Zeit!«

Auch Dr. Westhoff-González blickt so, als wolle er dies gerne verstehen, und wo meine Mutter gerade mal einen Lauf hat, da macht sie einfach weiter:

»Als Mia uns zum Flughafen gefahren hat, da hab ich einen

Kassenzettel im Auto gesehen vom Kölner Weinkeller. Fünfhundertzweiundachtzig Euro!«

»Das war für eine Kiste Léoville Barton!«

»Ich kann kein Französisch!«

»Das ist ein super Bordeaux, und den trinken wir auch nicht einfach so weg am Abend, den lagern wir zehn oder zwanzig Jahre, weil er bis dahin nämlich jedes Jahr besser wird!«

Meine Mutter schaut mich fassungslos an.

»Ihr kauft Wein, der am besten schmeckt, wenn ich tot bin?!«

Ich werfe das orangene Handtuch auf meine Mutter. Irgendwann musste es ja passieren. Sie quietscht vor Entsetzen.

»Also, jetzt schlägt's dem Fass den Boden aus. Du wirfst auf deine eigene Mutter! Haben Sie's gesehen, Herr Doktor?«

Der Doktor nickt zwar, aber er nickt so, als hätte er das Handtuch auch geworfen.

»Mama, es war nur ein Handtuch! Und es tut mir leid.«

»Und wenn es nächstes Mal ein Stein ist? Oder ein Küchenmesser?«

»Mama, bitte! Ich hab mich entschuldigt.«

»Hallo?«, winkt Dr. Westhoff-González, »würden Sie mich mal kurz dazwischenlassen …«

Doch Dr. Westhoff-González kommt nicht dazwischen.

»NIE ladet ihr mich ein!«, wettert meine Mutter.

»Haben wir gemacht, und du weißt, was passiert ist«, erwidere ich.

»Ich esse halt keinen rohen Fisch und trink Essig dazu im Dunkeln.«

Dr. Westhoff-González steht hilflos auf, hebt das kleine Handtuch vom Boden und legt es in einen Korb zu den anderen. Ich gehe zu ihm und erkläre: »Es gab Thunfisch Tataki und einen Riesling mit vierundneunzig Parker-Punkten.«

»Im Dunkeln!«

»Und ja … meine Frau und ich haben keine eintausend LEDs über dem Tisch, so wie meine Mutter.«

Jetzt springt meine Mutter auf. Ihr Kopf ist knallrot. »Da hören Sie's! Seit mein Georg tot ist, rottet mein Sohn sich gegen mich zusammen!«

Wie ein kleines, ratloses Männlein steht Dr. Westhoff-González in der Mitte seines eigenen Behandlungsraumes, und wüsste ich nicht, wer er ist, ich würde ihm glatt einen Arzt rufen. Schließlich nuschelt er schwach: »Meine Güte, wie halten Sie das nur aus?«

»Also, meistens schau ich auf das Foto von meinem lieben Georg und bitte ihn, mir Kraft zu schicken …«, seufzt meine Mutter und setzt sich wieder.

Dr. Westhoff-González schaltet das Diagnosegerät aus und schweigt für eine Weile, dann sagt er: »Ich glaube, da gibt es nur eine Sache, die uns hier weiterbringt, und das ist ein Vier-Augen Gespräch.«

Meine Mutter nickt verständnisvoll. »Das seh ich auch so. Nico, du kannst ja in der Zwischenzeit mal nach Zitronensäure schauen im Supermarkt.«

Dr. Westhoff-González fixiert meine Mutter mit offenem Mund. »Frau Schnös?«

»Ja?«

»Ich meinte ein Vier-Augen-Gespräch mit Ihrem Sohn.«

Meine Mutter schaut ihn entsetzt an.

»Aber ich bin doch seine Mutter! Störe ich etwa?«

»Ich sage es Ihnen nicht gerne, aber – ja.«

Meine Mutter wirkt tief getroffen.

»Aber ich bin doch … ich will doch … ich will doch nur sein Bestes! Und am Ende bin ich dann auch noch schuld an seiner Panikattacke!«

»Nein!«, stöhnen der Arzt und ich zeitgleich, doch zu spät –
meine Mutter ist bereits wütend aus ihrem Stuhl gesprungen
und auf dem Weg zur Tür.

»Ich versteh schon. Erst der Vater, dann der Sohn. Offensichtlich bring' ich ja alle ins Grab!«

»Mama!«, rufe ich, »wo willst du denn hin?«

»Ich geh zum Kuchenquiz, da störe ich wenigstens keinen!«

»Mama!«, rufe ich und will hinterher, doch der Arzt drückt
mich wieder auf die Liege.

Die Tür knallt zu, dass die Wände nur so wackeln, und dann
sind wir alleine, der kleine Mediziner mit dem seltsamen Doppelnamen und ich, der 47-Jährige mit der Löwenkappe.

»Soll ich ihr hinterher?«, frage ich hilflos.

»NEIN!«

Mit ernster Miene nimmt der Arzt seine Brille ab und blickt
mir in die Augen.

»Herr Schnös. Was ich Ihnen jetzt sage, ist wichtig für Sie, um
nicht zu sagen lebenswichtig. Solche Attacken sind kein Spaß,
ich habe viele Patienten damit, und glauben Sie mir, das wollen
Sie nicht alle naselang.«

»Aber ich bin doch schon im Urlaub …«

»Sie sind nicht im Urlaub, Sie sind unter Dauerstress!«

»Aber warum? Weil ich mir zu viel vorgenommen habe?«

»Unter anderem.«

»Also, das höre ich zum ersten Mal!«

»Wie ist denn Ihre typische Woche zu Hause, Herr Schnös?«

Ich überlege. »Nun, da geh ich eigentlich nur ins Büro und
wieder raus, und dann schaue ich Knast- oder Kriegsdokus und
trinke französischen Rotwein dazu.«

»Aber verbringen Sie auch mal Zeit mit sich alleine?«

»Ja klar, ich bin doch immer mit dabei!«

»Ohne Handy oder Fernseher? Ohne was zu tun?«

»Irgendwas tut man doch immer, oder?«

»Wie war denn Ihr Vater?«

»Na ja … still halt und langsam. ›Immer schön gemütlich‹, und ›Alles mit der Ruhe‹, jetzt weiß ich ja, warum.«

»Absolut. Bei so einer Herzleistung und den Medikamenten, die er deswegen bestimmt nehmen musste, hatte er gar keine andere Wahl.«

»Das war der Grund, dass er so langsam war?«

»Mit Sicherheit!« Ich sacke auf meiner Behandlungsliege zusammen wie eine Stoffpuppe. »Warum hat er nichts gesagt?«

»Ihr Vater war ein erwachsener Mann. Er sagt es Ihnen oder nicht. Und vielleicht hat er ja am meisten drunter gelitten.«

»Garantiert hat er am meisten drunter gelitten, ich hab ihn ja dauernd aufgezogen mit seiner Langsamkeit, weil ich nix wusste!«

»Das ist bedauerlich, aber es bringt ihn jetzt auch nicht zurück. Denn jetzt geht es um SIE, Herr Schnös. Sie sind nämlich noch am Leben. Also kümmern Sie sich um sich!«

»Und wie?«

»Zuallererst müssen Sie ganz dringend Ihre Mutter loswerden.«

Ich starre Dr. Westhoff-González an. Hab ich das gerade richtig verstanden? Ich schlucke und blicke durch den Raum. Erst jetzt sehe ich die gerahmten Filmplakate: *Der Pate, Scarface, Pulp Fiction* …

Ich beuge mich zu ihm und flüstere: »Haben Sie da Kontakte, oder …?«

Jetzt ist es Dr. Westhoff-González, der erschrickt. »Ich meinte mehr Distanz, nicht Mord. Mal was alleine machen und … erwachsen werden.«

»Aber ich BIN erwachsen!«

»Sie haben eine Kindermütze, eine kaputte Brille, und wahrscheinlich hören Sie noch immer TKKG zum Einschlafen. »*Kimba, der weiße Löwe* hör ich. Aber nicht so laut, weil sich meine Mutter und ich ein Zimmer teilen, und natürlich will ich sie nicht –«

»Sie teilen sich ein Zimmer mit Ihrer Mutter?«

»ICH will das ja gar nicht, aber es war nur eines gebucht, und dann ist meine Mutter ja zu Hause schon immer so alleine!«

BANG! Jetzt haut der Arzt auf meine Liege, dass es nur so scheppert. Ich bin erschrocken.

»Jetzt hören Sie doch mal auf mit Ihrer Mutter! Hatte Ihre Mutter eine Panikattacke oder Sie? Sind Sie in den Pool gefahren und mussten aus dem Auto gerettet werden vom Schnupperkurs Tauchen oder Ihre Mutter? Ihre Mutter ist topfit! SIE nicht! Sie sind am Arsch!«

»Aber was man nicht vergessen darf: Meine Mutter hat ihren Mann verloren!«

»Und Sie Ihren Vater!«

»Stimmt …« Ich schaue hoch zum Fenster mit den wirbelnden Touristenbeinen. Schließlich hole ich Luft und frage: »Okay. Was soll ich machen?«

»Erstens: eigenes Zimmer.«

»Okay. Und zweitens?«

»Entsorgen Sie diesen Tracker!«

»Und wer sagt mir dann, ob's mir gut geht?«

»Sie selbst! Und drittens: nichts!«

»Dann sind es ja nur zwei Punkte!?«

»Falsch. Der dritte Punkt ist der Wichtigste. Er bedeutet, dass Sie einfach mal nichts machen.«

»Wie? Nichts?«

»Na ja, halt nichts. Sie machen einfach nichts! So wie Ihr Vater es offenbar auch gerne gemacht hat oder machen musste.«

»Aber wo mache ich nichts?«

»Das ist egal.«

»Und mit wem mach ich … nichts?«

»Nur mit sich und Ihren Gedanken.«

»Ich bin nicht sicher, ob ich das verstehe. Ich soll alleine mit mir nichts machen, egal, wo?«

»Ja! Sie müssen lernen, es mit sich selbst auszuhalten.«

»Darf ich Bier trinken dazu?«

»Danach ja. Währenddessen nein.«

»Rumlaufen oder mich bewegen?«

»Nein. Nur sitzen.«

»Was ist mit Handy?«

»Bleibt aus.«

»Warum?«

»Weil es Sie genauso stresst wie der Club selber. Alles reine Ablenkung. Damit die Leute nicht über ihr Leben nachdenken. Aber Ablenkung ist was anderes als Entspannung! Nichtstun ist Entspannung.«

»Wie lange soll ich denn nichts tun?«

»Ich denke, eine Viertelstunde am Tag reicht für den Anfang.«

»So kurz? Das krieg ich hin!«

»Gut. Und für den Rest des Tages fahren Sie auch ein paar Gänge runter: keine Pläne, keine Kurse, keine Ziele.«

»Keine Ziele? Aber irgendwohin muss ich ja schon mal, ich kann nicht nur rumsitzen!«

»Sie müssen nirgendwohin, Sie sind ja schon da.«

»Wie? Wo bin ich denn?«

»Na, da, wo Sie in diesem Augenblick eben sind.«

»Und meine Mutter?«

»Da machen Sie sich mal keine Sorgen, die ist viel stabiler als Sie. Und jetzt gehen Sie da raus und machen Sie einfach mal nichts!«

»Mach ich!«, sage ich, stehe auf und bedanke mich. Wir schütteln Hände, und ich stecke den Tracker ein. »Wollten Sie den nicht hierlassen?«, fragt Dr. Westhoff-González mahnend.

»Nein, das ist ein Geschenk!«

Als ich aus dem klimatisierten Centro Médico in die grelle Mittagshitze des Shoppingboulevards trete, merke ich, dass ich zwar den Tracker für Tayfun habe, meine Löwenkappe aber noch beim spanischen Doktor liegt. Erst will ich umdrehen und sie mir holen, doch dann denke ich mir: Vielleicht ist es ja langsam mal Zeit für eine erwachsenere Mütze.

27

Mein neues Zimmer geht zur Straße hin und ist direkt über der Mitarbeiter-Kantine. Einzelbetten hatten sie wohl keine, dafür eine Einzelzelle. Nicht die beste Kategorie, aber ich versteh's ja, nachdem nun keiner mehr den Pool benutzen darf, weil ein Voll-Depp einen Voll-Hybrid reingefahren hat. Wenigstens hat meine Mutter das Kuchenquiz gewonnen und Tayfun seinen Tracker wieder, ich hab ihn einfach in seine riesige Tennistasche gleiten lassen, als er eine Stunde gab. Die Clubwelt ist also in bester Ordnung. Nur meine Welt halt nicht.

Ich fühl mich scheiße. Nicht nur kraft- und arbeitslos, sondern auch einsam, leer und belogen von den eigenen Eltern. Weil ich so viel Stress hatte, haben sie mir's nicht gesagt. Als sei es meine Schuld. Schwach. Und vielen herzlichen Dank noch mal, dass ich jetzt alleine damit zurechtkommen muss, meinen Vater jahrelang wegen seiner Langsamkeit aufgezogen zu haben. Meine Mutter jedenfalls steht als Familientherapeutin nicht zur Verfügung, sie ist totenbeleidigt wegen meines Zimmerwechsels, und Mia haben sie mir wohl endgültig wegmeditiert. Sie hat ihr Profilbild ausgetauscht bei WhatsApp, und nun ist da statt ihres witzigen Grinsefotos mit aufgespießter Weißwurst nur noch ein dicker, goldener Buddha zu sehen mit dem Spruch: ›Let not fear and rage guide you but love and compassion‹. Das ist Englisch und heißt so viel wie ›Ich bin dann mal weg‹.

Ich falle aufs Bett und lasse das Handy ins Laken gleiten. Wo das Universum schon mal dabei ist – ist halt nicht nur der Job weg, sondern die Frau auch. Der Papa tot und die Mutter beleidigt. Und ausgerechnet jetzt soll ich nichts tun? Danach geht's mir ja nur noch beschissener!

Langsam richte ich mich auf und schaue auf den Kreisverkehr vor meinem Zimmer, über den gerade ein blauer Reisebus schaukelt. Neue Gäste, hurra! Oder ist das gerade der Trick von diesem Club, dass man ständig was tut, um bloß über nichts nachzudenken? Ist vielleicht genau deshalb dieser alberne Nichtstun-Tipp so gut? Eine Viertelstunde. Ist ja nicht lang. Gilt im Bett rumsitzen auch, ist jetzt schon eine Minute rum? Ich hätte diese lächerliche Viertelstunde gleich hinter mich bringen sollen statt packen, umziehen und auf Mias Profilbuddha zu starren – jetzt ist es schon kurz vor 16 Uhr, und ich könnte ja schon dreimal fertig sein mit Nichtstun!

Ich stehe auf, gehe auf den Balkon und schaue rüber zum Shopping-Center mit seiner deutschen Kneipe, dem Supermarkt und den billigen Sonnenbrillen-Läden. Schnell wird mir klar: Hier nichts zu tun macht mich nur noch trauriger. Aber was dann? Zweieinhalb Stunden habe ich noch bis zum Abendessen mit dem Motto ›Blues Brothers‹. Bis dahin werde ich diese verdammte Viertelstunde Nichtstun ja wohl noch schaffen. Nur wo?

Ich gehe die Treppen runter und setze mich an den erstbesten Baum. Zücke mein Handy und stelle es auf 15 Minuten. Ich drücke auf Start, da ertönt die Clubhymne von der Poolbar.

»Wenn dieser Tag unendlich wäre, würde ich es vermissen, jeden Tag zu wissen, ich komm wieder her!«

Wieder herkommen? Das wüsste ich aber. Ich drücke auf Stopp. 14 Minuten und 47 Sekunden steht auf dem Display. Immerhin – ich hab satte 13 Sekunden nichts getan! Doch mit Mehlbirne und Trottelkopf nähert sich auch schon die nächste Gefahr. Ich muss weg hier.

An der Bar ist zu viel los, außerdem werden sie mich beschimpfen wegen der Poolsperre. Im Ruhebereich der Sauna wird gequatscht wie in einer Kölner Eckkneipe. Wie zum Teufel hat mein Vater das eigentlich immer gemacht mit dem Stillsitzen, wenn er in den Wald ging? Ohne Uhr oder Handy! Wie hat er denn gewusst, wann die Zeit um war? Ach du lieber Himmel! Mein Vater!

Ich springe auf und wähle hektisch die Nummer des *Kölner Stadtanzeigers*. Vielleicht kann ich die Anzeige ja noch stoppen!

»Sie rufen außerhalb unserer Geschäftszeiten an! Alle Infos gibt es aber auch im Netz unter ...«

Kann ich nicht. Ich lege auf, lasse meine Augen über das Clubgelände wandern und schaue durch die Gitterstäbe des Zauns aufs Meer. Und wenn ich zum Atlantik ginge für eine Viertelstunde und dort nichts machte? Ein bisschen raus, das wäre doch vielleicht was!?

Ich postiere mich auf einer Bank am Strandboulevard. Alle drei Beachvolleyball-Felder sind besetzt. Auf dem Feld direkt vor mir springt und krakeelt eine selbstbewusste Mischpoke gestählter Fitness-Clubgäste mit freiem Oberkörper, und natürlich sehen alle toll aus. Der älteste Spieler ist bestimmt achtzig und betrunken, mein stets so ruhiger Vater ist Asche in einer zu hundert Prozent abbaubaren Urne. So ungerecht geht's zu. Trotzdem oder gerade deswegen: Timer an, Kopf aus. Es klappt sogar. Vorerst. Bis ich die Stimme meiner Mutter höre und auf Stopp drücke: Noch 14 Minuten und 13 Sekunden.

Mit Eistüten in der Hand nähern sie und Horst sich meiner Bank. Als wären sie ein Paar. Dabei berühren sie sich gar nicht, sie gehen nur nebeneinander, aber alleine das reicht mir schon und versetzt mir einen Stich ins Herz, aus einem ganz einfachen Grund: weil da nicht mein Papa neben meiner Mutter geht, sondern eben Horst, und Horst nicht mein Papa ist und es auch nie sein wird.

Ich schaue die beiden an, aber sie sind so in ihr Gespräch vertieft, dass sie mich gar nicht bemerken. Ich schlucke. Meine Mutter und der gefälschte Papa übersehen mich. Als sie vorbeigehen, höre ich, dass es um mich geht. Ich erhasche ein »… schon enttäuscht!« und »… der liebste Mensch der Welt« und »… Nicht mal diese eine Woche«, aber dann sind sie auch schon an mir vorbeigelaufen, als wären sie irgendeines der eintausend Rentnerpärchen, die sich jeden Tag vorbeibrabbeln. Als hätte ich nicht nur meinen Vater verloren, sondern prae morte auch schon meine Mutter. Und trotzdem will ich es noch einmal probieren mit dem Nichtstun. Versuche die Mama und den gefälschten Papa zu verdrängen, stelle den Timer auf 15 Minuten und erfahre dank einer Eilmeldung auf dem Homescreen, dass die Innere Kanalstraße wegen Bauarbeiten den kompletten Mai nur einspurig befahrbar sein wird. Kurz darauf poppt eine Meldung meines Kalenders auf mit der Erinnerung »Morgen: Todestag Papa«.

Interessant: Für mein Handy hat die Baustelle auf der Inneren Kanalstraße die gleiche Wertigkeit wie der Todestag meines Vaters.

Ich schalte es aus und stecke es weg. Schaue über die Beachvolleyball-Felder hinweg zum Strand, wo ein gutes Dutzend Schwingpimmel und Baumelbusen über ihre FKK-Autobahn eimern. Als dann noch eine Gruppe kichernder Segway-Senioren an mir vorbeisurrt, weiß ich, warum ich nicht einfach mal nichts tue für eine Viertelstunde: weil ich es hier einfach nicht kann!

Und dann springe ich auf und laufe einfach los. Ich gehe entschlossenen Schrittes, dabei weiß ich nicht mal, wohin. Hauptsache weg. Weg vom Clubsong, weg vom Volleyball, weg vom

Kaffee- und Kuchenquiz, immer die Promenade entlang, immer Richtung Dorf.

In dem ich noch nie war.

Das Meer zu meiner Linken, passiere ich Apartmentanlagen, Cafés und Touristenshops mit all ihren Eimerchen, Poolnudeln, Hüten, Sonnenbrillen und Sonnencremes. Im Dorf endet die Promenade, doch wenn man ums Eck geht, kommt man zu einem kleinen Platz, wo steinalte Dorfbewohner im Schatten noch älterer Bäume rauchen. Ich biege nach links und finde mich plötzlich in einer ganz normalen Wohngegend wieder. Weiß verputzte, dreistöckige Häuser, Wäsche quer über die Straße gehängt, plärrende Radios und offene Fenster mit kochenden Mamas dahinter. Stufe um Stufe schlendere ich mich durch das Viertel, passiere eine moderne Kirche, und als ich schließlich am Kopfende eines kleinen Privatweges über ein niedriges, weißes Mäuerchen springe, da weiß ich, dass ich den ganzen Weg nicht umsonst gegangen bin:

Da ist er, der krumme Tisch, an dem mein Vater auf dem Foto sitzt.

Saß.

Das Foto von Mamas Nachttisch.

Und von der Anzeige.

Die Käsekruste der Erinnerung.

Fast ehrfürchtig nähere ich mich. Da saß mein Papa, das war sein Tisch. Der Tisch steht wirklich recht knapp vor den felsigen Klippen, aber der Blick ist schon schön, so hoch über dem Strand und dem Atlantik. Dabei ist das Holzding ein Fall für den Sperrmüll. Die Bank sowieso. Alles krumm, schief und verrottet. Ein Tischbein fehlt ganz, stattdessen stützt die Bank den Tisch an dieser Stelle, was die Tischplatte entsprechend krumm macht. Wollte man hier essen, man müsste seine Teller festhalten, damit sie nicht runterrutschen, und na ja … Suppe dürfte es nicht sein.

Ich streiche über die raue Oberfläche der Tischplatte und setze mich vorsichtig auf die krumme Bank. Hebe langsam den Blick. Wer auch immer den Tisch hier aufgestellt hat, er hat den idealen Ort gewählt. Nichts stört, man sieht nur das Meer, den Himmel und die Palme, auch der Lärm vom Strand ist wie verschluckt, als hätte irgendjemand ein unsichtbares Fenster zugemacht.

Ich ziehe meine engen Schuhe aus. Seltsam, dass ich die Enge erst jetzt bemerke. Ein sanfter, warmer Wind streichelt meine nunmehr nackten Füße, sehr angenehm. Ich strecke mich, atme tief ein und spüre: Hier oben, am krummen Tisch meines Vaters, hier könnte ich tatsächlich nichts tun. Eine Viertelstunde wäre an diesem Ort durchaus drin. Ich schaue auf mein Handgelenk, doch da ist nichts mehr. Die Macht der Gewohnheit – ich wollte doch tatsächlich kontrollieren, ob ich gerade entspannt bin. Dabei weiß ich es in diesem Moment längst ohne Tracker: Mein derzeitiger Puls, er liegt irgendwo zwischen egal und scheißegal.

28

Als die Sonne sich dem Meer nähert, sitze ich immer noch auf der krummen Bank und betrachte die weiß gestrichene Tischplatte. Eine kleine schwarze Ameise schleppt einen riesigen Halm und weiß nicht so recht, wohin mit sich und dem Ding. Wie ich eben noch, denk ich mir, und so langsam beginne ich zu ahnen, warum mein Papa hier oben so gerne verweilte. Der angenehme Wind, das leise Rascheln der Palme und die sanfte Brandung des Atlantiks – das alles war für ihn einfach vermutlich eintausend Mal angenehmer als das hektische Spektakel im Club oder ein Bayern-Spiel mit mir. Gerade bei 40 Prozent Herzleistung. Und trotzdem ist er mit mir ins Stadion und mit meiner Mutter Jahr für Jahr in den Ferienclub. Nur seine Pausen, die hat er sich genommen. Nehmen müssen. Nur ein Wort und ich hätte ihn verstanden, und ja … bei aller Liebe … ein bisschen wütend bin ich doch auf ihn. Er hat sich davongemacht mit seinem Geheimnis und mich sitzen lassen mit meinem schlechten Gewissen. Was kann ich tun, außer Ameisen anschauen und Wellen zählen? Tja, einmal Controller, immer Controller. Es sind 17 Wellen pro Minute. Das Meer hat einen Ruhepuls von 17. Der des Clubs liegt bei 100. Mindestens.

Ich drehe mich zur Palme. Auf dem Foto waren die Blätter noch grüner, jetzt sind sie fast braun. Die schmalen und bescheidenen Reihenhäuschen der Siedlung dahinter haben sich nicht verändert. Jedes hat einen kleinen Gartenstreifen, bestenfalls drei Parkplätze groß, und jeder hat etwas anderes draus gemacht mit Hollywoodschaukel, Basketballkorb oder Wäschespinne. Irgendwo, ganz weit weg, tönt spanische Musik aus einem Radio. Mein Vater hätte wahrscheinlich Brings aufgelegt. ›Die Brings werden auch immer älter!‹, hat der Papa immer gesagt, wenn sie im Fernsehen liefen, so wie bei meinem Vater alle immer älter wurden, nur er halt nicht. Oder wollte er sich damit nur selbst beruhigen, als würde er ewig leben? Mein Papa, der Pulheimer Stereo-Sessel-Highlander? Wer weiß es denn? Ich weiß ja nicht mal, ob er Spaß hatte auf der Arbeit oder Stress. Aber fragt man das als Kind? Der Papa ist der Papa, und der geht zur Arbeit am Morgen, und am Abend kommt er wieder heim, dann läuft *Kimba* oder *Captain Future*, und dann gibt es Abendbrot. Aber hat mein Papa mich je gefragt, wie ich die letzte Folge *Captain Future* fand? So! Da haben wir's ja schon.

Ich war trotzdem stolz auf ihn als kleiner Panz, schließlich arbeitete er ja im größten Einrichtungshaus der ganzen Welt, wo er ganz wichtig war und sicher mal der Chef von allem werden würde. Nun, wurde er nicht. Ich weiß noch, wie ich immer am Fenster stand und auf ihn gewartet hab, und wenn ich ihn dann kommen sah in seinem Anzug und mit seiner braunen Aktentasche, da hab ich mich gefreut. Manchmal hat er zerknirscht ausgesehen, aber wenn er mich am Fenster erspäht hat, hat sich sein Knarzgesicht jedes Mal in ein wunderbares Lächeln verwandelt, und als ich die Haustür aufriss und »Rakete!« rief, da hat er mich immer unter den Armen gepackt, und dann flog ich fast bis zur Decke, und natürlich dachte ich, es würde einfach immer so weitergehen.

Ging es nicht, denn irgendwann wurde ich zu schwer für die Rakete, und ich stand auch nicht mehr am Fenster, sondern schaute lieber coole Serien wie *Ein Colt für alle Fälle* oder das *Trio mit vier Fäusten*. Serien, die mein Vater nicht mochte. Zu viel Gewalt. Das muss man sich mal überlegen aus heutiger Sicht: *Trio mit vier Fäusten* war eine gewalttätige Serie für meinen Vater! Gut, dass er *Game of Thrones* verpasst hat.

Je ruhiger und besonnener mein Vater wurde, desto weniger kam ich an ihn ran. Manchmal dachte ich sogar, er wolle mich herausfordern. Als er beim Finale der Fußball-WM 1986 in Mexiko nach dem 2:0 gegen Deutschland noch einmal raus auf die Felder ging, um die Stille zu genießen, da bin ich regelrecht durchgedreht. Das Schlimme war – er hatte auch noch recht: Deutschland verlor das Finale mit 2:3, und sein Herz geschont hat er auch noch.

Für mich hatten sich die Sticheleien und das gemeinsame Fernsehen aber ohnehin bald erledigt, denn schnell kam das Abi, und danach hieß es natürlich sofort ›Bye Bye Pulheim!‹ und ›Köln alaaf!‹ Im Nachhinein glaub ich, dass meine Mutter fast ein wenig neidisch war. Ich durfte zoröck noh Kölle jonn, wo sie groß geworden war, und sie blieb im pomadigen Pulheim mit meinem ruhigen Vater. Ich in Köln, die Eltern in Pulheim, damit war dann für mich natürlich auch mein Vater weg vom Fenster, denn nun begann ja das Leben! Feiern bis um vier, eigenes WG-Zimmer und keiner fragte, wo man um die Zeit noch herkam und warum man eine Burger-King-Krone auf dem Kopf hatte. Herrlich. Also für mich. Ja, von diesem Punkt an trennte sich unser Leben, und wir haben uns nur noch alle paar Wochen gesehen, was die Sache nicht besser machte, denn je mehr ich feierte, studierte und schließlich arbeitete, desto ruhiger und besonnener wurde mein Vater, und unser letzter Tag im Stadion war dann ja auch der traurige Höhepunkt. Scheiß Bayern!

»¿Señor? ¿Viven aquí?«

Ich höre eine kratzige Frauenstimme und drehe mich um. Sie gehört zu einer älteren, rundlichen Dame in einem der Reihenhausgärtchen, und freundlich sieht sie mir nicht aus. Ich stehe auf, sage entschuldigend »… alemán …!« und gehe zu ihr ans Mäuerchen. Immerhin, sie kann auch auf deutsch böse gucken.

»Was machen Sie hier? Das ist Privatgelände!«, poltert sie mit leichtem spanischen Akzent.

»Das tut mir leid«, entschuldige ich mich, »aber ich kenne diesen Tisch, weil mein Papa immer hier saß und … warten Sie …«

Ich zeige ihr das Foto auf meinem Handy und ahne nicht, was es auslöst.

»DAS ist dein Vater? Was ist denn mit ihm?«, fragt die Frau erschrocken und legt ihre Wäsche zur Seite.

»Er ist gestorben vor einem Jahr«, antworte ich.

»Wirklich?!«

»Ja.«

Die Dame scheint ernsthaft getroffen. Sie öffnet ihr Gartentürchen und kommt zu mir auf die Fläche zwischen Häuschen und Klippen.

»Aber … das kann doch gar nicht sein! Ich seh ihn noch hier sitzen, fast jeden Tag saß er hier. Den Georg!«

Und dann beginnt sie zu weinen. Eine Frau, die ich vor einer Minute noch nicht einmal kannte, weint, weil mein Vater nicht mehr da ist, und ich fühle mich schlecht, weil ich es nie konnte.

»Er sah immer so gesund aus!«, japst sie.

»Stimmt«, antworte ich, »krank sah er nie aus«, und dann stehen wir kurz sprachlos am krummen Tisch.

»Ich bin übrigens Lucia.«

»Nico!«, sage ich.

»Das kann ich gar nicht fassen, dass der Georg tot ist. Das war so ein feiner Mann und ganz anders als die anderen Touristen. Die meisten, die sich hier hochschleichen, die machen ein Foto vom Meer und ein paar Bemerkungen über unsere einfachen Häuschen und gehen wieder. Dein Vater war der Einzige, der das Besondere an diesem Platz hier erkannt hat.«

»War er denn oft hier?«

»Jeden Tag, wenn er im Urlaub war mit deiner Mutter. Und er hat mich gleich das erste Mal angesprochen, da hab ich gerade Wäsche aufgehängt.«

»Wirklich? Was hat er denn gesagt?«, frage ich neugierig.

»Er hat gesagt, was für ein wunderschöner Tag es ist und was für ein Glück ich habe, hier das ganze Jahr zu leben.«

»Ja?« Ich bin ebenso erstaunt wie erfreut.

»Und dass er mit seiner Rosi hier ist, die aber lieber im Ferienclub herumwirbelt. Genau. Herumwirbelt, das hat er gesagt, und dass dort immer irgendein Spektakel sei und die Gäste ›alle arme Schweine‹. Da hat er mich gehabt.«

»Warum?«

»Ich arbeite da. Und zum Club hat er immer ›Knast‹ gesagt. Und das hier, die Bank, die wir seit Jahren wegwerfen wollen, das war sein ›kleines Paradies‹.«

Ich bin tief berührt. Mein Vater arbeitet das ganze Jahr für einen Urlaub im 4-Sterne-Ferienclub, und ein verrotteter, schiefer Tisch mit einer krummen Bank wird zu seinem kleinen Paradies.

»Auf dich war er sehr stolz, aber er hatte auch ein bisschen Angst um dich, glaube ich, weil du so viel Stress hast. Kann das sein?«

»Äh … ja«, sage ich betreten.

»Aber was hat er gemacht, als er hier saß?«, frage ich, während Lucia sich die Tränen mit dem Ärmel abwischt.

»Nichts.«

»Nichts?«

»Genau. Er hat einfach nur das Meer beobachtet, den Himmel und die Tierchen, die hier rumrennen. Vögel, Katzen, Schmetterlinge. Wir haben manchmal ein wenig geredet, aber oft hat er auch geschrieben … ¡dios mío!!!« Plötzlich durchfährt es die knubbelige Spanierin wie einen Blitz. Sie schlägt sich auf die Stirn, ruft ein dramatisches »¡qué suerte que estés aquí!« und verschwindet aufgeregt im Haus.

Ich bin verwirrt. Mein Papa hat geschrieben? Was denn? Postkarten? Nur Sekunden darauf weiß ich es, denn Lucia ist zurück und überreicht mir eine typische Chinakladde mit roten Ecken in DIN A5.

»Da hat er oft reingeschrieben, wenn er hier saß. Er hat's hier gelassen. ›Fürs nächste Mal‹, hat er gesagt.«

»Das nächste Mal …«, wiederhole ich traurig und öffne ungläubig das Büchlein. Als ich die krakelige Schrift meines Vaters erkenne, stockt mir der Atem. Er hat ja fast das ganze Buch vollgeschrieben! Aber mit was? Lucia merkt, dass ich gedanklich abgetaucht bin, und streicht mir über den Arm.

»Ich bin froh, dass du das Buch hast. Aber ich muss auch noch Abendessen machen für meinen Sohn. Bist du denn mit deiner Frau hier?«

»Nein, mit meiner Mutter Rosi!«

»Ah … ich kenne sie, sie hat so viel Energie. Und sie hat auch das Foto gemacht, das du mir gezeigt hast. Aber es hat ihr nicht gefallen hier oben, ›da ist ja gar nichts los‹, hat sie gesagt.«

»Das kann ich mir vorstellen!«, lache ich, umarme Lucia kurz und bedanke mich für das Notizbuch.

»Wenn du noch … sitzen möchtest – so lange du willst!«

›Natürlich nicht, was soll ich denn hier?!‹, hätte ich gestern noch erwidert, aber jetzt nicht mehr. Ich bedanke mich und kehre gemächlich zum Tisch meines Vaters zurück. Setze mich. Schaue runter auf den Atlantik. Die Sonne ist schwächer geworden und wird bald untergehen. Ein Rudel bunter Windsurfer kehrt schon zum Strand zurück. Und die Ameise hat ihren Halm verloren, aber es ist ihr egal.

Ich starre auf das Notizbuch. Soll ich es lesen? Weil – offensichtlich hat er es ja nicht für mich geschrieben, sondern … für wen eigentlich? Für sich? Oder hat er es dem Schicksal überlassen, dass ich es irgendwann einmal in die Hände bekommen würde oder halt eben nicht? Ja, ich hab ein wenig Angst. Wenig? Ich hab sogar richtig Angst! Aber nicht drin lesen kann ich natürlich auch nicht. Und dennoch sitze ich noch eine ganze Weile, bis ich schließlich zum aufgehenden Mond schaue und mir denke, dass ich es genauso mache, wie mein Papa es immer gemacht hat. Also lasse ich meinen Daumen über die Seiten fliegen, stoppe auf einer beliebigen Seite und beginne zu lesen:

… geht der in dieser Saison durchaus minderbegabte FC aus-
gerechnet gegen die Bayern in Führung und wo stehe ich arme
Seele: vor dem Pissoir und versuche die aufgemalte Fliege zu
treffen! Das ganze Stadion singt »Kölle alaaf!«, und mein Sohn
ist alleine da oben und kann seinen Vater nicht umarmen. Und
zu spät gekommen sind wir auch noch, weil ich alles langsam
machen muss und mein Kölsch nicht trinke, sondern picke wie
ein Spatz, wie Nico immer sagt. Wenn er gewusst hätte, wie
gerne ich mal eines oder zwei mit ihm weggezischt hätte, einfach
so! Aber ich durfte ja nicht, und so war sein Unmut auch ir-
gendwie die Strafe dafür, dass ich einfach nie gesagt habe: »Nico,
dein Vater hat ein schwaches Herz und muss aufpassen!« Ich
hab nur die eine Hälfte gesagt: »Man muss aufpassen!«
Jetzt, wo ich in der Stille meines kleinen Paradieses verweile, da
merke ich, dass das ein Fehler war. Ich bin lieber ein Vater mit
einem schwachen Herz als einer, der nur die Hälfte sagt. Aber
wenn ich zu Hause bin, dann erkläre ich's ihm, und vielleicht

sitzen wir irgendwann mal zusammen hier oben, nur Rosi, Nico und seine liebe Mia und ich, schauen runter auf den Atlantik, und mit ein wenig Glück versteht mein lieber Nico dann, warum ich so bin, wie ich bin.

Behutsam klappe ich das Notizbuch zu und merke erst jetzt: Mit der Sonne ist auch meine Wut verschwunden. Der Mond hängt über dem Meer wie ein schwacher Lampion. Der schwache Lampion bin ich. Zum ersten Mal seit Papas Tod werden mir die Augen feucht, weil ich ihn endlich begreife. Und dann mache ich das, wofür ich meine Mutter immer belächelt hab – ich spreche mit meinem toten Papa:

»Wir sitzen hier zusammen. Versprochen!«

29

Als ich von der Strandpromenade aus durch das grüne Metall-
gitter in den festlich beleuchteten Ferienclub schaue, durch-
dringt ein unheilvoller Wind mein dünnes T-Shirt. Drinnen das
gewohnte Gewusel und Getöse. Die Poolbar ist gut gefüllt und
der Dresscode schwarzweiß. Man hat sich ordentlich heraus-
geputzt für den Themenabend »Blues Brothers« und wippt mit
Apéro und Rolex zum Takt der Musik. Alles arme Schweine?
Ich muss schmunzeln, als ich an die Notiz meines Vaters
denke.
Aber wo ist meine Mutter in all dem ausgestellten Getüm-
mel? Ich lasse meinen Blick über die Gartenanlage schweifen,
die Bar und den Poolbereich, beobachtet von einer surrenden
Infrarotkamera über dem Eingangsgitter. Ja, mein Vater hat's
zuerst bemerkt: Erst wenn man von draußen durch die Git-
terstäbe lugt, weiß man, dass man hier nicht wirklich in einem
Ferienclub ist, sondern im ›Candia County Jail‹, der härtesten
Haftanstalt auf den Kanaren.
Ein paar Schritte weiter kann ich den gesamten Außenbereich einsehen. Das Gros der Insassen hat sich mit seinen
Drinks um die wenigen Stehtische geschart und beobach-
tet sich argwöhnisch gegenseitig wie konkurrierende Gangs.
Rolex-Silberköpfe gegen Pfälzer Adabeis. Sporthelden gegen
Buffetpiraten. Sie konkurrieren um den besten Tisch, den at-
traktivsten Partner und die beste Massagezeit. Die angesag-
testen Klamotten, das fitteste Aussehen und den günstigsten

275

Zimmerpreis. Aus unzähligen Knastdokus weiß ich: Zu irgendeiner Gang musst du gehören, sonst kriegst du auf die Fresse. Und das Zimmer am Kreisverkehr. Als Einzelgänger bist du so gut wie tot. Ich muss die alte Gang wieder zusammenführen, und ich weiß auch schon, mit wem ich anfange: mit der Chefin!

Entschlossen stecke ich die Schlüsselkarte in den Schlitz an der Drehtür und gehe Richtung Bar. Der Pool ist noch immer gesperrt, und ich brauche nicht lange, um zu bemerken, dass man das sehr wohl mit mir verbindet: »Da isser ja!«, »Voooorsicht, der Hauben-Honk!« oder einfach nur »Super Präsentation, danke noch mal!«

»Sehr gerne – und alle Infos zum Wagen sind natürlich auf unserer Webseite!«

Ich wühle mich durch diverse Gästeknäuel, doch von meiner Mutter keine Spur. Schließlich entdecke ich einen schon recht rotköpfigen Horst, der mit einer brandneuen Dame im halbdurchsichtigen Kleid an der Bar steht, und eile zu ihm.

»Weißt du, wo meine Mutter ist?«

»Als ich sie das letzte Mal gesehen hab, hat sie den Fallschirmspringer auf der Wiese gemacht!«

»Und was heißt das?«, frage ich besorgt.

»Dass ich mal nach ihr schauen würde. Schönen Abend noch!«

»Ja, auch!«

Was meint er denn damit? Aufgelöst renne ich durchs leere Restaurant, wo sich die letzten Gäste lachend an ihrem Gratis-Tischwein festhalten und genervte Angestellte bereits die Tische für das Frühstück eindecken, doch meine Mutter ist nicht da. Durch den Hinterausgang gelange ich in die Empfangshalle des Haupthauses mit den Tischen für die Reiseveranstalter, dem Friseur und der Boutique. Alles verschlossen, klar, es ist kurz nach elf Uhr, das heißt, auch die Show ist schon vorbei, und eine zweite Bar gibt es nicht. Erst jetzt merke ich, wie falsch ich denke: Es ist NACH elf Uhr. Und wo ist meine Mutter da? Im Bett! Also renne ich den spärlich beleuchteten Steinweg entlang zu ihrem Zimmer. Drinnen brennt Licht, doch das Bett ist leer. Das Bad ebenfalls. Die Klotür steht offen. Mama lässt das Licht an und geht? Das hat sie noch nie gemacht! Und jetzt? Ich zücke mein Handy und wähle ihre Nummer. Ihr Handy klingelt im Zimmer. So langsam bekomme ich eine diffuse Angst. Irgendwas ist doch komisch. Nicht, dass sie sich was angetan hat! Vom Sohn verlassen, und was weiß ich, warum Horst jetzt schon wieder mit einer anderen rumsteht! Aber der Typ dafür ist sie eigentlich nicht. Eigentlich. Ich muss zur Rezeption und Bescheid geben. Wie in Trance und mit den übelsten Gedanken eile ich zum Eingangsbereich des Clubs, wo ein frustrierter Spanier im gleißenden Neonlicht in sein Handy starrt.

»Ich vermisse meine Mama!«

»Und ich meinen alten Job. Zimmernummer?«

»Zehn-zehn!«

Immerhin. Mit einem Finger tippt er was in seine Tastatur und schaut mich zum ersten Mal an.

»Oh. Rosi Schnös?«

»Ja!«, sage ich, »aber warum ›Oh‹?«

»Sie hat eben zum zweiten Mal ihre Geldkarte aufgeladen für den Nachtclub!«

»Oh!«

Und tatsächlich – die Anführerin der Schnös-Gang ist im Candia-Nachtclub. Sie hat sich rausgeputzt und wirbelt übers Parkett, als wäre sie im *Let's Dance*-Finale. In der Mitte der

Tanzfläche. Alleine. Stopp, nicht ganz alleine, sie tanzt mit einem leeren Weinglas.

Um sie herum halten sich die ersten Nachteulen an der Bar fest. Der DJ gibt trotzdem schon ordentlich Gas und spielt Karnevalshits, vermutlich um alle anderen Gäste noch länger oben an der Poolbar zu halten. Und gerade läuft ausgerechnet *Su lang mer noch am Lääve sin* von Brings. Meine Mutter tanzt wie ein Berserker dazu und singt auch noch mit. Klar, sie kannte den Text ja schon, da gab es Brings noch gar nicht. Ich schaue mir das Drama einen Augenblick an, dann gehe ich entschlossen zu ihr und packe sie an den Schultern, wie es ein Vater machen würde, der seine minderjährige Tochter aus der Disko holt.

»Mama! Was machst du denn hier?«, schreie ich ihr ins Ohr.

»Urlaub!«, lallt sie zurück und tanzt sich ungelenk von mir weg.

Okay, alles klar, meine Mama ist betrunken. Ich muss ihr nachlaufen und um sie herumgehen, damit ich wieder mit ihr reden kann.

»Mama, kann ich kurz mit dir reden?«

»Nein! Die Mama tanzt!«

Spricht's und springt weg von mir wie ein Funkemariechen. Ich folge ihr und drehe sie wieder um.

»Mama! Bitte! Wie lange willst du diesen Unsinn noch durchziehen?«

Die weißweingetränkte Antwort meiner Mutter ist der Refrain von Brings, den sie mir direkt ins Gesicht singt: »Su lang mer noch am Lääve sin, am Laache, Kriesche, Danze sin, su lang … mer noch am Lääve sin!«

Okay, denke ich mir, das macht keinen Sinn. Dann setz ich mich lieber an die Bar, irgendwann wird ja mal ein Titel kommen, den sie nicht mag.

Es kommt halt nur keiner.

Es kommen nur mehr Gäste in Schwarzweiß, der Nachtclub vom Knast füllt sich.

Auch Nadine kommt die Treppe runter, brav angezogen dieses Mal und mit ihrem Freund an der Hand, Typ Pietro Lombardi. Auf so Typen steht sie? Aber was frag ich denn? Nach meinem Kimba-Fail auf der Dachterrasse würde ich sogar verstehen, wenn sie mit Alf einliefe.

Unsere Blicke treffen sich kurz, das war's. Gut so. Behalte ich einfach den Sandbankkuss in Erinnerung und dass wir beide scheiße ausahen als Kinder.

Minge Mum tanzt inzwischen auf *Staying' Alive* von den Bee Gees und danach ebenso ekstatisch auf die Weather Girls mit *It's Raining Men*. Aus welchem Seniorenstift haben sie den DJ denn rausgelabert? Das kann man doch schon seit 1998 nicht mehr auflegen. Als meine Mutter bei *Daddy Cool* von Boney M. von der Tanzfläche schwankt, habe ich kurz Hoffnung, dass wir noch reden, doch leider geht sie nicht zu mir, sondern bestellt sich einen neuen Weißwein und tanzt weiter. Und als wäre das alles noch nicht schlimm genug, kommt der nicht minder betrunkene Horst in seinem schweinchenfarbenen Poloshirt dazu. Aha. Bei der Blondine im Fick-Mich-Kleid nicht gelandet und dann einfach wieder zu meiner Mama, oder was? Uh! Jetzt tanzt er sie auch noch an. Was für ein armseliges Spektakel.

Ich bestelle mir einen dreifachen Rum mit einem Eiswürfel. Als ich wieder auf die Tanzfläche schaue, sehe ich, dass Horst alberne Tanzschritte mit meiner Mutter ausführt, an deren Ende stets eine Arschberührung steht. Wie reagiert man denn auf so was als erwachsener Sohn? Gar nicht.

Jetzt spielen sie auch noch *YMCA*. Was hab ich getan, dass mich das Universum derart quält? Ich exe den Rum, denn – da muss ich den Tatsachen jetzt auch mal ins Auge sehen – ich bin meiner Mutter gerade scheißegal. So wie sie mir komplett egal war, als sie 1978 kurz vor dem Ende von *Captain Future* »Abendessen!« rief. Eins zu eins, würde ich mal sagen.

Ich blicke auf das schwarz-rote Notizbuch in meiner Hand und dann auf die Tanzfläche und denke mir: Wahnsinn. Da hab ich meinen Vater in seinem kleinen Paradies wiedergefunden und verliere meine Mutter bei *YMCA*. Und das wenige Stunden vor seinem Todestag. Oben am Tisch über dem Meer sollten wir sitzen und an Georg denken, statt uns als Einzelgänger im Knast-Keller zu betrinken. Ich bestelle noch einen Rum und werde Zeuge, wie meine Mutter zusammen mit Horst die komplette *YMCA*-Choreographie durchtanzt.

Young man, there's no need to feel down
I said, young man, pick yourself off the ground
YMCA, it's fun to stay at the YMCA …

Okay. An die Chefin der Schnös-Gang komme ich nicht ran heute, aber vielleicht ja wenigstens an ihre Stellvreterin? Ich versuche Mia anzurufen, doch die geht nicht ran. Dafür hab ich eine WhatsApp von Uli mit der Frage »Was meinste?« mit Anhang. Ich klicke drauf und sehe die perfekte Erinnerungsanzeige samt Foto und Text:

Vor einem Jahr gegangen und doch jeden Tag bei uns:

Georg Schnös

In liebevoller Erinnerung:
Rosi, Nico und Mia Schnös

Ja, schön wär's gewesen, doch jetzt drucken sie die Käsekruste. Statt zu antworten, bestelle mir einen weiteren Rum. Als der DJ *Don't Stop 'til You Get Enough* von Michael Jackson spielt, wird meine Mutter vom notgeilen Horst fast erdrückt, und schließlich gehen beide sogar zu Boden. Ich springe auf, doch bevor ich helfen kann, werden die beiden von anderen Gästen wieder hochgezogen und tanzen weiter, als wäre nichts gewesen. Ich schaue auf mein leeres Glas. Muss ich mir das noch weiter antun? Kann ja eigentlich nur schlimmer werden. Bei *You Sexy Thing* von Hot Chocolate schnappe ich mir die Getränkekarte. Für 80 Euro bekäme ich eine komplette Flasche Havana Club. Mit der könnte ich hoch zu Bank, Palme und Mond und mir auf der krummen Bank von meinem Papa die Festplatte löschen. Bekäme? Könnte? Ich mach das jetzt!

Ich will gerade dem Barkeeper winken, da nimmt mir jemand die Getränkekarte aus der Hand. Was soll denn die Scheiße jetzt? Doch als ich mich empört umdrehe, kann ich gar nicht fassen, welch wunderbare Frau da in einem orangenen Abendkleid vor mir steht.

»Ich finde ja, wir sollten das ›Sexy Thing‹ aufs Zimmer bringen.«

Meine Frau.

»Mia!«

Ich bin so erleichtert, dass ich einfach aufspringe, sie umarme und die Augen schließe. Ihren Nacken küsse und ihre Wärme genieße. Erst als ein Gast mir die Getränkekarte aus der Hand reißt, öffne ich die Augen und frage:

»Wie … wieso … warum bist du denn hergeflogen?«

»Es hat sich so angefühlt, als bräuchtet ihr ein wenig Hilfe.«

Noch bevor ich widersprechen kann, legt sich meine Mutter ein zweites Mal auf die Nase und reißt Horst gleich mit. Doch dieses Mal sind Mia und ich schneller als die anderen Gäste, und noch während Horst den Zustand seiner weißen Hose überprüft, zeigt meine Mutter ihrer frisch angereisten Schwiegertochter auf ihre ganz eigene Weise, wie überrascht sie ist.

»Mia?!? Was machst du denn hier?«

»Euch besuchen!«

»Und was ist mit dem Grünschnitt?«

»Den hab ich abgegeben!«

»Aber wer stellt morgen die gelbe Tonne vor die Tür?«

»Die Gundi«, antwortet Mia schmunzelnd, und gemeinsam haken wir meine wankende Mutter ein und führen sie vorsichtig die Treppen zum Ausgang hinauf. Sie ist schwer und sie wankt wie ein kanarisches Fischerboot im Sturm, aber sie sinkt nicht.

»Wo bringt ihr mich denn hin?«

»Ins Bett!«, antworten Mia und ich gleichzeitig

»Wenn ich einmal Spaß hab …«, nörgelt meine Mama verwaschen, »… wollt ihr mich ins Bett knüppeln!«

»NIEMAND will dich ins Bett knüppeln!«, stöhne ich.

»Gut! Aber hat denn nicht irgendwo noch was auf? Die ›Pump‹ vielleicht?«

»Die ›Pump‹ ist in Pulheim, Mama. Wir sind im Candia Playa.«

»Weißselberwarnurspaß!«

Meine Mutter versucht sich uns zu entreißen.

»Rosi«, versucht Mia sie zu beruhigen, »du musst nicht ins Bett, wir gehen jetzt erst mal vor die Tür.«

»Vor die Tür? Ich bin doch keine gelbe Tonne!«, protestiert meine Mutter, und Mia sagt: »Ich bin ja auch nicht die Gundi!«

Nachdem wir meiner Mutter glaubhaft versichern konnten, dass sie keine gelbe Tonne ist, weil sie nämlich gar keinen Deckel hat, gelingt es uns, die zeternde Mama in Richtung Zimmer zu bugsieren.

Auf dem Weg bringt meine Mutter meine Frau lautstark auf den neuesten Stand: »Mein Sohn hatte nämlich die Nase voll von mir! Ich wohne jetzt alleine! Und der Horst macht mit allen Frauen rum! Den bring ich jetzt auch noch ins Grab!«

»Mama, bitte. Erst mal bringen wir dich ins Bett!«

»Aber DANN den Horst ins Grab!«

»Ja!«

Die Zimmerkarte brauchen wir nicht zu suchen, meine Mutter hat sie sich umgehängt wie ein Schüler seinen Fahrausweis. Ich mache das Licht an, Mia führt meine Mutter zu ihrem Bett und zieht ihr vorsichtig die Schuhe aus.

»Was soll das denn? Ich dachte, wir gehen in die ›Pump‹?«

»Nächste Woche gehen wir in die ›Pump‹«, sage ich, »aber morgen ist Papas Todestag!«

Meine Mutter starrt mich fassungslos an. »Das schaffe ich nicht!«, jammert sie und umarmt ihr Seitenschläferkissen, doch noch bevor wir sie trösten können, bekommt sie ihr erstes Fax rein.

»Schläft!«, sage ich erleichtert.

»Na dann«, antwortet Mia – und dann stehen wir einfach so da neben meiner fiependen Mutter und bemerken erst jetzt, dass wir noch gar nicht geredet haben.

»Wie war die Fortbildung mit Theo?«, frage ich und decke meine Mutter zu.

»Gut. Und wie war's am Strand mit dieser Tittentussi?«, fragt Mia und schaltet das Licht aus.

»Auch … gut!«

Mia nimmt meine Hand und zieht mich sachte aus dem Zimmer: »Ich hab das Gefühl, wir sollten mal reden!«

»Ich hab ein eigenes Zimmer jetzt«, sage ich.

»Zimmer ist nicht so toll«, lächelt Mia, »besser irgendwo, wo wir so richtig rumschreien können, wenn du weißt, was ich meine!«

Ich ahne es. Und vielleicht ist die Idee gar nicht mal so schlecht.

30

Am menschenleeren Strand stehen Mia und ich uns barfuß gegenüber. Der Mond scheint kräftig und wirft scharfe Schatten. Es ist windstill, das Meer ist ruhig und der feine Sand noch immer warm.

»Bist du bereit?«, fragt Mia sanft.

»Dieses Mal ja!«, antworte ich, balle meine Hände zu Fäusten und gehe leicht in die Hocke vor Mia. Einfach ungefiltert alles rauslassen, was auch immer sich angestaut hat. Nur dachte ich natürlich, dass ich damit anfangen darf, doch wo ich jetzt so in die energiegeladenen funkelnden Augen meiner Frau blicke und ihre angespannte Haltung sehe, da ahne ich, dass sie die letzten Tage auch nicht unbedingt in Harmonie gebadet hat, und als sie schließlich Luft holt und ihre Zitterfäustchen macht, da wird mir angst und bange. Zu Recht. Denn Mia schreit einfach los:

»Verdammt nochmal, Nico, was ist los? Den ganzen Club könnte ich kurz und klein schlagen, so sauer bin ich! Ja, ich war auf Fortbildung, aber rate mal, was ich davor und danach gemacht hab? Grünschnitt weggebracht, Rollladen runtergefahren und Flüge rausgesucht, damit ich bei euch sein kann am Todestag! Und ich bin keine Sekunde hier, und es geht schon wieder nur um Theo und die gelbe Tonne von der Mama!«

»Moooooment!«, versuche ich zu unterbrechen, doch gegen Mias Gefühls-Tsunami habe ich keine Chance.

»Jetzt bin ich dran mit meiner Wut und glaub mir, ich hab

285

'ne Menge davon, und das nicht erst seit heute! Warum ich zu diesen Kuschelschrei-Medis gehe, wie du sie nennst? Weil ich meinen Mann verloren hab! Weil ich plötzlich mit jemandem verheiratet bin, der nach der Arbeit nur noch auf der Couch hockt, alles Scheiße findet und ständig Fußball glotzt, die gefährlichsten Flughäfen der Welt und den härtesten Knast und was weiß ich was. Und wenn die Kiste aus ist, geht die nächste an, dann kaufst du eine unterbrechungsfreie Stromversorgung für mittelgroße Unternehmen auf deinem Scheiß-Smartphone!«

»Da hab ich mich verklickt, ich wollte die kleine Variante …«

»Ist doch egal! Hauptsache irgendwas klicken, kaufen, kucken. Und du wunderst dich ernsthaft, dass ich mehr will vom Leben als Netflix, sicheren Strom und zwei Kisten 2001er Côtes du Rhône vom Château sauf dich blöd?«

»Bordeaux …«, korrigiere ich vorsichtig.

»Sorry, aber ich finde halt Wein nicht sooo spannend!«

»Verstehe, Theo ist spannender!«

»Jaaaa, ich hab mich oft mit Theo getroffen. Und ja, vielleicht auch zu oft und weißt du warum?«

»Weil er Kinder will im Gegensatz zu mir?«

»Ich will auch keine, Nico, aber nicht weil die Welt so schlecht ist. Ich hab mich mit Theo getroffen, weil der eben nicht in jedem dritten Satz sagt, dass Köln eine asoziale Müllkippe ist, die Politik ein Haufen Scheiße und ihn der nächste Tag im Büro jetzt schon ankotzt. Wenn's dich so nervt, dann mach einfach was. ›Auswandern‹ googeln, aber seinen Arsch nicht mal ins Nachbarviertel kriegen!«

»Aber ich hasse Ehrenfeld.«

»Und die Südstadt, Nippes, Mülheim … Nico, wie viele Urlaubsvorschläge hab ich dir gemacht, seit dein Papa tot ist? Sieben? Zwanzig? Und dann fährst du in so einen Scheiß-Ferienclub, um ein verdammtes Hybridauto zu promoten! Mit deiner Mutter! Die uns zu Hause schon jeden Tag in die Beziehung grätscht. Wir haben einmal Sex im Monat, aber die Einzige, die kommt, ist deine Mama, und zwar ins Internet, weil du ihr noch vom Bett aus den Router konfigurierst. Einmal gehen wir schön essen, aber noch bevor der Kellner fragt, was wir trinken wollen, hat die Mama keinen Ton beim RTL. Einmal wollen wir Klamotten kaufen für dich, damit du nicht rumläufst wie ein Obdachloser, da braucht die Mama plötzlich weiße Steine für den Vorgarten, und natürlich machen wir dann das, die Mama ist ja soooo alleine! Ja, ist sie. Ich bin aber auch alleine, verdammt nochmal, und weißt du was: Ich bin sogar alleine, wenn du dabei bist! Ich brauch dich aber! Und auch wenn ich andere Männer viel zu lang umarme, ich will von dir gevögelt werden, von meinem Mann und nicht von Theo. Glaubst du, ich hab einfach so Ja gesagt auf Kuba, weil's gerade so romantisch war auf dem Hotelparkplatz?«

»Natürlich nicht, aber – was ist denn jetzt mit diesem Theo?«

»Hat den Kontakt abgebrochen zu mir, weil ich nicht mit ihm schlafen wollte in Hamburg. Und ich naive Kuh dachte, wir sind Freunde. Jetzt hab ich ihm gekündigt, und was krieg ich zum Dank? Ein Foto von dir und 'ner Schlampe mit gemachten Titten. Und trotzdem bin ich geflogen! So! Fertig. Jetzt du!«

Wie? Ich? Was soll ich sagen, nach so einem Backpfeifen-Feuerwerk. Es ist wie bei der Kuschelschrei-Meditation in Köln: Alles, was ich im Kopf hatte, ist einfach weg. Weggeschrien von meiner eigenen Frau, die noch mehr Wut hat als ich. Hatte. Denn Mias Spannung ist wie weggeblasen. Schön für sie. Aber immerhin – sie spürt, dass auch ich noch mächtig unter Dampf stehe und einfach kein Ventil finde.

»Fang doch einfach mit was Frischem an, also was dich gerade noch wütend gemacht hat, der Rest kommt von alleine. Deinen Job vielleicht?«

»Scheiß doch auf meinen Job!«, lache ich und trete in den Sand, dass es nur so spritzt. »Ich hab nämlich gar keinen mehr, weil ich die verdammte Kiste in den Pool gefahren hab. Wegen einer Panikattacke. Und im Krankenhaus erzählt mir meine Mutter dann mal so eben, dass mein Vater herzkrank war seit Jahrzehnten und deswegen so war, wie er war!«

»Oh Gott!«

»Ja, oh Gott! Und dann hat uns Tim den Urlaub auch nicht geschenkt, weil ich so einen so tollen Job gemacht hab, sondern weil ich ausgerastet bin im Büro. Und den Tracker musste ich tragen: Ruhepuls unter sechzig oder Kündigung, war sein Angebot. Und ich Idiot geh noch darauf ein! Dann der Wahnsinn hier im Club, der Todestag, die Erinnerungsanzeige und meine Mama. Und was machst du? Schickst mir euren Hotelblick aus Hamburg, statt mich zu unterstützen. ›Hoffe, ihr macht es euch auch schön!‹ Was erwartest du denn für 'ne Antwort? Ja, du hast Urlaubsvorschläge gemacht, aber sorry, schau mich an, seh ich nach Ayurveda auf Sri Lanka aus? Und ich hab's doch sogar versucht in deinem Institut! Mein Vater ist tot, mein Job steht auf der Kippe, und meine Mutter hätte am liebsten, dass ich zu ihr ziehe, da schließt man schon mal ein Netflix-Abo ab. Und was machst du? Rennst zur erstbesten Sekte, meditierst dich dumm und dümmer und schreibst mit dem erstbesten Aushilfsbuddha ein Buch, weil das Universum es erlaubt! Statt deinen Mann einfach mal von der Couch zu ziehen und zu fragen, was mit ihm los ist! ›Oh, mein Mann schaut nur noch Premier League und Knastdokus, da geh ich lieber schnell mal zur Hops- und Schüttelmeditation‹!?«

»Kundalini …«, verbessert mich Mia schwach.

»Mir doch egal. Weißt du, warum ich Knastdokus schaue?

Weil ich mich dann einfach mal für eine Stunde frei fühle. Weil ich mir dann sagen kann, okay, Köln geht den Bach runter, meine Kollegen nerven wie Sau, und mit Mia läuft es auch beschissen, aber wenigstens bin ich nicht in der falschen Gang im Dallas County Jail! DAS ist meine Meditation! Du willst wissen, was los ist mit mir? Dann frag mich doch einfach mal, dann muss ich nämlich auch nicht zu irgendwelchen Psychiatern rennen, denen nach einer Stunde nichts anderes einfällt als ›Sie sind ein Mann auf dem Weg‹! Und du hast dich auch verändert! Auf Kuba haben wir noch eine ganze Flasche Wein weggeknattert, und es war egal, ob er bio war oder mit Gelatine geklärt! Wir haben uns einfach totgelacht und verrückte Pläne gemacht! Ich hab eine ausgeflippte Beachvolleyballerin geheiratet, mit der ich tollen Sex hatte und auf die Rolle gehen konnte und betrunken Burger essen um vier Uhr früh mit Papierkrone auf. Jetzt hab ich eine essgestörte Umweltaktivistin, die an ihrer eigenen Achtsamkeit erstickt und ja, da geht mir halt nicht unbedingt das Messer in der Hose auf. Du hast Probleme und bist unfähig, sie zu lösen? Probier's doch mal mit Meditation! Da kannst du dich schön in dich zurückziehen und so tun, als gäb's die nicht. Wo genau ist da der Unterschied zu Netflix? Sag ich dir – es gibt keinen. Es hat einfach jeder seinen Weg gefunden abzutauchen, um ja über nix zu reden! So, fertig!«

Ich atme durch und schüttle mich. Bin aufgewühlt, aber irgendwie auch erleichtert. Und ich war besser als im Institut!

»Aber wir reden doch gerade! Und wir lösen Probleme!«, sagt Mia, die mich ebenso betroffen wie liebevoll anschaut und meine Hände nimmt.

»Stimmt.«

Und dann sagt sie mit sanfter Stimme: »Löst Netflix Probleme?«

»Ja, aber nur ihre eigenen. Der Support macht das.«

Mia schaut mir in die Augen.

»Das tut mir leid, dass du das nicht wusstest mit deinem Vater. Dass du eine Panikattacke hattest. Und es war blöd, dass ich dich so provoziert hab mit Theo. Ich hab gedacht, vielleicht holt dich das ja mal von deiner Couch, vielleicht würde es dich ja anstacheln, aber ... da war ich wohl nicht ... sehr achtsam. Die WhatsApp aus Hamburg tut mir auch leid, ich hab mir einfach nix dabei gedacht, und zehn Minuten später bin ich ja schon ausgeflippt, weil Theo uns ein Zimmer mit Doppelbett gebucht hat.«

»Ich hab's von Anfang an gewusst!«

»Ich hab ihn auf der Couch pennen lassen. Und wir kriegen das schon wieder hin. Und ich hab eine Überraschung dabei für euch beide.«

Ich lasse Mias Hände los und hebe die Augenbrauen.

»Was denn für eine Überraschung?«

»Erst muss es dir auch leidtun!«

»Was denn?«, frage ich verwirrt.

»Na einfach alles!«, antwortet Mia bestimmt, »so läuft diese Meditation nun mal.«

»Siehst du, und genau deswegen funktioniert das nicht, weil man niemanden zwingen kann, dass ihm was leidtut!«

Beide atmen wir durch und versuchen uns wieder zu sammeln. Dann greift Mia wieder nach meinen Händen und zieht mich zu sich.

»Mir hat doch auch was leidgetan. Du kannst ja mit was Kleinem anfangen ...«

Ich überlege kurz und sage:

»Der FC Köln tut mir leid.«

»Und weiter ...? Vielleicht was Persönliches?«

»Und ... es tut mir auch leid, dass es eben wieder nur um meine Mutter ging und dass ich nur noch auf der Couch hing, aber da war immer dieser ganze Stress und dann die Sache mit meinem Vater und ja, da hast du recht, bloß nicht nachdenken, ich hab das einfach verdrängt. Das Tussen-Foto tut mir auch leid. Aber ich war neugierig am Anfang, weil sie so war wie du früher und …«

»Ich hab aber keine gemachten Titten. Phase drei?«, unterbricht mich Mia.

»Was macht man da?«

»Da schaut man seinem Partner tief in die Augen, sagt, dass man ihn liebt, und dann umarmt man sich.«

»Wow!«, höre ich eine bekannte Stimme von der Promenade. Sie kommt von Tui Buh, dem Clubgespenst. Es sitzt mit einer Bierdose auf der Mauer der Strandpromenade und hat offensichtlich alles mitbekommen, denn sonst würde er nicht fragen:

»Was geht da denn für ein krasser Kurs ab, kann man da noch einsteigen?«, plärrt er zu uns rüber.

Mia und ich sehen uns ratlos an, dann drehen wir uns beide zu ihm und sagen:

»Nein!«

»Okay …!«

Und dann schaut Mia mir tief in die Augen. Sie steht so nah, dass ich ihren Atem spüren kann, wir sind ganz kurz vor einem Kuss.

»Ich liebe dich, mein Schatz. Innig, überschäumend und von ganzem Herzen!«

»Ich lieb dich auch!«, sage ich erleichtert und halte den Blick, »und ich bin so froh, dass du gekommen bist.«

»Ich auch.«

»Aber fragen wollte ich halt trotzdem mal, hätte ja sein können …«, tönt Tui Buh von der Promenadenmauer. Wir ignorieren ihn.

»Aber was ist denn jetzt die Überraschung?«

»Ich hab Lasagne dabei. Selbst gemacht nach dem Rezept von deinem Papa.«

Ich schlucke. »Aber wie hast du die ... –?«

»Tiefgefroren und gut eingepackt in den Flieger geschmuggelt. Ich dachte ... vielleicht essen wir die ja an seinem besonderen Tag und denken an ihn?«

Ich kann gar nichts mehr sagen, weil ich mich fühle wie ein Idiot. Während ich mir die schlimmsten Dinge zusammenbastle im Kopf, backt sie Lasagne, bringt Grünschnitt weg und sucht nach Flügen, um bei uns zu sein.

»Die Lasagne ist eine phantastische Idee!«, sage ich, »viel besser als eine Kerze anzünden und ... ich weiß auch, wo wir sie essen können.«

Mia zieht ihre Stirn in Falten.

»Aber nicht an so einem Achtertisch, oder?«

»Ganz bestimmt nicht!«, lache ich und dann, endlich, fallen wir uns erleichtert in die Arme und schließlich in die warmen Sand, wo wir aneinandergekuschelt liegen bleiben und in die Sterne schauen. Den Wellen lauschen, dem Geklapper der Fahnenmasten und die schlimme Musik aus dem Nachtclub einfach an uns vorbeiziehen lassen.

»Von wem ist noch mal dieses *What is Love?*«, höre ich Tui Buh von seiner Mauer rufen.

»Haddaway!«, schreien wir gleichzeitig und müssen lachen.

»Danke!«, tönt es von der Promenade zurück, »und sorry, wollte nicht stören, aber so was macht mich einfach wahnsinnig, wenn ich einen ganz bekannten Song höre und ich nicht draufkomme, von wem der noch mal war, vor allem, wenn's einem auf der Zunge liegt.«

Mia streicht mir über den Hintern und strahlt mir in die Augen.

»Phase sieben der Meditation auf dem Zimmer?«

»Sehr gerne!«, schmunzle ich und schiebe meine Hand unter ihr Kleid, »aber eine Frage hab ich noch …«

»Sag!«

»Die Lasagne, die du gemacht hast – ist da auch echtes Hackfleisch drin?«

31

Als ich aufwache, kann ich zunächst gar nicht glauben, wer da neben mir liegt. Doch obwohl ich nur einen Teil ihres Rückens sehe, weiß ich, dass es meine Frau ist: ihr leichter Keks-Duft, ihre feine Wärme und natürlich dass immer eines ihrer langen Beine aus der Decke rausschaut, als würde sie sonst qualvoll ersticken, all das ist halt einfach Mia. Okay, statt auf Morgensonne und Meer blicken wir auf den Kreisverkehr und das Cosmo-Shopping-Center, aber wie egal ist das denn?

Behutsam richte ich mich auf im Bett und muss schmunzeln über die quer im Zimmer verteilten Spuren der letzten Nacht: hier eine Socke, dort ein BH und die gerade mal angetrunkene Flasche Rotwein. Phase sieben der Meditation, der ›Tanz der Liebenden‹. Man kann durchaus erkennen, dass wir den Tanz noch ein wenig ausgebaut haben.

Als ich zu meinem Handy greifen will, erinnert mich das schwarz-rote Notizbuch auf dem Nachttisch an meinen Tagesplan. Ich lege das Handy zurück, streiche sanft über den Einband und stelle mir vor, wie wir alle zusammen an Georg Schnös' magischem Ort sitzen mit Mias Lasagne. Die Bilder verschwinden, als mir bewusst wird, dass es vor diesem schönen Abend noch ein winziges Problem gibt: meine Mutter.

Ich hab meinen Fuß noch nicht ganz auf dem Fußboden, da höre ich meine Frau nuscheln: »Wo willst du denn hin, Sweetie?«

»Zur Mama …? Ich muss ihr doch sagen, was wir vorhaben«,

antworte ich vorsichtig, doch natürlich ist meine Frau sofort glockenwach und dreht sich stöhnend zu mir.

»Ach Nico, hört das denn nie auf?«

Okay. Es gibt noch ZWEI winzige Probleme.

»Nein, es hört nie auf«, sage ich und drücke Mia einen zärtlichen Kuss auf die Wange, »aber es wird anders!«

Weil ich meine tanzverrückte Mutter komatös leidend in unserem alten Doppelzimmer vermute, eile ich zunächst dorthin, doch das Zimmer ist leer. Lange muss ich sie allerdings nicht suchen: Ich entdecke sie im Sport-Pavillon, wo sie mit einem guten Dutzend übermotivierter Silberköpfe Hampelmänner absolviert, als wäre gestern gar nichts gewesen. Meine Mutter treibt Sport nach DER Nacht? Und so früh? Hut ab! Sie trägt eine weiße, kurze Hose, graue Turnschuhe und eine modische, pinke Sportbluse.

Vor den Kursteilnehmern posiert ein jugendlicher Vorturner im engen Shirt über dem Waschbrettbauch und gibt seine Kommentare über Mikro ab:

»Gut, Klaus, die Arme richtig hoch, Ralf, ein bisschen mehr Einsatz, Rosi, klasse!«

Und tatsächlich: keine Spur von Kater bei den Hampelmännern meiner Mutter.

»Mama?«, rufe ich, doch sie hampelt unbeeindruckt weiter. Ich probiere es noch einmal lauter: »Mama???«

»Deine Mama kann jetzt nicht!«, antwortet der Trainer über Lautsprecher, was bei allen für ein gewisses Amüsement sorgt, nur bei meiner Mutter nicht.

»Unnnd … Wechsel zum Seilspringen!«, sagt der Trainer an, woraufhin alle so tun, als hätten sie ein Sprungseil, und auf der Stelle hopsen. Meine Mutter springt so eifrig über ihr unsichtbares Seil, als trainierte sie für eine Rolle in *Rocky IX*. Ich trete an die Holzbrüstung heran, so dass sie mich nicht mehr ignorieren kann.

»Mama? Ich bin's! Wie geht's dir denn heute?«

»Die Mama kommt zurecht!«, lautet ihre recht barsch vorgetragene Antwort. Ich komme noch ein wenig näher.

»Können wir denn kurz sprechen wegen Papa?«

»Uuunnnnnd Wechsel zu den Skippings!«, ruft der Trainer über Mikro, »wir treten auf der Stelle und ziehen immer schön die Knie hoch. Und los!«

Zusammen mit der Gruppe beginnt auch meine Mutter mit den Skippings, während der Trainer die exakte Ausführung der Übung kontrolliert.

»Mama?«, sage ich noch einmal und versuche am Ärmel ihrer Sportbbluse zu zupfen. Der Trainer reagiert sofort: »Das etwas ältere Kind, das an seiner Mama zupft: mitmachen oder zu den Minis ins Piratenschiff, die basteln heute ein Fernrohr!«

Und wieder Gelächter. Gut, bevor ich mich weiter verarschen lasse, mache ich halt mit und springe die zwei Stufen hoch auf die hölzerne Fitnessfläche. Weil meine Mutter keinen Millimeter Platz macht, kann ich nur seitlich hinter ihr die Skippings mitmachen, was ich als sehr anstrengend empfinde.

»Ich muss wirklich mit dir reden!«, keuche ich, während ich meine Knie hochreiße.

»Über was denn? In Pulheim glauben sie, wir wären irre«, antwortet meine Mutter, »ich bringe die Männer ins Grab, und an Papas Todestag machen wir halt einfach nichts!«

»Für dich!«, sagt der Trainer und wirft mir eine Matte vor die Füße, »wie heißt du?«

»Nico«, antworte ich und quetsche meine Matte neben die meiner Mutter.

»Und wieder den Hampelmann!«, ruft der Trainer, »und zu

Beginn sind die Hände zusammen über dem Kopf und Beine auseinander, nicht andersrum!«

»Ich hab Notizen vom Papa gelesen, die hauen dich um!«, ächze ich, während ich über meinem Kopf in in die Hände klatsche und in den breiten Stand springe.

»Und die Gundi hat den *Stadtanzeiger* gelesen, das haut ganz Pulheim um!«, schäumt meine Mutter, »›Die Käsekruste der Erinnerung‹? Ich schäme mich in Grund und Boden, Nico!«

Der Trainer kommt, schaut amüsiert zu mir runter und korrigiert über Lautsprecher: »Nico, was DU machst, ist Bahnübergang. WIR machen Hampelmann!«

»Das mit der Anzeige tut mir leid«, erkläre ich, während ich versuche, meine Bewegungen zu koordinieren, »ich hab die kurz vor Annahmeschluss geschrieben, weil's dir so wichtig war, und das mit der Lasagne –«

»Der arme Georg …«, faucht meine Mutter, »›ist eine Käsekruste der Erinnerung!‹«

Die Musik stoppt, und der Trainer gibt neue Anweisungen: »So, wir machen jetzt zwei einfache Übungen im Wechsel, legt euch schon mal auf den Rücken. Die erste Übung sind ganz normale Sit-ups. Die zweite sag ich jetzt schon mal an, das ist der ›Hüftbeuger‹: Rückenlage, Hüft- und Kniewinkel neunzig Grad und dann die Ferse zum Boden bringen, achtet darauf, dass ihr nicht ins Hohlkreuz rutscht, und immer die Wirbel in die Matte reindrücken.«

»Was hast du dir nur dabei gedacht?«, zetert meine Mutter.

»Ich hatte Stress!«, verteidige ich mich.

»Und los geht's!«, ruft der Trainer, und ich versuche mich an den Hüftbeuger zu erinnern, also Beine in die Wirbel drücken und Matte rechter Winkel …?

»Rosi – sehr gut. Nico, schau einfach mal zu deiner Mutter, die macht es richtig!«

Ich schau zu meiner Mutter, lege mich auf den Rücken und mache Situps.

»Das mit der Käsekruste tut mir leid, aber es ist auch nicht mehr wichtig jetzt, weil –«

»Und gut! Jetzt den Hüftbeuger!«, unterbricht der Vorturner. Was war das denn nun wieder? Atemlos stehe ich auf, die anderen sind liegen geblieben und führen ihre Beine zum Boden.

»Nico, der Kurs heißt ›Fit ab fünfzig‹ und nicht ›Verwirrt ab vierzig‹!«

»Ich bin dabei, ich dachte nur –«

»Ja, ich ›DACHTE‹!«, faucht mich der Trainer an, »zu spät kommen, keine Matte haben, dauernd quasseln und dann noch denken!«

»Sorry!«, sage ich und denke mir, werd doch einfach Ranger im RTL-Dschungelcamp.

Der Hüftbeuger fordert meine volle Konzentration, zudem schaue ich nach vorne und meine Mutter demonstrativ in die andere Richtung. Dann endlich kommt eine kommunikativere Übung: »Uuund wir legen los mit dem Seitstütz! Ellenbogen auf die Matte, Rumpf stabil und Beine durchdrücken. Dreißig Sekunden, das schafft ihr!«

Ich drehe mich seitlich zu meiner Mutter, strecke die Beine und hieve mich auf meine Unterarme. Wenngleich es unter großen Schmerzen geschieht – zum ersten Mal kann ich ihr in die Augen sehen.

»Es gibt ein Notizbuch vom Papa!«, stöhne ich, »und er möchte, dass wir alle zu seinem Tisch hochkommen, das hat er selbst geschrieben!«

»Wann will er das denn geschrieben haben, er ist ja seit einem Jahr tot!«, antwortet meine Mutter ohne das geringste Atemproblem.

»Rosi, sehr gut! Nico, streck die Beine durch!«

Ich ignoriere den Trainer und konzentriere mich ganz auf meine Mutter: »Er hat es im letzten Urlaub geschrieben an seinem Tisch überm Meer«, keuche ich und merke, wie mein ganzer Körper zittert.

»Die Hälfte habt ihr schon!«, lobt der Trainer und klatscht in die Hände, »durchbeißen jetzt!«

»Ich hab nie verstanden, was er da oben wollte«, rätselt meine Mutter im zitterfreien Seitstütz.

»Wenn du zu seinem Tisch kommst, verstehst du's!«, ächze ich, »oder willst du lieber zum Gala-Abend mit Horst?«

»Horst und ich, wir haben uns getrennt!«

»Wie getrennt?«, zittere ich ihr zu, »ihr wart doch nie zusammen!«

»Prima, Seitenwechsel!«, ruft der Dschungel-Ranger.

Wir drehen uns auf die jeweils andere Seite, und statt auf meine Mama schaue ich nun in das grantige Gesicht von Horst, den ich bisher noch gar nicht entdeckt hatte.

»Du lässt mich keine Sekunde allein mit deiner Mutter, oder?«

»Doch! Gestern zwischen den Weather Girls und Hot Chocolate. Aber du hast ja nichts draus gemacht«, antworte ich ebenso bissig.

»Mach du mal lieber was aus deinem Leben!«

»So wie du? Mit Rolex, Yacht und Moët Ice?«

»Hab ich mir alles verdient!«

»Das vielleicht, aber meine Mutter halt nicht!«

»Und wieder Seitenwechsel!«

Meine Mutter absolviert einen perfekten Unterarmstütz, während ich mich vor Zittern kaum mehr halten kann. Immerhin scheine ich zumindest ihre Neugierde geweckt zu haben.

»Was hast du denn vor für Papa? Den Ofen wieder anmachen, um die Käsekruste der Erinnerung aufzuwärmen?«

»Genau das!«

»Dann brauchen wir wohl nicht mehr reden!«

»Uuuuund wir machen schnelle Wechsel!«, schallt es aus den Lautsprechern.

Ich schaue wieder zu Horst, der ebenfalls keine Probleme hat, sein Gewicht seitlich auf dem Unterarm zu halten, während ich inzwischen zucke wie vom Taser getroffen.

»Warum magst du mich eigentlich nicht?«

»Es ist nicht so, dass ich dich nicht mag …«, stöhne ich, »du bist nur einfach nicht mein Vater!«

»Nico, is gut jetzt!«, ruft der Drill Instructor, »Klappe halten oder Piratenschiff! Uuuund der letzte Wechsel!«

Ich drehe mich und schaue nun wieder meiner Mutter in die Augen.

»Und dann holt ihr eine Tiefkühl-Lasagne aus dem Einkaufs-Center oder wie?«, fragt meine Mutter.

»Mia hat Papas Rezept gefunden im Haus. Sie hat sie gebacken und tiefgefroren in den Koffer!«

»Ja, aber doch wohl hoffentlich nicht in MEINER Küche!«

Ich springe auf und rolle meine Matte zusammen. »Weißt du was, Mama? Ich hab sie nicht gefragt. Aber wenn es in deiner Küche war, wette ich: Mia hat einfach alles stehen und liegen lassen, und jetzt sieht es dort aus wie Sau! Weil sie halt eine komplette Null ist im Haushalt und ich ein Idiot.«

»Nico!«, ruft meine Mutter überrascht, doch da stehe ich schon wieder auf der Wiese.

»Mia und ich sind zum Sonnenuntergang an Papas Tisch. Komm dazu oder lass es!«

Entschlossenen Schrittes gehe ich vom Sport-Pavillon zurück zu unserem Zimmer. Es reicht. Irgendwann ist mal gut.

»Rosi? Blick nach vorne, nicht zur Wiese«, tönt der Trainer, »du kannst deinen Sohn jederzeit abholen im Piratenschiff!«

32

Wir schauen auf einen spektakulären Sonnenuntergang mit dem blauesten aller Himmel. Ein Himmel, der zum dunklen Meer hin mit einem fulminanten Orange verschmilzt. Über der schon halb im Meer versunkenen, schwachroten Sonne strahlen winzige Wölkchen. Ganz sicher hätte mein Papa jetzt sein 791. Sonnenuntergangsfoto gemacht.

Mia und ich sitzen nur und schauen schweigend aufs Meer. Der Ort, an dem Papas krummer Tisch steht, er hat etwas Magisches, da hat Lucia schon recht. Lucia, der spanische Knubbel, in deren Ofen gerade die Lasagne schmort, wie nett von ihr. Und auch wenn es dann und wann aus ihrer Küche scheppert – nirgendwo sonst ist es mir als gedankenverhuschtem Hektiker bisher gelungen, in Frieden still zu sitzen und einfach nur zu sein.

Mia findet auch, dass dieser Westhoff-Gonzales aus dem Centro Médico recht hat: Man muss nirgendwohin, weil man ja schon da ist. Und was hat mein Vater immer gesagt: Wir haben alle Zeit der Welt. Alle Zeit der Welt, um nichts zu tun. Man muss halt nur wissen, wo. So einfach ist es manchmal und so viel besser als Netflix: ein Stille-Abo für zwei Geräte.

Als die Sonne ins Meer getaucht ist, fragt mich Lucia, ob meine Mutter wohl noch käme wegen der Lasagne, und Mia, was genau ich zu meiner Mutter gesagt hätte beim Sport. Dass sie kommen solle oder es sein lassen, erzähle ich, und dass ihre Küche bestimmt aussähe wie Sau. Ich meine, einen Hauch von Unverständnis in Mias Blick zu erkennen.

»Ich hab die Lasagne doch nicht bei deiner Mama gemacht, ich kenn mich doch in ihrer Küche gar nicht aus. Ich hab nur ihre grüne Auflaufform mitgenommen, die auf dem Foto vom Rezept war.«

»Au weia!«

»Was ist falsch an der grünen Auflaufform?«

»Es hat nichts mit der Farbe oder der Form zu tun, es ist nur so, dass meine Mutter grundsätzlich nie etwas verleiht.«

»Aber ihre gelbe Tonne darf ich rausschieben oder was?«

Mias lässt meine Hand los und nimmt einen Schluck Wein. »Weißt du was? Ich geh jetzt mal rein zu Lucia und schau nach der Lasagne und du … du machst … einfach weiter nix!«

Mia steht auf und stapft in Richtung der hell erleuchteten Küche. Ich kratze mich am Hals, nehme noch einen Schluck Wein und schaue fragend den Mond an.

»'ne Idee, warum wir alle so bescheuert sind? Nein? Danke!«

Mit einem Mal raschelt es im Gebüsch hinter mir. Es ist meine schnaufende Mutter. Sie steckt in einem schwarzen Gala-Outfit und hat eine Grubenlampe auf dem Kopf. Für eine naive Sekunde freue ich mich.

»Eine Zumutung …!«, stöhnt sie und zupft sich ein Blatt von der Schulter.

»Was denn für eine Zumutung?«, frage ich genervt.

»Wie soll man das denn finden? Ich war doch nur einmal hier oben und jetzt ist es auch noch stockdunkel! Wenn mir der Tayfun seine Lampe nicht gegeben hätte, wär ich jetzt, ja was weiß ich wo …«

»Jetzt bist du ja aber hier«, schmunzle ich, denn natürlich bin ich froh, dass sie gekommen ist. Trotz Gala-Abend im Club.

»Wo ist denn deine Frau?«

»Jetzt setz dich doch erst mal«, lächle ich und klopfe auf die weiße Sitzfläche meiner Bank.

»Auf das krumme Ding?«

Meine Mutter sieht aus wie ein Leuchtturm. Und weil der Lichtstrahl auf ihrem Kopf das Einzige ist, was ich von ihr sehe, kann ich nur raten, ob sie auch so guckt, wie sie spricht.

»Schön gedeckt habt ihr«, lobt sie ein wenig gezwungen.

Der Leuchtturm streift seine Lampe ab und nimmt skeptisch auf der schieferen der beiden Bänke Platz.

»Da rutscht man ja ins Meer!«

»Schön, dass du gekommen bist.«

»Ich musste ja. So wie du mich rundgemacht hast vor allen Leuten beim Sport!«

Ich schenke Wein ein und reiche ihr das Glas. »Wie wär's denn mal mit einem Schluck zur Beruhigung?«

»Da hör ich mich nicht nein sagen!«

Wir stoßen an, nehmen einen kleinen Schluck und merken erst beim Abstellen, dass die Tischplatte so krumm ist, dass die Gläser umfallen würden.

»Eine Zumutung!«, sagt meine Mutter. »Dass ihn das nicht gestört hat als Möbelverkäufer.«

»Wir müssen einfach nur mehr trinken, dann fällt nichts mehr um!«, sage ich, und nun schaut meine Mutter doch etwas milder.

»Nicht lagern bis Zweitausendfünfzig?«

»Nur bis zwanzig Uhr fünfzig!«, sage ich, und dann trinken wir so lange, bis die Gläser stabil stehen, wir trinken leer. Meine Mutter schaut mich fragend an.

»Du hast gesagt, dass der Papa uns zusammen hier haben wollte.«

»Stimmt«, antworte ich und schiebe meiner Mutter das Notizbuch zu. Vorsichtig öffnet sie es ... »Das ist ja tatsächlich seine Schrift! ... und schließt es genauso schnell wieder: »Nicht, dass was Schlimmes drinsteht!«

»Hallo Rosi!«, lächelt Mia, als sie mit zwei Ofenhandschuhen die heiße Lasagneform auf den Tisch stellt.

»Ach, du lieber Himmel, das ist doch unsere Form!«, begrüßt meine Mutter sie herzlich und, ich hatte es befürchtet: »Die brauch ich aber zurück!«

»Haste doch schon. Sie steht vor dir!«, grätsche ich dazwischen.

»Ja, aber ich wohn doch nicht auf den Kanaren!«, kontert meine Mutter.

Mia räuspert sich und präsentiert eine neue Flasche Wein: »Ein Tempranillo aus dem … Egal – ich schlage vor, ihr trinkt beide möglichst viel davon, damit ihr euch mal vertragt!«

»Gute Idee!«, antworten meine Mutter und ich synchron und müssen zumindest schmunzeln. Mia setzt sich zu uns, und wir stoßen auf unseren Georg an. Dann endlich probieren wir die Lasagne. Sie schmeckt phantastisch: saftig und bissig in der Mitte und knusprig am Rand. Meine Mutter ist begeistert.

»Die hast du super hinbekommen«, lobt sie, »als hätte Georg sie gemacht!«

»Danke!«, freut sich Mia, »und hat er ja auch ein bisschen, es ist ja sein Rezept. Das Geheimnis ist übrigens der Rotwein.«

»Und viel Petersilie hat er immer genommen« ergänzt meine Mutter.

»Und Extra-Käse in jede Schicht!«

»Leerdamer und Gouda hat er immer gemischt.«

»Hab ich auch gemacht!«, sagt Mia, »halb und halb. Handgerieben!«

»Die Kästekruste ist auch toll«, schwärmt meine Mutter, »und so knusprig!«

»Die Käsekruste der Erinnerung …«, ergänze ich leidend und lege meine Gabel zur Seite. Mia schaut mich wissend an: »Ich hab's auch gelesen am Flughafen und sogar mitgenommen, weil …« Sie legt die gefaltete Erinnerungsanzeige neben die Lasagne. Sie haben es tatsächlich gedruckt. »Passt doch aber eigentlich perfekt, oder?«, sagt Mia.

Meine Mutter schaut auf die Anzeige, die Lasagne und das Meer, und schließlich lächelt sie: »Du hast recht, Mia. Es passt! Nicht zu Pulheim, aber zu unserem Georg. Der hat auch immer solche Witze gemacht!«

»Und es ist seine Lasagne an seinem Lieblingsort. Mit uns!«, bekräftigte ich erleichtert und schenke Wein nach, den wir aufgrund der Tischbeschaffenheit schnell trinken müssen. Was auch schon bald Wirkung zeigt, denn als Mia sich ein Stück Lasagne in den Mund steckt, tut meine Mutter etwas Unfassbares: Sie stellt ihrer Schwiegertochter eine Frage:

»Du isst wieder Fleisch?«

»Ja. Ich hab da in letzter Zeit wieder Lust drauf bekommen. Und bei Lasagne ist es auch nicht so eine Kopfsache, weil ich ja kein Tier drin erkenne.«

»Also da bin ich zu alt, um so was zu verstehen!«, sagt meine Mutter.

»Ich kann kein Vegetarisch musst du sagen!«, lache ich und sage zu Mia, »muss man nicht verstehen, oder?«

»Nein, musst du nicht.«

»Wie auch immer«, schmatzt meine Mutter gutgelaunt, »wenn Mia so gut kocht, dann kann ich ja im Alter zu euch ziehen!«

Mia und ich stellen synchron das Kauen ein und starren meine Mutter an.

»Ihr könnt weiteressen, das war ein Witz!« – und zum ersten Mal seit einem Jahr sehe ich meine Mutter von ganzem Herzen lachen.

»Haha, ihr hättet mal eure Gesichter sehen sollen!«

Als wir fertig gegessen haben, fällt ihr auf, dass ich meine Löwenkappe gar nicht mehr trage.

»Ich hab sie im Centro Médico vergessen und dort gelassen, weil … na ja … ich bin immerhin siebenundvierzig!«

»Aber mein Sohn bleibst du trotzdem immer, egal, wie alt du bist.«

»Dein Sohn ja, dein ›Schatz‹ nein, das war der Papa.«

Mia schenkt Rotwein nach und unterbreitet einen Vorschlag: »Was haltet ihr denn davon, wenn wir heute an Georgs besonderem Tag einfach alle ein kleines bisschen erwachsener werden?«

»Gute Idee!«, nicke ich und reiche meiner Mutter die Hand: »Mama? Ich bin der Nico!

Meine Mutter schüttelt sie: »Angenehm. Ich bin die Rosi. Rosi Schnös.«

»Und ich bin Nicos Frau Mia.«

»Damit kann ich leben«, lächelt meine Mutter.

»Damit MUSST du leben«, verbessert Mia sie, und wieder lachen wir. Die zweite Flasche Tempranillo war eine gute Idee. Schließlich frage ich:

»Wollen wir vielleicht mal was aus Papas Buch lesen? Immerhin hat er's hier geschrieben!«

»Ich weiß nicht …«, zögert meine Mutter, »und wenn was drinsteht, was uns dann jahrelang belastet?«

»So etwas hätte er doch nie geschrieben!«, sage ich und schlage vor: »Jeder nur eine kleine Stelle! Ich fange auch an, okay?«

Meine Mutter und Mia sind einverstanden. Also imitiere ich die Art und Weise, wie mein Vater die Seiten fliegen ließ, um dann eine mit dem Daumen zu stoppen und mit geschlossenen Augen auf irgendeine Glücksstelle zu deuten. Und dann lese ich:

»… der Trick, das Spektakel da unten zu überleben mit meinem schwachen Herzen, ist ganz einfach: ich darf nicht in die Falle tappen! Und der Club ist voller Fallen, die hat der liebe Gott aufgestellt, um zu sehen, ob ich mich aufrege. Klingelnde Handys, plärrende Gäste oder dieses schlimme Clublied! Alles Fallen! Aber jetzt, wo ich das weiß, kann ich entspannt am Strand liegen, und wenn uns dann ein Nackter übers Handtuch läuft, dann schmunzel ich einfach nur in mich hinein, weil ich ja weiß: Falle! Aber da tapp ich nicht rein!«

»Das hat er geschrieben?«, staunt auch meine Mutter. »Also dass er sich solche Gedanken gemacht hat hier oben, da war er mir irgendwie ganz schön voraus! Ich hab mich ja aufgeregt.«

»Ich ja auch!«, sage ich und gebe das Notizbuch an Mia weiter.

»In wie viele Fallen bist du denn getappt?«, fragt sie mich.

»In alle!«, sage ich und beobachte, wie Mia die Seiten von Papas Chinakladde fliegen lässt und erst im hinteren Drittel stoppt.

»So. Hab 'ne Seite. Auch einfach vorlesen?«

»Ganz genau da, wo dein Finger ist«, erkläre ich.

»Okay … also …«, beginnt Mia und liest vor:

… hab ich vor Tagen mal den Clubchef Mattes gefragt, was die Gäste hier im Club am meisten stört, also über was sie sich am meisten beschweren.
Über das Wetter? Über die Zimmer? Über das Essen? Da hat er gesagt, das sei ganz einfach zu beantworten, was die Gäste hier am meisten stört, das sei immer das Gleiche:
»Die anderen Gäste!«
Da ist was dran, hab ich mir gedacht, ohne die anderen Gäste wäre das hier ein wirklich toller Ferienclub!

Wir lachen herzlich, als Mia das Buch an meine Mutter weiterreicht, die noch immer zögert. »O weh …«, stöhnt sie, nimmt noch einen Schluck Wein und schaut uns beide verblüfft an. »Der ist ja ganz hervorragend. Was war das nochmal für einer? Kriegt man den auch in Köln?«

»LIES DIE STELLE …«, fordern Mia und ich sie auf.

»Jaha! Also:

… so kam mir die von meiner geliebten Rosi angetragene Samstagsaufgabe, unser Auto in die Waschanlage zu fahren, immer sehr entgegen, konnte ich doch vorher damit über die oft matschigen Waldwege zu Heikos Jägerstand fahren und eine Weile einfach nur dasitzen in der Natur, die Rehe beobachten und trotzdem mit einem blitzenden Auto zurückkehren.

Sprachlos legt meine Mutter das Buch zur Seite.

»Er war im Wald am Samstag? Deswegen war er so lange weg!«

»Was hast du denn gedacht?«

»Dass er in der ›Pump‹ sitzt natürlich mit dem Heinz und FC schaut!«

»Da siehst du mal, Rosi«, sagt Mia »das heißt doch, wenn du ihn nicht in die Waschanlage geschickt hättest, wäre er ja trotzdem freiwillig gefahren!«

»Stimmt«, sage ich und ergänze, »es heißt aber vor allem …?«

»Dass ich nicht schuld bin, dass er nicht mehr da ist?«

»Richtig!«, bekräftigen Mia und ich zur gleichen Zeit, doch so wirklich befreit wirkt meine Mutter nicht, eher nachdenklich.

»Aber in der Zeit hätte er doch auch zum Getränkemarkt fahren können!«

»Ach Mama!«, stöhne ich und nehme ihr das Buch wieder ab, »die Getränke bring ich dir bald vorbei, ich hab ja jetzt Zeit!«

»Sie haben dich wirklich wegen der Autosache entlassen?«, fragt meine Mutter.

»Sagen wir so … es war das i-Tüpfelchen. Aber ich find was anderes. Irgendwas, das mir auch Spaß macht!«

»Ich frag die Tochter von der Gundi«, schlägt meine Mutter vor, »die ist doch in der Presseabteilung vom Phantasialand, wo du eh so gerne bist!«

»Ja, privat! Aber nicht als Schulterbügel-Kontrolleur im *Mystery Castle.*«

»Nico, bitte. Ich kann immer noch kein Englisch!«

In den Satz meiner Mutter hinein vibriert mein Handy. Es ist eine WhatsApp von Tim.

Hey Nico, Brüssel ist begeistert. Dein Unterwasser-Camry hat über eine Million Klicks, den kennt jetzt halb Europa. Lass im Büro reden, wenn du zurück bist.

WTF!? Angehängt ist ein Link zum *Express*. Ich klicke drauf, sehe unseren Hotelpool und die Schlagzeile: Voll-Horst fährt Voll-Hybrid:

So sieht dieser Hotelpool nun nicht mehr aus!

Einen Klick weiter ist unser versenkter Toyota Camry zu sehen.

»Oh!«, nuschle ich, »sieht fast so aus, als hätte ich den Job noch.«

»Offensichtlich bist du ja aber besser in der PR als im Controlling!«, grinst Mia.

Als Lucia zu uns kommt und wir schließlich zu viert auf meinen Vater anstoßen, beginnt unten im Club das Feuerwerk. Der Gala-Abend mit dem Dessert-Buffet, das zweimal so groß ist wie unser Wohnzimmer.

»Egal!«, sagt Rosi, »wir kommen ja nächstes Jahr wieder her.«
Nächstes Jahr wieder her? Das wüsste ich aber.

Und dann rufen wir »Auf dich, lieber Georg!« in den von Raketen erleuchteten Abendhimmel. »Und auf alle Zeit der Welt!«

Als das bunte Spektakel mit dem letzten großen Knall endet, seufzt Lucia: »So schade, dass euer Georg jetzt nicht hier sein kann.«

»Ach«, winkt meine Mutter ab, »er wäre sowieso nicht bis zum Feuerwerk aufgeblieben.«

33

»Ich weiß gar nicht, warum wir diesen Betriebsausflug immer noch machen!«

Wieder klemme ich zwischen Tim und Elena in der engen Sitzschale des Freifallturms im Phantasialand, und wie im Vorjahr hat Tim zuvor bei *Maus au Chocolat* so gut wie keine einzige Maus erwischt mit seiner Schokospritze.

»Das Ding ist ja auch für Kinder gemacht!«, tröste ich meinen Chef.

Die gepolsterten Bügel fahren auf unsere Schultern, die Mitarbeiter in weißen Kitteln kontrollieren die Gurte. Ich schaue zu Elena neben mir, sie ist nicht mehr ganz so bleich wie im Vorjahr.

»Weißt ja, was gleich passiert, oder?«

»Ja, deine Mutter ruft an, und dann schießen sie uns hoch!«

Meine Kollegin liegt falsch. Es ist Mia, die anruft und mich in eine sofortige Angststarre versetzt. Nicht schon wieder!

»Nico! Bin ich froh, dass du rangehst!«

Zu spät.

Mit ohrenbetäubendem Lärm donnern wir an die Spitze des Turms. Elena schreit wie am Spieß, und ich kralle mich mit der freien Hand ins Gestänge. Dann sind wir oben, haben nichts mehr unter uns außer 65 Meter schwarzes Nichts. An der Decke zuckende Lichtblitze. Kunstnebel. Und wieder wummert der böse Bass. Sonst Stille. Wissen ja alle, was gleich passiert. Nur ich halt nicht.

»Okay, Mia, wer ist es dieses Mal?«
»Du bist es!«
»Wie? Ich?«
»Du wirst Vater!«

»Hahahaha!«, lacht der irre Wissenschaftler, und dann rase ich zu fauchendem Donnergrollen in wahnwitziger Geschwindigkeit in eine schier endlose Tiefe.

DIE LASAGNE MEINES VATERS

Zutaten für ca. 8 Personen:

Genügend Teigplatten (vorgekocht)
600–800 g gem. Hackfleisch
2 Stangen Lauch
1 Pfund Karotten
1 großer Bund Petersilie
1 Becher Sahne
1 Päckchen passierte Tomaten oder Pizzatomaten (Dose)
1/8 l trockener Rotwein
ca. 500–600 g mittelalter Gouda o. Frankendamer (am Stück!)
2 gr. Zwiebeln u. 3–4 Knoblauchzehen
Gewürze: Majoran, Basilikum, Thymian, Oregano, Salz, Pfeffer
(alles mörsern)

Lauch mit Biss in Ruhe garen – Karotten genauso. Gemüsesud
nicht weggießen. Wird noch gebraucht.

Hackfleisch, Zwiebeln und Knoblauch mischen und langsam
gut durchbraten. Langsam die gemörserten Gewürze dazu geben und alles 5 Min. in der Pfanne ziehen lassen.
Passierte Tomaten unter die Hackfleischmasse, dann die Sahne
und Rotwein dazu. Umrühren. Das bissfeste Gemüse und je
1 kl. Tasse Karotten- und Lauchsud dazu gießen.
Alles noch gut in Ruhe durchmischen.

Lasagneform vorwärmen und ein gutes Stück Butter verflüssigen. Mit Pinsel die Form ausbuttern. Erste Lage Nudelplatten in die Form legen und mit der Hackfleischgemüsemasse zudecken. Dann mit dem handgeriebenen Käse beschichten und viel Petersilie darüber. Und wieder mit den Nudelplatten belegen usw.

Die letzte Schicht sollte mit Hackfleischgemüsemasse, Käse und Petersilie enden. Hier dann mit Butterflocken abschließen.

In die vorgeh. Röhre (180–190 Grad) geben. Den Vorgang bei einem schönen Glas Wein in Ruhe beobachten, bis sich der Käse goldbraun zeigt. (20 Min. müssten ausreichend sein.)

In Ruhe genießen.

Ich möchte mich bedanken:

bei meiner Mutter **Brigitte** für ihre tapfere Mitarbeit
bei der Entwicklung der Roman-Mutter Rosi

bei meiner Frau **Nina** für ihre ebenso professionelle wie
liebevolle Unterstützung von Löwenbuch und Löwenautor

bei meinem Lektor **Volker Jarck,**
der bis zum letzten Buchstaben die Nerven behalten hat
(lediglich das fehlende ›r‹ im Titel ist ihm durchgerutscht)

und bei **Dr. Julia Schade** und allen Kollegen meines Verlags
für ihr Vertrauen und für die viele Arbeit im Hintergrund, so
dass mein Fokus beim Buch bleiben konnte.

Geholfen haben mir auch:

Story Consultant **Tom Schlesinger,** Camrykaze-Coach
Frank Wolf, Achtsamkeits-Expertin **Isabell Fleige,**
Bestatter **Uli Hader** und Pfarrer **Martin Schewe**

Sämtliche Figuren im Roman sind frei erfunden.
Firmen und Institutionen habe ich aus erzähltechnischen
Gründen gewählt, es entstehen mir hier also keine Vorteile,
mit einer Ausnahme: Im unwahrscheinlichen Fall meines
verfrühten Ablebens erhoffe ich mir einen Rabatt auf eine
biologisch abbaubare Urne.